D0278393

pbp

giulio c. lepschy

la
linguistique
structurale

296

petite bibliothèque payot

106, boulevard saint-germain, 75006 paris

Cet ouvrage traduit de l'italien par Louis-Jean Calvet, est paru en première édition française dans la collection « Études et Documents Payot ».

Tous droits de traduction, de reproduction et d'adaptation réservés pour tous pays. Giulio C. Lepschy, La linguistica strutturale, Giulio Einaudi editore, Turin.

TABLE DES MATIÈRES

Pour Annalaura.

PRÉFACE A L'ÉDITION ITALIENNE

La linguistique structurale est aujourd'hui considérée, par beaucoup, comme une discipline dont les méthodes peuvent prendre une valeur paradigmatique dans différents champs de recherche, et même des non-spécialistes s'intéressent de plus en plus souvent à la linguistique structurale, attirés par la position centrale qu'elle est venue occuper dans le monde de la culture, grâce au succès avec lequel elle applique la rigueur et le formalisme des « sciences exactes » à un phénomène comme le langage, souvent considéré comme un objet typique des « sciences historiques ».

Un livre consacré aux méthodes de la linguistique structurale n'a pas, aujourd'hui, besoin de justification ; il n'en a pas besoin en Italie particulièrement où les travaux sur ce sujet rédigés en italien sont rares et où la connaissance de la linguistique structurale non seulement n'a pas pénétré le public cultivé mais encore a tout juste commencé, même parmi les glottologues de profession, son œuvre rénovatrice.

Ce livre reproduit en grande partie un article publié dans les « Annali della Scuola Normale Superiore di Pisa »[1], qui a provoqué un certain intérêt non seulement chez les collègues linguistes à qui il était destiné mais aussi chez d'autres lecteurs désireux de s'informer sur la linguistique structurale. S'il ne s'agit donc pas

1. G. C. LEPSCHY, *Aspetti teorici di alcune correnti della glottologia contemporanea*, « ASNP » série II XXX 1961 187-267 et XXXIV 1965 221-95. Je désire exprimer ma gratitude aux maîtres, aux collègues et aux amis avec lesquels j'ai pu discuter différents aspects de cet essai ; en particulier au professeur T. Bolelli qui a accueilli mon travail dans les « Annali della Scuola Normale Superiore di Pisa » et qui consent aujourd'hui à sa publication.

d'un livre écrit dans la perspective d'une large diffusion, on a cependant cherché à éviter (pour autant que cela était possible sans tomber dans l'imprécision et la généralité) la technicité, et on a visé à un maximum de simplicité et de clarté. Ceci demeure cependant, bien entendu, un développement spécialisé de questions hautement techniques et non une divagation littéraire.

On n'a pas voulu offrir ici une illustration élémentaire des concepts et des termes de la linguistique moderne, ni fournir une histoire originale de la linguistique du point de vue de l'auteur. Cet essai n'est donc à proprement parler ni de la linguistique théorique ni de l'histoire linguistique, mais il se propose le but beaucoup plus modeste d'informer le lecteur, à travers une discussion critique, sur les différentes conceptions linguistiques récentes.

Etant donnée la structure de ce travail, quelques répétitions sont inévitables. Dans l'introduction (que le lecteur non spécialiste devra relire après avoir terminé le livre) on a mis l'accent de façon synthétique sur chaque question de linguistique théorique. Dans les chapitres suivants, nous exposons les différentes positions de la linguistique structurale, non sans quelques aperçus sur leur origine : les positions saussuriennes, celles de l'école de Prague, celles de l'école de Copenhague, celles américaines et enfin les développements les plus récents qui se lient diversement à de telles positions. En appendice, nous abordons quelques questions qui, bien qu'intéressantes, ne concernent pas directement la linguistique théorique : de la statistique linguistique aux problèmes de la linguistique appliquée comme celui de la traduction automatique.

Ce livre veut être un stimulus et une orientation pour la connaissance de certaines positions de la linguistique théorique moderne, et il atteindra son but s'il pousse certains lecteurs à prendre un contact direct avec les livres discutés ici. Pour ceci les indications bibliographiques (cependant maintenues dans des limites étroites) constituent une partie importante du livre : elles servent non seulement de renvois nécessaires à la justification de ce que l'on écrit, mais aussi et surtout de suggestions pour des lectures ultérieures. Pour la linguistique plus encore peut-être que pour

les autres disciplines il est vrai que, pour rendre compte de son
caractère et de ses méthodes, il ne suffit pas de quelques heures
consacrées à la lecture d'un livre ou d'un article. Il n'existe pas
de raccourcis commodes, et en l'absence d'une réflexion prolongée
et de l'apprentissage de techniques précises, il est facile de tomber
dans de grosses confusions et des équivoques contre lesquelles le
lecteur est dès à présent mis en garde.

Plusieurs problèmes intéressants se trouvent à la limite entre
la linguistique et d'autres disciplines [1] *; on a bien sûr dû faire*
mention de celles-ci sans que l'auteur prétende à aucune compé-
tence dans de telles disciplines différentes (de la philosophie des
sciences à la recherche historique, de la sociologie à la théorie
de l'information, de la logique à l'acoustique). Les spécialistes
de ces disciplines seront plutôt intéressés par ce que les linguistes
ont à dire (avec compétence) à propos de leur recherche (et de ses
contacts avec d'autres champs) que par ce que les linguistes pour-
raient dire (sans compétence) à propos des champs de recherche
d'autrui.

On ne parle pas dans ce livre de questions plus ou moins inté-
ressantes (et plus ou moins à la mode) comme celles de l'incom-
municabilité, des racines linguistiques, ou des rapports entre
langue et intentionnalité, entre langue et art, entre langue et

1. On verra le recueil d'essais réunis par R. BASTIDE, *Sens et usages du*
terme structure dans les sciences humaines, 's-Gravenhage 1962, et, à propos de
ce livre, G. C. LEPSCHY, *Osservazioni sul termine struttura,* « ASNP » série II
XXXI 1962 173-97. On verra aussi A. G. HAUDRICOURT, *Méthode scienti-*
fique et linguistique structurale, « ASoc » 1959 31-48 ; B. V. GORNUNG, *Mesto*
lingvistiki v sisteme nauk i ispol'zovanie v nej metodov drugih nauk, « VJa »
1960 : 4 31-36. Pour l'histoire, on verra par exemple F. BRAUDEL, *La longue*
durée, « Annales » XIII 1958 725-53 ; pour la critique littéraire il y a de nombreux articles dans lesquels on aborde le structuralisme linguistique : mais
leur intérêt ne réside en général pas dans ce qu'ils disent sur la linguistique
et il n'y a pas lieu d'en citer ici ; l'épisode le plus important de l'usage des
méthodes structuralistes en dehors de la linguistique est représenté par
l'œuvre de Cl. LEVI-STRAUSS : les essais réunis dans *Anthropologie structurale,*
Paris 1958 sont particulièrement intéressants pour le linguiste, ainsi que *La*
structure et la forme, « Cah. Inst. SC. Ec. Appl. » 99 VII 1960 3-36.
Cf. en général les essais réunis par C. Segre dans *Strutturalismo e critica,*
catalogue général 1958-1967 des éditions il Saggiatore, Milano 1965 IX-
LXIV ; le fasc. 73-74 sur *La notion de structure* de la « revue internationale
de philosophie » XIX 1965 251-448 ; et les numéros 36-37 sur le *Structu-*
ralism de « Yale French Studies » 1966.

inconscient, entre langue et infrastructure, et ainsi de suite. On parle au contraire des problèmes méthodologiques qui se posent aux linguistes au cours de leur travail d'analyse et de description du langage. Nous pourrions, en recourant à une distinction terminologique, dire que dans ce livre on discute des théories qui appartiennent plutôt à la linguistique générale qu'à la philosophie du langage, théories qui portent plutôt sur le fonctionnement de la langue que sur la nature du langage. Il est peut-être recommandable (comme beaucoup le font) de parler de la philosophie du langage sans se fonder sur l'étude de la linguistique générale, c'est une chose que nous ne discuterons pas ici.

Bien que l'exposé soit élémentaire et qu'il ait une fonction d'information pour ceux qui ne connaissent pas le problème, l'auteur espère qu'il ne sera pas inutile aux lecteurs qui, déjà familiarisés avec la linguistique structurale, pourront trouver ici au moins quelques points de discussion et de réflexion ultérieures.

Juin 1966.   G. C. L.

PRÉFACE A L'ÉDITION FRANÇAISE

La traduction française reproduit le texte de l'édition italienne. Seules les informations bibliographiques ont été légèrement modifiées et mises à jour.

Juin 1967.   G. C. L.

NOTE DU TRADUCTEUR

Un ouvrage de linguistique ayant comme celui-ci pour vocation de s'adresser à un vaste public, c'est-à-dire à un public non linguiste dans sa majorité, se doit dans son apparat d'exemples d'être le plus simple possible, le plus immédiatement préhensible. C'est en effet au niveau de l'exemple que se clarifie la théorie, au niveau de l'exemple que le lecteur « traduit » en termes connus ce qui, pour lui, risque parfois de n'être que jargon.

La tâche du traducteur est donc malaisée car il faut à la fois conserver la clarté et l'adéquation des exemples tout en les remplaçant par d'autres d'une autre langue. En ce qui concerne *La linguistique structurale* et le passage de l'italien au français, la difficulté tenait surtout à l'absence en français de certaines particularités morphologiques et de certains phonèmes italiens qui rendait impossible la traduction pure et simple. D'autres exemples jouaient sur l'ambiguïté de certaines traductions de l'anglais à l'italien (dans le chapitre IX) et il fallait là aussi recréer non seulement des exemples français, mais encore des exemples français et anglais parallèles présentant dans la traduction des uns vers les autres des ambiguïtés semblables à celles des exemples initiaux.

Dans tous ces cas, nous nous sommes donné pour but la plus grande simplicité, rejetant les exemples peu courants ou les confusions peu vraisemblables.

Par ailleurs, nous n'avons pas cherché à donner au vocabulaire italien de l'auteur un « équivalent » français. Il nous a paru plus important, autant que faire se pouvait, de le remplacer par le vocabulaire linguistique français le plus courant, c'est-à-dire celui prêtant le moins à confusion. Cependant, un certain nombre de termes étrangers empruntés par l'auteur à d'autres linguistes n'avaient pas de traduction exacte en notre langue. Dans ce cas, le lecteur se reportera utilement à l'original dont la référence se trouve toujours en note.

De tout ceci le lecteur jugera, nous espérons pour notre part que ce travail d'adaptation lui facilitera la lecture de l'ouvrage.

Septembre 1967.

Louis-Jean Calvet.

TABLE DES ABRÉVIATIONS

CW   The Classical Weekly (aujourd'hui : The Classical World).
        New York.

DLZ   Deutsche Literaturzeitung für Kritik der internationalen
        Wissenschaft. Berlin.

ETC   ETC. A Review of General Semantics. Chicago.

FM   Le Français Moderne. Paris

GL   General Linguistics. Lexington. Kentucky.

GUMSL   Georgetown University Monograph Series on Languages
        and Linguistics. Washington, D. C.

HSPh   Harvard Studies in Classical Philology. Cambridge, Mass.

IF   Indogermanische Forschungen. Zeitschrift für Indoger-
        manistik und allgemeine Sprachwissenschaft. Berlin.

IJ   Indogermanisches Jahrbuch. Strasbourg.

IJAL   International Journal of American Linguistics. Baltimore,

IzvAN   Izvestija Akademii Nauk SSSR. Otdelenie literatury
        i Jazyka. Moskva-Leningrad.

JAcS   Journal of the Acoustical Society of America. Lancaster
        Pa. New York.

JAOS   Journal of the American Oriental Society. New Haven.
        Conn.

JCLA   Journal of the Canadian Linguistic Association. Edmonton
        Alberta (aujourd'hui : Canadian Journal of Linguistics
        Toronto).

JEGP   Journal of English and Germanic Philology. Urbana, Ill.

JL   Journal of Linguistics (published for the Linguistics Asso-
        ciation of Great Britain by Cambridge University Press).

JP   London. Język Polski. Kraków.

JPsych Journal de Psychologie Normale et Pathologique. Paris.

JSL   The Journal of Symbolic logic. Menasha, Wisc.

KNf   Kwartalnik Neofilologiczny. Warzawa.

LbL   Limba Romîna. Bucureşti.

L & S   Language and Speech. Teddington.

Lg   Language. Journal of the Linguistics Society of America
        Baltimore.

LGRP   Literaturblatt für germanische und romanische Philologie
        Heilbronn-Leipzig.

Lingua Lingua. International Review of General Linguistics. Ams-
        terdam.

Linguistics Linguistics. An International Review. The Hague.

LL   Language Learning. Ann Arbor.

LN   Lingua Nostra. Firenze.

MALinc Atti dell' Accademia Nazionale dei Lincei. Memorie della
        Classe di Scienze Morali, Storiche e Filologiche. Serie VIII.
        Roma.

Methodos	Methodos. Linguaggio e Cibernetica. Milano.
MLF	Modern Language Forum. Los Angeles.
MLJ	Modern Language Journal. Ann Arbor.
Monatshefte	Monatshefte für deutschen Unterricht. Madison, Wisc.
MP	Mašinnyj Perevod. Moskva.
MPh	Modern Philology. Chicago.
MPhon	Le Maître Phonétique. Organe de l'Association Phonétique Internationale. London.
MSpråk	Poderna Språk. Stockholm.
MT	Mechanical Translation. Cambridge, Mass.
NPh	Neophilologus. Groningen.
NTF	Nordisk Tidsskrift for Filologi. Köbenhavn.
NTg	De Nieuwe Taalgids. Groningen.
NTS	Norsk Tidsskrift for Sprogvidenskap. Oslo.
NTTS	Nordisk Tidsskrift for Tale og Stemme. Köbenhavn.
PAPhiloS	Proceedings of the American Philosophical Society. Philadelphia.
Phonetica	Phonetica. International Zeitschrift für Phonetik. Basel-New York.
PhP	Philologica Pragensia. Praha.
PI	Le parole e le idee. Revista internazionale di varia cultura Napoli.
PJ	Poradnik Językowy. Warszawa.
PK	Problemy Kibernetiki. Moskva.
PLG	Probleme de lingvistică generală. Bucureşti.
PSAM	Proceedings of Symposia in Applied Mathematics. American Mathematical Society. Providenec Rhode Island.
RALinc	Atti dell'Accademia Nazionale dei Lincei. Rendiconti della Classe di Scienze Morali, Storiche e Filologiche. Serie VIII. Roma.
RBF	Revista Brasileira de Filologia. Rio de Janeiro.
RESl	Revue des Études Slaves. Paris.
RJaŠ	Russkij Jazyk v Škole. Moskva.
RJb	Romanistisches Jahrbuch. Hamburg.
RL	Ricerche Linguistiche. Bolletino dell'Istituto di Glottologia dell'Università di Roma. Roma.
RLaV	Revue des Langues vivantes. Bruxelles.
RLing	Revue de Linguistique. Bucarest.
RomPh	Romace Philology. Berkeley. Los Angeles.
SbÖAW	Sitzungsberichte der Österreichen Akademie der Wissenschaften, Philosophisch-Historische Klasse. Wien.
SbSAW	Sitzungsberichte der Sächsischen Akademie der Wissenschaften, Philologisch-Historische Klasse. Leipzig.
SFI	Studi di Filologia Italiana. Bulletino dell'Accademia della Crusca. Firenze.

CHAPITRE PREMIER

INTRODUCTION

1. La grammaire comparative.

Selon un point de vue traditionnel la linguistique scientifique est identifiée à la linguistique historique, et par linguistique historique on entend en général la grammaire comparée indo-européenne et l'étude d'autres familles linguistiques menée selon les méthodes de la grammaire comparée indo-européenne.

Ce point de vue est dû aux succès réalisés, au siècle dernier, dans l'étude comparée des langues indo-européennes, à la démonstration de leurs rapports de parenté, à la mise en évidence de règles précises (telles les très célèbres et très discutées « lois phonétiques ») qui en régissent les transformations et, considérant leurs rapports, les différenciations et les rapprochements. Dans cette étude on a atteint un degré de certitude et de précision supérieur à celui d'autres disciplines historiques ; et c'est justement la grammaire comparée dans son aspect le plus technique qui a été considérée comme scientifique et souvent opposée non seulement aux disciplines historiques mais aussi aux autres aspects de la réflexion sur le langage, dans lesquels la même certitude et la même précision n'avaient pas été atteintes. Ce n'est pas par hasard qu'on fait commencer l'élaboration de la linguistique scientifique non tant avec Herder, les Schlegel, W. von Humboldt (qui jetèrent pourtant la base théorique de ces études) mais plutôt avec une personnalité de relief beaucoup plus modeste dans l'histoire de la culture, celle de Franz Bopp, et qu'ensuite on trouve des spécialistes beaucoup plus remarquables pour leurs capacités techniques que pour leur vigueur théorique. Pott, Schleicher et les néo-grammairiens par exemple. Parmi ceux-ci, Brugmann produisit, avec le colossal *Grundriss*, la synthèse la plus caractéristique (et, bien que vieillie, encore indispensable aujourd'hui) de la grammaire comparée indo-européenne. Cette étude « scientifique » était essentiellement « historique » ; aux grammaires normatives et descriptives (qui répondaient à des exigences pratiques) le glottologue opposait, en tant qu'œuvre propre, scientifique, la grammaire historique, l'étude de l'histoire de la langue, des transformations qu'elle avait subies ; il remontait non pas aux origines du langage (les discussions sur l'origine du langage et sur ce qu'il était advenu entre de telles origines et les premiers millénaires avant J.-C. furent au contraire abandonnées comme spéculations impossibles à mener en termes scientifiques), mais à une phase « indo-européenne commune » : en un certain lieu, durant une certaine période (mais on discute sur l'identité exacte d'un tel lieu et d'une telle période) on parlait une langue, ou un ensemble de dialectes (dont il ne reste aucune trace) qui sont devenus, au cours des temps, les langues indoeuropéennes que nous connaissons, historiquement attestées, à diverses époques, et en partie encore parlées aujourd'hui.

Si, au cours du xixe siècle, on était animé par la confiance de pouvoir reconstruire la langue indo-européenne (on sait que Schleicher composa même une fable en indo-européen et que Hirt la traduisit, il n'y a pas tellement longtemps, en indo-européen tel qu'il le concevait), on a défini durant notre siècle une position plus prudente, selon laquelle les formes et les sons « précédés d'un astérisque » (reconstruits, ainsi disait-on pour « attribués à l'indo-européen ») n'appartiennent pas à une langue effectivement parlée, ne sont pas des tentatives de reconstruction, mais seulement l'indication abrégée, le symbole de la correspondance (scientifiquement établie par la grammaire comparée) entre formes et sons historiquement attestés dans les langues indo-européennes connues de nous [1].

2. Sa crise.

La très grande prudence de cette attitude (explicitement formulée, par exemple, par un savant comme A. Meillet, appartenant à la plus solide tradition d'études indo-européennes) était aussi due à la crise qui avait ébranlé, sur la fin du siècle passé, la confiance des glottologues dans la validité des lois de l'évolution linguistique sur lesquelles se basait la reconstruction. J. Schmidt avait attaqué la conception schleicherienne de « l'arbre généalogique » selon laquelle chaque langue se transformait, au cours du temps, en d'autres langues, à travers un rigide système de ramifications (dont les branches ne se croisaient et ne se mêlaient jamais), et avait avancé la théorie des « ondes », selon laquelle chaque innovation linguistique se répand à partir d'un centre et atteint (comme les ondes provoquées par une pierre que l'on jette dans l'eau) une extension plus ou moins grande. A la même époque des théories analogues étaient soutenues par Schuchardt, qui attaquait le caractère immuable des lois phonétiques (soutenu par les néo-grammairiens) et jetait les bases d'une méthode dans laquelle l'histoire des mots isolés était présentée comme un objet d'étude plus adéquat que l'histoire de la langue entière. Les travaux de géographie linguistique vinrent aussi, peu après, renforcer ces positions. Aujourd'hui encore, des savants s'inspirent d'elles, ceux qui soutiennent que les langues sont des abstractions et qu'elles doivent être analysées en faits plus concrets, les phénomènes, historiquement attestés, de la diffusion des traits linguistiques isolés (que l'on peut représenter sur une carte par des isoglosses), diffusion qui ne respecte pas tout à fait les subdivisions artificielles en langues et dialectes. Des innovations particulières peuvent avoir atteint des langues diverses sans

(1) Les notes sont groupées en fin de chapitre.

que l'on doive pour cela supposer que dans une période précédente de telles langues constituaient un groupe unitaire distinct des autres langues que les innovations en question n'ont pas pénétrées. La notion même d'un arbre généalogique à ramifications successives apparaissait moins simpliste que complètement insoutenable.

Certaines de ces conceptions (particulièrement en Italie) cherchaient même, en vain, à assimiler les sollicitations et à prévenir les critiques de la philosophie néo-idéaliste contre la glottologie traditionnelle. En vain, parce que à partir d'une telle philosophie (qui apparaît, par exemple, dans l'*Esthétique* de B. Croce), il n'y a aucune linguistique possible (sinon celle qui, s'identifiant à l'esthétique, cesse d'exister en tant que linguistique). La notion, par exemple, d'isoglosse est autant une abstraction que la notion de langue ; faire l'histoire d'un mot est tout aussi arbitraire que faire l'histoire d'une langue ou mettre en évidence une loi phonétique, si l'on n'a que des créations individuelles, des actes intuitifs-expressifs particuliers et ne se répétant pas, chacun différent de tous les autres, et nullement comparable aux autres si ce n'est pour en constater la différence. On ne voit pas comment on pourrait avoir non seulement une science linguistique mais tout simplement une connaissance de tels actes linguistiques particuliers et ne se répétant pas, sinon à travers de nouveaux actes intuitifs-expressifs, tout aussi particuliers, tout aussi uniques et tout aussi mystérieux [2].

3. LE STRUCTURALISME.

La linguistique qui s'était immergée dans ce bain néo-idéaliste en sortait transformée soit en biographie spirituelle des locuteurs particuliers, soit en histoire de la culture, soit en critique littéraire, mais certainement diminuée, en tant que linguistique, hâve et impotente, ses propres instruments d'analyse, autrefois raffinés, réduits à des ustensiles grossiers et primitifs. Des discussions qui se développèrent à la fin du siècle

dernier émergèrent cependant différentes tendances qui portèrent non pas à la négation de la science linguistique mais à
un renouvellement de ses méthodes, beaucoup plus fécondes
lorsqu'elles provenaient non d'*a priori* philosophiques exté-
rieurs mais de la nécessité même qu'imposaient, de l'intérieur,
les problèmes de l'analyse linguistique.

Nous nous occuperons dans les chapitres suivants [3] de quel-
ques-unes de ces tendances réunies, malgré leur diversité considérable, sous l'étiquette de « structuralisme ». Nous nous limitons pour l'instant à exposer quelques considérations générales,
qui peuvent être utiles pour situer méthodologiquement les
positions dont nous parlerons de façon plus détaillée par la
suite, mais qui ne sont valables pour aucune de ces positions
en particulier. Les notions sur lesquelles nous nous arrêterons
maintenant (principalement inspirées du cours saussurien, le
premier sur le plan chronologique et le plus fécond sur le plan
méthodologique, des textes du structuralisme linguistique)
sont celles de MODÈLE (et d'abstraction, de généralité), de PER-
TINENCE (et de variante relative à une unité structurale), de
LANGUE-PAROLE, PARADIGMATIQUE-SYNTAGMATIQUE, SYNCHRO-
NIE-DIACHRONIE.

4. LE MODÈLE.

Une notion importante dans la linguistique structurale et
qui pourtant n'a pas été explicitement approfondie [4], est celle
de MODÈLE. « Modèle » n'est pas du reste un terme univoque.
Dans différentes sciences on se sert de modèles mathématiques,
dans lesquels la progression de phénomènes déterminés est
représentée par certaines équations, ou de modèles physiques,
dans lesquels des conditions déterminées sont reproduites à
différentes échelles et avec des moyens variés, en laboratoire.
Aujourd'hui, ces deux valeurs entrent en jeu dans la linguistique : la première s'occupe de représenter avec des formules
déterminées le fonctionnement syntaxique d'une langue, la
seconde s'occupe de construire en laboratoire un modèle du

locuteur et de l'auditeur, un automate (basé sur l'emploi des calculatrices électroniques) capable d'imiter, sous certains aspects, le comportement de l'usager humain d'une langue. Nous nous trouvons loin, ici, de la traditionnelle conception humaniste du langage, dans une sphère que l'on appelle aujourd'hui cybernétique. Il peut être ici intéressant de rappeler la distinction tracée par Somenzi [5] entre une conception « des phénomènes biologiques et mentaux ayant pour finalité leur interprétation en termes de processus physico-chimique et leur théorisation mathématique, en prenant pour modèles fonctionnels généraux les dispositifs déjà réalisés par la technique ou ceux postulés par la théorie des automates et la théorie de l'information », et une étude (parfois appelée « bionique » pour la distinguer de la cybernétique, désormais plus traditionnelle) visant à « la construction effective de nouveaux automates — pas encore prévus par les techniciens et les mathématiciens — sur la base de tout ce que l'on observe dans les organismes vivants, considérés dans ce cas comme le modèle à imiter avec certitude, sur la foi des résultats déjà acquis — dans la sélection naturelle — avec le degré d'efficience élevé rendu possible par un très long processus évolutif ». Du point de vue de la linguistique, il peut sembler que l'étude des langues naturelles nous éloigne de la velléité de construire des machines linguistiques, mais Somenzi, illustrant l'attitude expliquée par la bionique, rappelle avec von Neumann que « on peut admettre que le cerveau humain tel qu'il est constitue encore le modèle et la représentation les plus simples du cerveau en général » [6].

En négligeant cet usage, logiquement paradoxal, des termes de « modèle » et de « représentation », l'idée que l'étude précise des langues naturelles soit en linguistique le meilleur moyen de construire un modèle de l'acte linguistique ne peut pas ne pas sembler attirante. Mais le point qui nous intéresse, ici, est l'usage heuristique des modèles dans la description des faits linguistiques (qu'elle soit destinée ou non à l'ultérieure élaboration d'un modèle). Le recours à un modèle se fonde sur l'existence d'une analogie entre le modèle et certains aspects du phénomène à décrire, et donc sur l'abstraction de tels aspects (que nous considérerons comme pertinents) par rapport à d'autres (que nous considérerons comme non pertinents). Ces aspects pertinents sont toujours choisis parmi ceux qui sont communs à des catégories entières de faits linguistiques : qu'un aspect quelconque soit inanalysable et propre à un seul acte linguistique, il est par là même non pertinent. La description linguistique structurale est donc caractérisée par son ABSTRAC- TION et par sa GÉNÉRALITÉ, et elle s'oppose par là à la recherche du concret et du particulier qu'une grande partie de la linguis- tique traditionnelle posait comme son but spécifique.

Nous ne voulons pas aborder ici une discussion générale sur la distinction entre connaissance historique et connaissance due aux sciences naturelles, basée sur la caractérisation de la première comme individualisante et de la seconde comme géné- ralisante [7]. Mais il n'est peut-être pas inutile de rappeler que, à la différence du mathématicien ou du physicien théorique par exemple, le savant auquel l'on attribue souvent une atti- tude technique par excellence, l'ingénieur, se trouve souvent obligé d'étudier ses problèmes de manière individualisante, de concevoir et de construire par exemple une maison, un pont ou une digue en tenant compte des conditions spécifiques (in- clinaison du terrain, sa qualité, conditions climatiques de cet endroit particulier, etc...) qui font de son œuvre une chose particulière, différente de toutes les autres, et non un exemple auquel on puisse appliquer une loi générale. De plus, le cons- tructeur pourra se trouver obligé de tenir compte de certains aspects, dans la maison qu'il prépare, comme la couleur (en fonction des exigences esthétiques des futurs occupants ou de ses rapports avec la température) ou comme la digestibilité des matériaux employés (dont un enfant pourrait avaler une parcelle). Mais on devra toujours tenir soigneusement compte de la pertinence et sur elle se basera par-dessus tout la distinc- tion entre les différents aspects à prendre en considération. Si concrète et individuelle que puisse être l'œuvre demandée à un ingénieur, personne ne dirait que les lois normales de la science ne lui servent pas sous prétexte qu'elles sont abstraites et générales. On ne voit pas clairement comment on peut avoir une connaissance scientifique autrement qu'à travers l'institution d'analogies partielles entre des phénomènes différents sur le plan général, c'est-à-dire (comme nous l'avons vu) à travers l'abstraction, dans un phénomène particulier, d'éléments dans lesquels on retrouve la généralité. Ceci ne signifie pas, bien entendu, qu'il faille nier toute individualité et toute originalité aux faits linguistiques et historiques qui en sont doués, mais suggère une voie pour étudier une telle originalité en termes de combinaisons issues d'éléments préexistants et non en terme de création à partir du néant. Il ne s'agit pas par là de nier la présence d'éléments nouveaux inanalysables là où ceux-ci se présentent. On ne doit pas, de toutes façons, mélanger l'usage de nouveaux énoncés (c'est-à-dire un fait qui fait essentiellement partie du fonctionnement synchronique d'une langue et qui doit être abordé et étudié comme tel) avec l'innovation linguistique.

5. LA PERTINENCE.

Le critère de pertinence se précise par rapport aux diverses fonctions de la langue. Il n'y a aucun doute sur le fait qu'une fonction centrale de la langue soit celle de transmettre des informations, la fonction communicative. Un énoncé comme, par exemple, *nous prendrons le livre à trois heures*, communique une certaine information. L'auditeur peut aussi déduire certaines choses de la voix de celui qui le prononce (par exemple reconnaître s'il s'agit d'un homme, d'une femme ou d'un enfant, ou dans certains cas reconnaître le sujet parlant) ; l'énoncé pourra être prononcé à voix plus ou moins haute, d'une façon plus ou moins rapide, etc... il s'agit indubitablement d'informations que l'auditeur pourra en retirer. Il y a un sens dans lequel, malgré la variabilité de nombreux paramètres, l'énoncé reste le même, un sens dans lequel les différentes répétitions sont justement des répétitions d'un MÊME énoncé qui transmet la MÊME information, c'est-à-dire que nous prendrons le livre à trois heures. De ce point de vue, toute autre information que l'on peut retirer de l'énoncé est non pertinente. Et nous retrouvons ici la notion d'abstraction. Il ne s'agit pas de rechercher les éléments matériels qui doivent être communs à chaque répétition différente d'un même énoncé. Physiquement nous pourrions trouver plus de choses communes entre 1) *nous prendrons le livre à trois heures* et 2) *nous rendrons le livre à trois heures*, prononcés à haute voix par un même homme, qu'entre 3) *nous prendrons le livre à trois heures* prononcé à haute voix par cet homme et 4) *nous prendrons le livre à trois heures* dit à voix basse par une enfant. Ou bien, en considérant la langue écrite, il paraît clair que 5) *nous prendrons le livre à trois heures* et 6) *nous rendrons le livre à trois heures* ont physiquement plus de choses en commun que 7) NOUS PRENDRONS LE LIVRE A TROIS HEURES et 8) nous prendrons le livre à trois heures. Mais, en ce qui concerne le point de vue de la communication linguistique, 1), 3) et 4) pour le langage, 5), 7) et 8) pour l'écriture, représentent des énoncés semblables (malgré leurs différences physiques), tandis que 1) et 2) pour le langage, 5) et 6) pour l'écriture représentent des énoncés différents (malgré leurs ressemblances physiques).

Pour confirmer cela, nous pouvons rappeler que, dans l'acte concret du discours, un son qui nous fait une impression d'unité peut être en réalité analysé en des complexes très divers. Quand nous parlons, ce qui se passe est représentable, physiquement, de façon complète, au moins de trois manières : par un film aux rayons X des mouvements des organes produisant la parole ; par une représentation graphique des vibrations de l'air en un point quelconque entre la bouche du locuteur et l'oreille de l'auditeur (grâce à un spectrogramme ou à la bande sonore d'un film) ; par une représentation graphique des impulsions transmises par les nerfs qui unissent l'oreille au cerveau (et nous laissons pour le moment de côté le rapport entre cette représentation et celle des influx nerveux transmis du cerveau aux organes de la parole chez le locuteur). Ces trois représentations n'ont, physiquement, rien de commun ; elles sont, d'une certaine façon, incommensurables. Tout aussi incommensurable est le son (nous disons cela pour simplifier, ou bien chacune de ces trois représentations) par rapport à la lettre qui en constitue l'équivalent graphique. Si nous pensons que le français parlé et le français écrit sont des manifestations d'une même langue (ce qui serait rigoureusement vrai dans le seul cas où le français écrit serait une fidèle transcription phonétique du français parlé), nous dirons que ce que nous percevons lorsque nous entendons le mot CHIEN et ce que nous lisons lorsque nous voyons le mot *chien* sont deux répétitions du même mot ; mais ce que nous voyons et ce que nous entendons sont deux choses, du moins en première approximation (en repoussant comme évidemment marginaux des faits de sinesthésie), indépendantes et incommensurables. De telles choses se correspondent en tant qu'elles sont des manifestations matérielles des mêmes éléments abstraits à l'identification desquels devra tendre la description linguistique. Si nous décrivons le français parlé et le français écrit, ce ne sera pas à travers une minutieuse description de la forme graphique du *a* et des caractères phonétiques du A, mais à travers des considérations d'un autre type, que nous pourrons découvrir qu'elles représentent une même unité.

Une comparaison que l'on fait souvent à ce sujet est celle de la langue et du jeu d'échec. Le jeu reste le même quelle que soit la matière dont sont fabriqués l'échiquier et les pièces (bois, métal, papier, argile ou parmesan), car les pièces restent distinctes les unes des autres. Les pièces sont définies par leurs rapports réciproques et en général par les règles du jeu, et non par la substance dont elles sont faites ou par leur aspect extérieur. Une autre comparaison possible est celle des systèmes de NUMÉRATION. Nous avons le système décimal, auquel nous sommes habitués, par lequel nous considérons séparément les dix premières unités, de 0 à 9, puis nous recommençons, reportant la dizaine devant l'unité à ajouter, de sorte que le chiffre vingt-sept, par exemple, sera « deux fois dix unités » plus « sept unités » (17 = 2 dizaines et 7 unités). Nous pourrions avoir un système à base deux (binaire), à base cinq (quinaire), à base douze (duodécimal), à base vingt (vigésimal) et ainsi de suite (pour ne citer que les systèmes de numération dont nous avons des utilisations effectives à portée de main). De la même façon, sur le plan de la langue, nous avons différentes (premières) articulations en monèmes et différentes (deuxièmes) articulations en phonèmes. Avec ces deux articulations, nous sommes toujours sur le plan de la numération. Dans une autre numération, différente de la décimale, par exemple dans la numération romaine, au nombre 27 correspond XXVII, selon une articulation différente. Tout à fait autre est la question de la CHIFFRATION, ou codification, par laquelle nous pouvons manifester d'une certaine manière, selon nos exigences, les énoncés appartenant à des numérations différentes. La numération décimale reste la même si nous substituons aux dix signes graphiques auxquels nous sommes habitués (les chiffres arabes de 0 à 9) dix autres signes, quels qu'ils soient, pourvu qu'on puisse les distinguer les uns des autres : nous pourrions utiliser les dix premières lettres de l'alphabet (et noter alors 27 par « ch »), ou bien recourir à une chiffration (pas une numération cette fois) binaire, comme on le fait pour les calculatrices, avec ce que l'on appelle le système décimal codifié binaire : c'est-à-dire que nous pourrions représenter chacun des dix chiffres décimaux par une série de quatre symboles binaires 0 et 1 (0 = 0000, 1 = 0001, 2 = 0010, 3 = 0011, etc...) et écrire alors notre 27 comme 2 = 0010 suivi de 7 = 0111, obtenant ainsi 00100111 (séquence de symboles bien différente de celle qui représenterait le même nombre dans une numération binaire : 11011). On peut dire que la linguistique non structurale a tendance à confondre ces deux notions de numération et de chiffration, à confondre le système sur la base duquel fonctionne la langue avec sa réalisation matérielle, prêtant à cette réalisation plus d'intérêt qu'elle n'en mérite. De la même façon il serait inutile de chercher à comprendre le fonctionnement de l'arithmétique en consacrant les plus minutieuses observations à l'aspect extérieur des chiffres arabes : leur aspect ne nous intéresse que dans la seule mesure où l'on peut identifier dix formes distinctes les unes des autres. Le sens du concret, de la fidélité aux données de l'expérience dont se réclame quelquefois l'étude traditionnelle, en s'opposant au caractère abstrait du structuralisme, est de ce point de vue illusoire. Un phonème reste le même, qu'il soit représenté par certains sons (comme lorsque nous parlons) ou par certaines lettres (comme lorsque nous utilisons une transcription phonétique) ; de la même façon un signe graphique reste le même, qu'il se manifeste sous la forme d'un caractère ou d'un autre (à la main, à la machine ou imprimé), ou par des points et des traits (comme dans l'alphabet morse), ou encore par des gestes (comme dans l'alphabet des sourds-muets).

Il ne s'agit donc pas tant de mettre en valeur des ressemblances physiques que de mettre en valeur des éléments abstraits se manifestant dans les différentes répétitions d'un même énoncé. Nous trouvons ici la notion de STRUCTURE, centrale pour la théorie dont nous nous occupons, comme il l'apparaît dans l'étiquette même de linguistique structurale. L'idée traditionnelle que la langue constitue un système dans lequel tout se tient, est développée de façon cohérente jusqu'à ses ultimes conséquences. La langue exerce sa fonction de communication grâce au fait qu'elle est constituée par des éléments qui ont entre eux des rapports déterminés et qui se définissent justement sur la base de ces rapports. Dans « livre » nous identifierons un élément initial *l* non pas (ou pas seulement comme nous le verrons) sur la base de sa ressemblance avec les autres *l*, mais sur la base des rapports qu'il a en français avec les autres éléments du système phonématique dont il doit rester distinct. Ainsi *livre* est différent de *vivre*, à l'initiale, comme *loir* est différent de *voir*, comme *lu* est différent de *vu*, *fin* est différent de *vin* comme *fous* est différent de *vous*, et ainsi de suite. Avec un jeu complexe d'oppositions (à des niveaux différents, phonématiques et grammaticaux) on identifie différents éléments entre lesquels il y a des rapports déterminés dans le système linguistique et dans la structure du discours. Les chapitres suivants donneront une idée des procédés employés.

Le critère de PERTINENCE vaut, évidemment, à l'intérieur des langues particulières. Les sons *p* qui apparaissent dans des énoncés français, anglais et chinois, par exemple, peuvent être physiquement non distinguables. Si nous nous limitons à confronter les faits concrets particuliers constitués par les occurrences de ces sons *p* dans différentes langues et à différentes époques, nous n'aurons pas les informations linguistiquement importantes. Le *p* français et le *p* anglais sont définis, entre autres, comme des consonnes sourdes parce que dans les deux langues ils s'opposent aux consonnes sonores que représentent les phonèmes *b* (en français et en anglais respectivement) : français *pas* et *bas* sont des mots différents, de la même façon que anglais *pin* et *bin*. Le *p* chinois sera défini comme non aspiré parce qu'il s'oppose à des sons qui en chinois représentent un *p'* aspiré : *pà* (cesser) et *p'à* (craindre) sont deux mots différents. Bien que le *p* de *pas* soit généralement non aspiré, le *p* de *pin* aspiré et le *p* de *pà* sourd, ces qualités ne sont pas pertinentes sur le plan de la communication. L'aspiration qui pourrait exister dans le *p* de *pas* serait une variante libre (ou pourrait être pertinente sur le plan expressif), l'absence d'aspiration dans le *p* de *pin* serait l'indice d'un accent étranger (de telles aspirations sont généralement omises dans l'anglais parlé avec un accent français par exemple) : il s'agit en anglais de variantes non pas libres mais combinatoires (*p* est aspiré à l'initiale devant une voyelle accentuée, mais non dans *spin*, par exemple, derrière *s*) ; en chinois il ne s'agit pas de variantes libres ou combinatoires mais d'une opposition phonématique entre aspiration et absence d'aspiration (l'aspirée est toujours phonétiquement sourde, pour la non-aspirée le caractère sourd n'est pas pertinent, à tel point que dans la transcription aujourd'hui adoptée officiellement en Chine — le pīn yīn — le *p* non aspiré se note comme un *b* ; et l'on sait la difficulté que les Chinois trouvent à distinguer les sourdes et les sonores françaises, étant donnée la non-pertinence de ces traits en chi-

nois mandarin). D'autre part, certaines variations de ton sont
en chinois pertinentes sur le plan de la communication : *pà*
(avec un ton descendant) signifie *cesser* et *pǎ* (avec un ton descendant-ascendant) signifie *saisir*. En français, une variation
de ton analogue peut être une variante libre (et n'être même
pas notée par l'auditeur, puisque non pertinente), ou bien être
pertinente sur le plan de l'intonation : *toi* ! avec un ton comparable au ton descendant chinois aura valeur d'ordre, et *toi* ?
avec un ton comparable au ton descendant-ascendant chinois
aura valeur d'exclamation incrédule.

Les unités phonématiques sont aussi DISCRÈTES. Phonétiquement il est possible (et il arrive, bien sûr, dans la réalité)
que se produisent des sons avec des degrés intermédiaires d'aspiration ou de sonorité. Mais un son occlusif bilabial partiellement sonore sera interprété en français comme un *p* ou comme
un *b*, sans solution intermédiaire. Ceci ne se produit pas pour
les autres aspects de l'usage linguistique. Nous ne faisons pas
allusion ici au caractère sémantique des énoncés, pour lequel
il est évidemment essentiel que l'on identifie de façon non
discrète les objets du discours, que l'on fasse comprendre par
exemple qu'un certain objet est quelque chose d'intermédiaire
entre une table et une chaise ou, si le cas se présente, entre
une épingle et une poubelle. Nous pensons au contraire au
fait que, par exemple, l'usage expressif du volume de la voix
fonctionne de manière continue et non discrète : si l'exaspéra-
tion se manifeste en hurlant une phrase donnée, l'intensité du
hurlement peut varier, d'une façon fonctionnellement expressive, selon une échelle continue plutôt que selon un certain
nombre de niveaux discrets. Mais notre son intermédiaire entre
p et *b* sera interprété comme appartenant à un des deux phonèmes, nous comprendrons, en français, *pas* ou *bas*, en anglais,
pin ou *bin*, et non des mots commençant par un son intermédiaire. Et il est clair, en particulier, que *pas* avec un *p* légèrement sonorisé ne peut pas indiquer quelque chose qui soit un
peu moins *pas* et un peu plus *bas*, pas plus que *pin* avec un *p*
légèrement sonorisé ne signifiera quelque chose qui soit une

voie moyenne entre une poubelle et une épingle. On touche
ici à la question plus générale de l'arbitraire : non seulement
il n'y a rien dans un *pas* qui suggère que cela doive s'appeler
pas et non *passo* ou *pace*, mais en outre il est faux que le mot
pas, parce qu'il a plus de phonèmes en commun avec le mot
bas qu'avec le mot *quille*, doive désigner une chose (un pas)
plus voisine d'un bas que d'une quille. Arbitraire ne signifie
pas, bien entendu, absence d'organisation : en effet, il reste
vrai que le dénoté du mot *cheval* a avec le dénoté du mot *che-
vaux* un rapport parallèle à celui que le dénoté du mot *général*
(ou *travail*, etc...) a avec le dénoté du mot *généraux* (ou *travaux*,
etc...). Et ceci est une des propriétés sur laquelle se base l'analyse linguistique.

Nous avons introduit une distinction entre unité du système
d'une part et ses variantes d'autre part (distinction, dans le
champ phonématique, entre phonèmes et allophones). Une
telle distinction se présente sous deux aspects. D'un côté, comme
nous l'avons vu, un allophone se présente comme manifestation substantielle d'une unité abstraite (le phonème) ; de l'autre
l'allophone se présente comme variante combinatoire d'une
telle unité : en français le *k* de *qui* est palatal [8], celui de *cou* est
vélaire, son point d'articulation dépendant de celui de la voyelle
qui le suit. Dans d'autres langues ces deux types de consonnes
peuvent appartenir à des phonèmes différents (par exemple
en arabe). En français, la consonne *k* a la même valeur si on
la prononce vélarisée ou palatalisée : l'examen du système phonématique français nous convainc rapidement que ces deux
sons (à la différence de l'arabe) sont deux variantes du même
phonème *k*. Mais du point de vue de la distinction entre concret et abstrait il faut observer que l'on peut considérer de
telles variantes comme des unités abstraites, en laissant de
côté l'aspect concret que peuvent prendre leurs manifestations
dans chaque prononciation particulière dans des circonstances
particulières.

Le lecteur ne doit pas penser, sur la foi de ce qui a été dit
plus haut, que l'étude des actes de parole particuliers dans leurs

manifestations matérielles soit inutile. Au contraire, ceci est
indispensable, mais il est évident que les linguistes s'intéressent
à l'interprétation des faits phonétiques dans leur aspect fonctionnel, en tant que manifestation linguistique, en tant que
message formulé selon un certain code. En particulier il faudra
voir : 1) Quel est le rapport entre un système d'unités discrètes
(la langue) et les messages non discrets à travers lesquels se
réalise la communication (les actes de parole) ; 2) Comment le
caractère non discret du message peut arriver, diachroniquement, à faire modifier le code même, c'est-à-dire comment (en
reprenant notre comparaison) l'organisation du système de
codification peut influer sur le système de numération : si à
un certain moment il se révélait trop difficile de garder distincts, dans l'écriture, l'aspect des deux signes de chiffres différents, il se peut qu'il soit alors mieux de changer le système de
numération. Ainsi, si deux allophones venaient à être confon-
dus, un changement du système phonématique pourrait s'imposer.

6. Quelques dichotomies saussuriennes.

L'élaboration de ces points de vue a été facilitée par quelques
distinctions introduites avec clarté par Ferdinand de Saussure.
Celle entre langue et parole peut être interprétée comme celle
entre système abstrait et ses manifestations matérielles particulières. Celle entre paradigmatique et syntagmatique peut
être interprétée en termes de code et message ; certains savants
lui font correspondre une distinction terminologique entre
structure (syntagmatique) et système (paradigmatique). Elle
correspond en partie à la distinction précédente, dans la mesure
où le code appartient à la langue, au système linguistique, et
où les messages sont constitués par des actes de parole particuliers ; mais seulement en partie, dans la mesure où non seulement les rapports paradigmatiques (entre éléments du système,
par exemple entre T et D comme unités phonématiques s'opposant l'une à l'autre, comme dans *tes* et *des*), mais aussi les

rapports syntagmatiques (entre éléments compris dans le message, par exemple entre T et D dans *détour* ou *tardif*) peuvent être conçus en termes de langue [9].

Ces deux distinctions semblent avoir une application très générale en dehors de la linguistique. D'une application plus restreinte (mais certainement pas limitée à la linguistique) est la distinction entre synchronie et diachronie. Les langues changent, sont continuellement en cours de transformation. Mais il convient de séparer nettement l'étude synchronique de la diachronique, l'étude des systèmes particuliers, considérés en un point de la durée, à un moment donné, de l'étude des transformations du système. Bien que les trois distinctions que nous avons citées (langue-parole, paradigmatique-syntagmatique, synchronie-diachronie) ne puissent pas être mises sur le même plan, il advint que, pour toutes les trois, on insista en linguistique traditionnelle sur les polarités constituées par les termes « parole », « syntagmatique » et « diachronie », tandis que dans la linguistique structurale on a jusqu'à ce moment surtout insisté sur les polarités opposées, « langue », « paradigmatique » et « synchronie ». Dans la linguistique traditionnelle on a souvent mis l'accent sur les actes linguistiques PARTICULIERS ; aujourd'hui la linguistique préfère considérer de tels actes comme des manifestations de la langue utilisables à titre d'exemples, tenant la langue même comme objet caractéristique d'étude, et confiant à la philologie la recherche centrée autour des énoncés particuliers, des textes spécifiques (écrits ou parlés). La linguistique traditionnelle a insisté encore plus sur le CHANGEMENT de la langue, et dans l'étude qu'elle cultive principalement, celle des changements phonétiques, elle a traité avec un succès particulier les changements interprétables en termes SYNTAGMATIQUES, de contacts entre les éléments du discours, d'assimilation ou de dissimilation plus particulièrement (par exemple palatalisation au contact d'éléments palataux, et ainsi de suite). Ce n'est que récemment que l'on a prêté l'attention adéquate à l'importance du point de vue paradigmatique dans la diachronie, à la présence, entre les facteurs diachroniques, de pressions dans le système.

Le rapport entre langue et parole, et entre paradigmatique et syntagmatique, est différent de celui entre diachronie et synchronie. Dans les deux premiers couples, les termes sont corrélatifs, nous ne pouvons*pas les utiliser autrement que l'un par rapport à l'autre ; dans le troisième couple les termes ont un rapport asymétrique, dans lequel la synchronie a une priorité logique. Tandis qu'une étude synchronique peut (et doit, disent beaucoup) être menée en faisant complètement abstraction de l'étude diachronique, l'étude diachronique présuppose l'étude synchronique : la diachronie s'étudie comme transformation d'un état de langue en un autre. Les sciences appliquées, et en particulier la théorie moderne des ensembles, n'ignorent pas (avec la notion de modèles à paramètres lentement variables) l'opportunité de formuler des lois synchroniques pour des phénomènes dans lesquels certains paramètres sont en mutation continue. Pour la langue, il ne s'agit certes pas de faire violence à la réalité, en se représentant comme arrêtée dans le temps une chose qui est en mouvement. Une des caractéristiques des changements linguistiques est celle de se soustraire à la conscience des individus : l'utilisateur d'une langue a l'impression de se servir d'un instrument immobile, non d'un instrument qui se transforme pendant qu'il s'en sert. Et certains aspects (macroscopiques mais peu indicatifs) du changement, comme certaines expressions devenant à la mode ou passant de mode, dont l'usager peut prendre conscience, se manifestent, psychologiquement, moins en termes de changements qu'en termes de choix stylistiques entre des éléments qui, qu'ils soient nouveaux ou anciens, sont toujours synchroniquement contemporains. Il y a donc un aspect essentiel de la langue (celui de la psychologie de l'usager) dans lequel la langue n'apparaît pas (et, étant donné le caractère d'un tel aspect, n'est même pas) en mouvement. On pourrait devoir tenir compte de la durée d'un énoncé, du fait que dans chaque énoncé il y a un avant (le début) et un après (la fin) : mais il s'agit alors d'une dimension bien différente de celle du temps à travers lequel se transforment les langues.

On ne doit pas, bien entendu, interpréter l'opposition entre synchronie et diachronie en termes d'absence ou de présence d'« historicité ». D'un côté, l'étude diachronique, telle qu'elle était poursuivie à la fin du siècle dernier par exemple, tenait compte de l'empirique durée du temps, mais elle était considérée tout autrement que comme historiciste par les critiques idéalistes ; d'un autre côté rien n'empêche de considérer d'une façon historiciste un état de langue, synchroniquement parlant. Que l'on ait ou non une attitude historiciste (quel que soit le sens de ce terme), on doit reconnaître le bien-fondé, en linguistique comme dans d'autres disciplines, de ces deux types de point de vue : l'étude de la façon dont on est passé d'un état de langue à un autre et l'étude d'un état de langue dans son fonctionnement et dans sa structure, en faisant complètement abstraction de la façon dont un tel fonctionnement et une telle structure se sont formés. Dans chaque cas, l'affirmation selon laquelle expliquer ou comprendre quelque chose c'est expliquer ou comprendre comment une telle chose s'est formée semble apporter une limitation injustifiée à l'usage des termes « expliquer » et « comprendre ».

Un des champs dans lesquels le travail se présente aujourd'hui de la façon la plus intéressante est celui de l'étude structurale de la linguistique diachronique. On trouvera peu de notes sur cela dans les chapitres qui suivent, surtout parce que la linguistique structurale s'est jusqu'à aujourd'hui en grande partie limitée à l'étude synchronique. Saussure semble nier la possibilité même d'une étude diachronique structurale, attribuant les changements linguistiques à des « mouvements spontanés », à des mutations d'éléments particuliers ; en conséquence de ces changements apparaissaient de nouveaux états, de nouvelles structures linguistiques, sans que le changement en tant que tel soit structuralement interprétable. A l'influence de Saussure s'ajoute celle des savants qui identifièrent dans les changements phonétiques des innovations créatives individuelles, créées par un individu particulier en un acte linguistique particulier, et diffusées ensuite sous forme d'emprunts à

travers les innovations particulières d'autres individus, non
plus sous forme de création mais sous forme d'imitation. Si
une innovation (par exemple celle du O latin parlé en UO) apparaissait par la création novatrice, due à des exigences expressives, d'un individu dans un acte linguistique et se répandait
ensuite dans d'autres expressions et chez d'autres individus ;
ou si elle apparaissait au contraire (pour d'autres motifs, largement ignorés, et de façon inconsciente) simultanément à travers tout un groupe de locuteurs, dans tous les cas où l'élément
nouveau se trouve dans des conditions analogues, cela est une
question à résoudre empiriquement, *a posteriori*, sur la base
d'une connaissance des faits dont nous manquons généralement aujourd'hui. Même si les discussions *a priori* n'apparaissaient très fécondes, on peut souligner la grande invrai-
semblance de la première hypothèse, selon laquelle l'esprit
créatif choisirait librement d'innover sur le plan expressif,
par exemple en passant de O à UO (après avoir établi que UO
est plus expressif que O), uniquement dans le cas de O accentué
bref en syllabe ouverte, et pas dans celui de O long, ou non
accentué ou en syllabe fermée. Il est vrai par ailleurs que s'il
nous paraît étrange que l'esprit créatif s'occupe de ces empiriques distinctions phonétiques, on peut répondre que cela
DOIT paraître étrange, sans quoi on ne pourrait plus parler de
création libre et imprévisible.

Ce qu'il importe de remarquer, c'est que même si l'origine
de ces innovations était individuelle, et si leur diffusion, à
travers d'autres actes individuels, se développait sans loi, indépendamment de la subdivision en langues et en dialectes,
l'étude de tels faits d'innovation pris isolément resterait une
étude non linguistique, dans la mesure où un son ou un énoncé
(ou des sons ou des énoncés différents qui dérivent des premier,
c'est-à-dire qui en sont une répétition différente et chronolo-
giquement successive) ne sont pas définissables, interprétables
et en somme compréhensibles autrement que comme éléments
de la structure linguistique à laquelle ils appartiennent. On
cesse de faire de l'histoire, de la biographie, de l'esthétique ou

autre chose et on commence à faire de la linguistique au moment où l'on ne considère plus une innovation individuelle comme un épisode privé de la vie d'un locuteur mais où l'on cherche à expliquer une innovation dans son être adoptée par la langue, dans son appartenance au système linguistique de la communauté et non plus au locuteur particulier. Croire que la langue est une abstraction, et comme telle une dangereuse fiction théorique, et que l'objet véritable et concret de l'étude doive être les innovations linguistiques particulières, cela signifie traiter l'ombre comme une chose solide. Une des principales conquêtes de la linguistique moderne est justement, comme nous l'avons dit, la formulation explicite du principe selon lequel un quelconque fait linguistique (y compris les innovations) n'est pas interprétable autrement qu'en termes du système linguistique auquel il appartient. Il faudra donc étudier les transformations d'un système ; les poussées qui ont provoqué la transformation devront être identifiées, cas par cas, à l'extérieur ou à l'intérieur du système. Mais, même si il y a des poussées qui viennent d'ailleurs (par exemple les emprunts), leur étude sera d'autant plus intéressante que l'on mettra en lumière la façon spécifique dont le système, dans sa totalité, a réagi face à elles.

7. Encore la pertinence.

Dans l'étude de la manifestation phonique de la langue, et en particulier des faits diachroniques, il y a évidemment un grand intérêt à considérer plusieurs traits non pertinents, c'est-à-dire beaucoup de traits physiques habituellements présents dans la prononciation, non utilisés à des fins distinctives, et pour cela même disponibles, comme réservoir dans lequel les locuteurs peuvent continuellement puiser, pour les retouches qui amènent aux changements linguistiques.

D'un intérêt particulier sont aussi les études (pas aussi avancées que celles d'autres secteurs du structuralisme, et pour cela presque absentes des chapitres qui suivent) sur les faits d'in-

tonation. Chaque énoncé a une intonation propre, choisie parmi
celles possibles dans la langue à laquelle il appartient. Il est
d'habitude possible de distinguer d'un côté l'expression et le
contenu d'un énoncé, de l'autre côté l'expression et le contenu
de l'intonation avec laquelle se présente l'énoncé, et l'on peut
donc trouver le même énoncé avec des intonations différentes
et la même intonation avec des énoncés différents. Il est sûr
que l'intonation fonctionne de manière systématique ; la chose
apparaît clairement dans des oppositions comme celles de l'affirmation et de l'interrogation en français (par exemple : *il
arrivera demain* et *il arrivera demain ?*) ; elle est moins claire
dans les intonations que l'on appelle selon le cas intonations
de joie, de surprise, d'indignation, d'amertume, d'incrédulité,
etc... On passe ici de la communication représentative à la
communication émotive. Ceci est un des secteurs dans lequel
on peut dire que nous n'avons rien hérité de la linguistique du
XIXe siècle, et dans lequel la linguistique structurale se trouve
face à un terrain inculte, sur lequel elle a déjà obtenu des succès
considérables.

8. LES COURANTS DU STRUCTURALISME.

Il faut enfin formuler un avertissement au sujet de l'expression *linguistique structurale*. Il ne s'agit pas, évidemment, d'une
désignation technique précise, mais d'une indication plutôt
vague. Elle est souvent utilisée pour dénoter les recherches linguistiques développées au cours de notre siècle et dans lesquelles
se sont élaborés les principes que nous avons soulignés. L'expression est utilisée en ce sens dans le titre de ce livre et généralement dans ces pages.

Il existe aussi un usage plus général dans lequel on qualifie
de structurales toutes les recherches qui ont souligné (explicitement ou pas) le caractère systématique et abstrait de la
langue, considérant les énoncés particuliers comme des manifestations particulières, des variantes, des messages qui intéressent le linguiste en tant qu'ils sont formulés en un code dé-

terminé, selon des règles déterminées. En ce sens, est clairement structurale la linguistique des grammairiens indiens et de
beaucoup de grammairiens de la tradition gréco-latine. Le
point de vue structural en ce sens reste bien entendu la base
même de la linguistique historique, et on peut la trouver par
exemple dans la notion diffuse d'organisme ; elle apparaît
dans l'œuvre des vrais précurseurs du structuralisme moderne,
vers la fin du XIXᵉ siècle [10]. En ce sens plus général, l'expression
devient quasiment tautologique : une quelconque recherche
sur la langue, dans la mesure où elle arrive à des résultats satis-
faisants, tient nécessairement compte du caractère systématique de la langue, consiste à identifier des aspects déterminés
de la structure et du fonctionnement de la langue. L'invention
même de l'écriture est due, en ce sens, à l'intuition structuraliste qui permet de représenter par un signe graphique unique
(ou mieux, avec des manifestations écrites d'un signe graphique
unique) les manifestations différentes d'un unique élément
parlé.

Mais il existe aussi un usage plus restreint de l'expression
linguistique structurale pour désigner la linguistique distributionnelle (en particulier celle de la tendance américaine bloomfieldienne). Cet usage plus restreint se trouve même dans les
œuvres de linguistes américains contemporains (en particulier
chez les adeptes de la théorie GÉNÉRATIVE), qui veulent se
différencier d'une telle linguistique post-bloomfieldienne qu'ils
caractérisent comme TAXONOMIQUE. Mais il est évident que
selon l'usage plus large que nous faisons dans ce livre de l'expression *linguistique structurale*, même les théories génératives
(sans que nous voulions par là diminuer leur originalité) appartiennent à la linguistique structurale pour leur insistance sur
le caractère explicite, rigoureux et formalisé des propositions
de la linguistique et pour leur recherche de modèles structurels
au sens large.

Après la féconde et géniale intuition de Saussure (chap. II),
les tendances structuralistes peuvent se caractériser sommairement comme suit, sur la base des lignes directrices de leurs

théories. L'école de Prague (chap. III) et plus récemment les théories de A. Martinet (chap. VI), pour leur insistance sur les valeurs FONCTIONNELLES de la structure linguistique et des différents éléments dont la structure se compose. L'école de Copenhague et en particulier la GLOSSÉMATIQUE de L. Hjelmslev (chap. IV), pour son insistance sur le caractère abstrait du système linguistique, sur la base duquel on interprète les manifestations matérielles particulières. La linguistique américaine (chap. V), en particulier post-bloomfieldienne (chap. VII), pour son caractère TAXONOMIQUE, parce qu'elle se base sur des procédés de SEGMENTATION (du continuum de l'énoncé en éléments mineurs dont il est composé) et de CLASSIFICATION de tels éléments sur la base de leurs propriétés DISTRIBUTION-NELLES (sur la base de la possibilité que de tels éléments ont dé se combiner entre eux, formant des unités d'ordre supérieur, toujours plus complexes). Les théories génératives, en particulier celle de Chomsky (chap. VIII), élaborées à partir de la difficulté à laquelle se heurtait l'analyse linguistique taxonomique, introduisent dans leur modèle linguistique des RÈGLES qui permettent d'ENGENDRER (toutes et seulement) les propositions admises par une certaine langue. Elles introduisent en particulier des règles de TRANSFORMATION qui permettent d'engendrer des catégories entières de propositions à partir d'autres catégories de propositions de base (dont la structure est établie à travers des procédés taxonomiques). La grammaire générative transformationnelle est composée d'un bloc ou composante centrale syntaxique (un calcul, comme on dirait en termes de logique moderne) ; d'une part celle-ci est soumise à une interprétation sémantique (la composante sémantique est celle qui réclame actuellement la plus grande élaboration), d'autre part les expressions (*strings*) finales qu'elle produit sont, à travers les règles de la composante phonologique, matérialisées dans la chaîne parlée, dans les messages phonétiques que nous percevons. Une position centrale est représentée par les théories de Jakobson (chap. VI) et plus récemment de Halle, selon lesquelles dans la composante phonologique on se sert

d'un inventaire de douze TRAITS DISTINCTIFS BINAIRES qui constituent de vrais UNIVERSAUX linguistiques, communs à toutes
les langues. Un des chapitres importants, et en termes structuralistes à peine entamé, de la linguistique contemporaine, est
justement celui de l'étude des universaux linguistiques [11], ou
d'un autre point de vue de la THÉORIE DE LA GRAMMAIRE :
l'étude des critères généraux auxquels doivent correspondre
les élaborations des différentes grammaires particulières de
langues quelconques. Mais sur cet aspect, entièrement au stade
de l'élaboration, on ne trouvera que quelques notes dans les
chapitres qui suivent. Du reste, même pour les théoriciens qui
se présentent plus complètement, on a cherché à offrir, autant
que faire se pouvait, non pas une évaluation en termes de prédécesseurs ou d'opposants à des théories contemporaines, mais
une objective exposition « de l'intérieur ».

NOTES DU CHAPITRE I

1. Pour l'histoire de la linguistique, il suffira de rappeler ici : H. PEDER-
SEN, *The discovery of language*, Bloomington Indiana 1962 (réédition de la
traduction anglaise de 1931 par J. W. Spargo d'après l'original danois *Sprog-
videnskaben i det nittende aarhundrede*, Kobenhavn 1924) ; R. H. ROBINS,
Ancient and mediaeval grammatical theory in Europe, London 1961 ; A
GRAUR, L. WALD, *Scurtă istoria a lingvistici*, Bucuresti 1961 ; M. IVIČ, *Pravci
u linvistici*, Ljubljana 1963 (et en traduction anglaise *Trends in linguistics*,
The Hague 1965) ; C. TAGLIAVINI, *Storia della linguistica*, Bologna 1963 (qui
fait également partie de l'*Introduzione alla glottologia*, Bologna 1963 [5], 19-
380) ; recueils de textes avec présentation historique : H. ARENS, *Sprach-
wissenschaft*, Freiburg-München 1955 ; V. A. ZVEGINCEV, *Istorija jazykoznanija XIX i XX vekov v očerkah*, Moskva 1960 ; et, particulièrement utile,
T. BOLELLI, *Per una storia della ricerca linguistica. Testi e note introduttive*,
Napoli, 1965 et l'anthologie de textes sur les linguistes éditée par Th. A. SE-
BEOK, *Portraits of linguists. A biographical source book for the history of wes-
tern linguistics 1746-1963*, Bloomington-London, 1966, 2 vol. ; G. MOUNIN,
Histoire de la linguistique des origines aux XXᵉ siècle (Le linguiste, 4), Paris,
1967.

2. B. Croce reconnut quand même, quoique de façon ambiguë, l'existence
d'une langue que l'on peut étudier selon les méthodes des linguistes. On con-
sultera sur cette question T. BOLELLI, *Fra storia e linguaggio*, Arona 1949
9 et sv, 17 et sv ; G. DEVOTO, *Croce storico e Croce linguista*, in *Benetto Croce*
édité par F. Flora, Milano 1954 183-93 ; T. DE MAURO, *Origine e sviluppo
della linguistica crociana*, « Giorn. Crit. Filos. Ital. », série III vol. VIII,

XXXIII 1954 376-91 ; S. Cavaciuti, *La teoria linguistica di Benedetto Croce*, Milano 1959 78-93 ; T. de Mauro, *Introduzione alla semantica*, Bari 1965.

3. La bibliographie sur la linguistique structurale est très large. Nous nous limitons pour l'instant à signaler quelques présentations synthétiques de principes de types variés : V. Brøndal, *Linguistique structurale*, « AL » I 1939-2-10 ; L. Hjelmslev, *The structural analysis of language*, « SL » I 1947 69-78 ; E. Buyssens, *La conception fonctionnelle des faits linguistiques*, « J Psych » XLIII 1950 37-53 ; E. Haugen, *Directions in modern linguistics*, « Lg » XXVII 1951 211-22 ; A. Martinet, *Linguistics*, in *Anthropology Today*, édité par A. L. Kroeber, Chicago 1953 574-86 ; C. E. Bazell, *The choice of criteria in structural linguistics*, « Word » X 1954 126-35 ; J. R. Firth, *Structural linguistics*, « T Ph S » 1955 83-103 ; R. A. Hall jr, *Scopi e metodi della linguistica*, « A G I » XLII 1957 57-64 et 148-61 ; une étude très importante de E. Benveniste, *Tendances récentes en linguistique générale*, « J Psych » LXVII-LI 1954 130-45 ; d'utiles discussions dans T. Bolelli, *Considerazioni su alcune correnti linguistiche attuali*, Pisa 1953 ; L. Heilmann, *Orientamenti strutturali nell'indagine linguistica*, « R A Linc » X 1955 136-56 ; O. S. Ahmanova, *Osnovnye napravlenija lingvističeskogo strukturalizma*, Moskva 1955 ; S. K. Šaumjan, *O suščnosti strukturnoj lingvistiki*, « V Ja » 1956 : 5 38-54 ; A. A. Reformatskij, *Čto takoe strukturalizm ?*, « V Ja » 1957 : — 25-37; A. S. Mel'Ničuk, *K ocenke lingvističeskogo strukturalizma*, « V Ja » 1957 : 6 38-49 ; T. Bolelli, *Tendenze moderne della linguistica*, « Criterio » I 1957 129-31 ; W. Doroszewski, *Historyczne podstawy strukturalizmu*, « P J » 151 1957 : — 241-55 ; (et in Id., *Studia i szkice jezykoznawcze*, Warszawa, 1962, 10-15) ; L. Heilmann, *Origini, prospettive e limiti dello strutturalismo*, « Convivium » N.S.V. 1958 513-26 ; H. H Christmann, *Strukturelle Sprachwissenschaft. Grundlagen und Entwicklung*, « R Jb » IX 1958 17-40 ; S. K. Šaumjan, *Strukturnaja lingvistika kak immanentnaja teorija jazyka*, Moskva 1958 (et récemment, id. *Strukturnaja linnvistika*, Moskva 1965) ; H. Teichmann, *Sprachwissenschaft in neuer Sicht*, Nürnberg, 1959 ; L. Wald, *Structuralismul*, « P L G » II 1960 143-73 ; Zs. Telegdi, *Ueber die jüngere Entwicklung der Sprachwissenschaft*, « A L H » XI 1961 233-254 ; Id., *Ueber die Entzweiung der Sprachwissenschaft*, « A L H » XII 1962 95-108 ; *Problemy strukturnoj lingvistiki*, volume collectif édité par S. K. Šaumjan, Moskva 1962 ; J. Svartvik, *Thirty years of linguistics*, « M Språk » LVI 1962 8-17 ; L. Heilman, *Strutturalismo e linguistica*, « cultura e scuola », VI, 1962, 39-49 ; H. Wein, *Sprachphilosophie der Gegenwart*, Den Haag 1963 ; M. Leroy, *Les grands courants de la linguistique moderne*, Bruxelles-Paris 1963 (qu'on lira avec le plus grand profit à propos de courants dont on ne s'occupe pas dans le présent volume ainsi qu'à propos de ceux dont on discute) ; J. T. Waterman, *Perspectives in linguistics*, Chicago 1963 (consacre environ 40 pages à la linguistique théorique de 1900 à 1950) ; plus important, B. Malmberg, *New trends in linguistics. An orientation*, Stockholm-Lund 1964 (traduction mise à jour de *Nya vägar inom sprakforskningen*, Stockholm 1959 et en français : *Les nouvelles tendances de la linguistique* (Le linguiste 3), Paris, 1966. Un exposé utile est fourni par les travaux réunis dans *Osnovnye napravlenija strukturalizma*, Moskva 1964, édité par M. M. Guhman et V. N. Jarceva : aux pages 5-45, noter l'introduction de Guhman, *Istoričeskie i metodologiceskie osnovy strukturalizma*. On a commencé la publication d'une collection dirigée par T. A. Sebeok, *Current trends in linguistics*, The Hague 1963 sv ; d'utiles informations seront également retirées des deux volumes préparés sous les auspices du C.I.P.L. à l'occasion du neuvième Congrès international de linguistique (au sujet desquels il faut bien sûr voir les *Proceedings...* 1962, édités par H. G. Lunt, The Hague 1964, importants pour un grand nombre

de questions traitées ici) : *Trends in European and American linguistics* 1930-1960, édité par C. Mohrmann, A. Sommerfelt (dont il faut rappeler les *Tendances actuelles de la linguistique générale*, « Diogène » I 1952 77-84) et J. Whatmough, Utrecht-Antwerp 1961 ; et *Trends in modern linguistics*, édité par C. Mohrmann, F. Norman, A. Sommerfelt, Utrecht-Antwerp 1963. On trouvera différents articles intéressants en français (entre autres E. Benveniste, N. Chomsky, R. Jakobson, A. Martinet, J. Kurylowicz, E. Bach, S. K. Saumjan) dans le numéro 51 de « Diogène », *Problèmes du langage* (Collection Diogène), Paris, 1965.

4. Mais cf. I. I. Revzin, *Modeli jazyka*, Moskva 1962 (et en anglais : *Models of langage*, London 1966). N. D. Andreev (Andreyev), *The model as a tool in linguistic analysis*, « Word », XVIII 1962, 186-97 ; Y. R. Chao, *Modelas in linguistics and models in general*, in E. Nagel, P. Suppes, A. Tarski, *Logic, methodology and philosophy of science* (Congrès de 1960), Stanford Calif. 1962, 558-66.

5. Dans l'introduction à l'anthologie que V. Somenzi a réunie sous le titre de *La filosofia degli automi*, Torino 1965 13 ; les essais de Turing et de Von Neumann réunis dans cette anthologie sont particulièrement intéressants dans ce contexte. Je désire remercier le professeur A. Lepschy pour de nombreuses et fertiles discussions dont proviennent différents points abordés dans cette introduction et plus particulièrement dans le chapitre IX.

6. V. Somenzi, *La filosofia* cit. 17.

7. Il n'est pas nécessaire de souligner que la linguistique structurale, bien qu'elle s'inspire dans ses propres méthodes des exigences spécifiques de l'étude linguistique, se situe plutôt que dans le rayon de la pensée « historiciste » dont se réclament d'autres courants de la linguistique moderne, au sein de tendances néopositivistes et de la méthodologie de la science : soit par la position philosophique générale, soit par le type d'intérêt attribué par de telles tendances aux questions linguistiques.

8. La différence articulatoire et acoustique devient évidente (même pour un Français qui, étant donné le caractère non pertinent de cette distinction dans sa langue, s'efforce de la saisir immédiatement), quand on s'arrête à la limite entre la première et la deuxième syllabe, et qu'au lieu de finir le mot on prolonge quelques instants le son de la dorsale.

9. Nous avons vu plus haut que les variantes combinatoires peuvent être considérées comme des unités abstraites, appartenant à la « langue ». Des deux polarités *type* et *token* (termes utilisés par exemple chez Peirce) ou *design* et *event* (termes utilisés par Carnap), il faut distinguer la notion d'occurrence (qui correspond à l'anglais occurrence). Soit d'une réplique (*token*), soit d'un type, nous pouvons considérer des occurrences, et un type, parce qu'il se présente sous forme d'une occurrence, ne devient pas une réplique. Le phonème dorsal *k* dans son occurrence devant une voyelle d'avant *i* se présente comme une dorsale palatale sans qu'il s'agisse nécessairement d'un « event » particulier. La distinction entre occurrence et « event » a été pour moi éclaircie grâce à une discussion avec le professeur Y. Bar-Hillel ; cf. G. C. Lepschy, *Ancora su « l'arbitraire du signe »*, « A S N P » série II XXXI 1962 (65-102) 87-88 ; en général pour les rapports entre syntagmatique, paradigmatique et linéarité, cf. id. *Syntagmatica e linearità*, « S S L » 1965 21-36.

10. Cf. mon *A proposito del termine struttura*, cit.

11. Cf. *Universals of Language* (1961), éd. J. M. Greenberg, Cambridge, Mass. 1963 et 2e éd. en 1966 ; J. H. Greenberg, *Language Universals*, in *Current Trends*, cit. 3 1966, 61-112.

comme évidemment structuraliste, dans laquelle se trouvaient
postulés, grâce à la considération du système, des éléments de
caractère abstrait, définissables non pas sur la base de leur
aspect phonétique mais sur celle de leur fonction structurale.
La rigueur théorique qui avait porté des fruits si extraordi-
naires dans le *Mémoire* paralysa ensuite par ses exigences
mêmes la production de Saussure qui publia peu de contributions (mais toujours extrêmement aiguës) [2]. Dans la dernière
période de sa vie, les problèmes méthodologiques devinrent
prédominants dans sa réflexion, mais ce fut seulement après sa
mort (1913) que ses intuitions devinrent accessibles à un public
plus large que celui constitué par ses élèves.

En 1916, Ch. Bally et A. Sechehaye publièrent sous le titre
de *Cours de linguistique générale* [3] une refonte des notes que
différents élèves avaient prises lors des trois cours de linguistique générale que Saussure avaient professés en 1906-1907,
1908-1909 et 1910-1911 [4]. Ce texte était appelé à avoir une importance incalculable dans l'histoire de la linguistique moderne.
Il faut cependant dire qu'il ne fut pas assimilé dans sa totalité
par la culture linguistique. La chose était du reste difficile du
fait que le *Cours* était un texte « refait », qui ne portait pas le
cachet du maître et qui, particulièrement sur certains points
délicats, laissait le lecteur insatisfait, passant d'une fuyante
incertitude d'expression à une espèce de simplisme rationali-
sant qui éludait les problèmes réels [5].

Ce furent plutôt des points particuliers du *Cours*, exprimés
d'une façon particulièrement vive et suggestive, qui trouvèrent du crédit, et ces points furent souvent isolés du contexte
de la pensée saussurienne et même pris comme fondements
d'élaborations dont le point d'arrivée était très différent de
celui du *Cours* (nous pensons par exemple à la glossématique).

Les principaux de ces points (sur lesquels nous avons déjà
mis l'accent dans notre introduction) sont : la distinction entre
synchronie et diachronie, la distinction entre langue et parole,
la notion de langue comme système de signes et, dans le même
ordre d'idées, la notion d'entité linguistique non pas positive
mais purement différentielle et négative.

2. SYNCHRONIE ET DIACHRONIE.

La distinction entre synchronie et diachronie se trouve explicitement formulée dans le *Cours*, et elle a trouvé un large écho dans la linguistique moderne. Dans un important débat à ce propos, W. Von Wartburg est arrivé à réfuter la dichotomie saussurienne [6] ; et les adeptes des théories idéalistes, pour lesquels connaître un phénomène c'est connaître son histoire, sont opposés à une telle dichotomie. Mais il faut faire observer ici qu'il est préférable de ne pas chercher dans le *Cours*, même à des fins polémiques, des notions qui lui sont étrangères : dans le cas qui nous intéresse, la diachronie dont parle Saussure et face à laquelle il revendique l'importance de la synchronie est sans aucun doute une notion positiviste (conformément à toute la pensée saussurienne, et en disant cela nous ne voulons bien entendu pas la limiter), et n'a rien à voir avec le développement, historique et dialectique plus que temporel, des historicistes. Il s'agit, chez Saussure, des simples faits empiriques dans leur succession chronologique.

Nous avons dit que la séparation entre synchronie et diachronie est un des principes saussuriens les plus largement acceptés. Elle converge en effet avec l'exigence, élaborée de façon autonome par le structuralisme américain, de ne pas introduire de considérations historiques dans la description d'un état de langue. A propos de l'autonomie de la description synchronique, Saussure insiste sur la comparaison (qu'il emploie aussi à propos de la distinction interne et externe de la langue, *Cours*, p. 43, et la notion de valeur, p. 153-54) entre un système linguistique et le jeu d'échecs. Nous pouvons ajouter qu'ici la comparaison est peut-être moins heureuse, parce que l'on peut considérer le système linguistique d'une façon encore plus synchronique que le jeu d'échecs. Nous lisons dans le *Cours* (p. 126-27) : « Dans une partie d'échecs, n'importe quelle position donnée a pour caractère singulier d'être affranchie de ses antécédents... ; pour décrire cette position, il est parfaitement

inutile de se rappeler ce qui vient de se passer... auparavant» ;
mais les règles des échecs englobent, de façon curieuse, quelques
informations que nous pouvons appeler diachroniques : il
faut, par exemple, dans certaines circonstances savoir si le roi
a bougé pour ensuite retourner à sa place, afin de décider s'il
peut roquer ; ou bien savoir si un pion s'est déplacé ou non le
coup précédent pour décider si on peut le prendre au passage ;
ou bien encore il faut tenir compte, dans les finales, du nombre
de coups joués à partir d'un certain moment. Rien de semblable pour la langue dont on imagine un modèle purement
synchronique. Aujourd'hui, du reste, grâce à l'œuvre du *Cours*,
il ne s'agit plus d'affirmer le bien-fondé d'une description purement synchronique ; on discute au contraire de la possibilité
d'une linguistique diachronique scientifique. Il s'agit de voir
si, comme il semble qu'on puisse le comprendre dans le *Cours*,
l'étude diachronique est nécessairement limitée à des faits
isolés particuliers et se refait nécessairement au niveau de la
parole, ou si l'on ne peut pas au contraire avoir une diachronie
structurale dont, par la comparaison de descriptions (synchroniques) d'états de langues différents, se succédant dans le
temps, on puisse tirer l'histoire du système linguistique. Pour
confirmation de la fécondité de cette seconde position nous
avons un filon, dans la recherche moderne, représenté de façon
éminente par A. Martinet. Et une fois acceptée la possibilité
d'une linguistique diachronique structurale, on verra que des
éléments potentiellement diachroniques sont présents dans la
description d'un état linguistique ; on verra qu'il convient
d'examiner avec attention les points de « déséquilibre », les
« franges » du système, c'est-à-dire ces secteurs dans lesquels
le système change et pour lesquels le modèle synchronique se
révèle moins satisfaisant.

3. LANGUE ET PAROLE.

En ce qui concerne la distinction entre langue et parole,
nous répétons le raisonnement fait précédemment : il faut rapi-

dement réfuter une interprétation selon laquelle la parole (comme moment individuel, qui est à la base du changement linguistique et qui constitue une polarité opposée à celle de l'institution langue) serait comparable à l'intuition-expression de la philosophie néo-idéaliste, tandis que la langue serait comparable à une langue (reconnue plus ou moins à contre-cœur) comme institution, comme communication, comme pratique, ou toute autre chose. Nous sommes encore ici, avec Saussure, en plein positivisme ; la parole est le moment individuel, au sens de la réalité psycho-physiologique de l'acte linguistique particulier, tandis que la langue est la partie sociale du langage, externe à l'individu, qu'il ne peut ni créer ni modifier. La langue est étudiée séparément des autres parties du langage, c'est un objet de nature concrète ; les signes, dont le système constitue la langue, ne sont pas des abstractions mais des réalités qui ont leur siège dans le cerveau et qui sont représentables de façon exhaustive (graphiquement ou d'une autre manière) : on ne peut pas en dire autant des simples actes de paroles, parce que l'exactitude a nécessairement une limite (p. 31-32).

Dans un article de 1933 W. Doroszewski [7] fit une analyse intéressante de cette dichotomie saussurienne en la considérant comme une tentative de conciliation entre les deux position qui, à la fin du siècle dernier, s'opposèrent dans le débat entre Durkheim et Tarde. L'idée de la langue correspondrait à celle, durkheimienne, de fait social [8], puisque toutes deux se réfèrent à des faits psycho-sociaux externes à l'individu, sur lequel ils exercent une contrainte, et existent dans la conscience collective du groupe social. Au contraire, les « concessions » faites à l'élément individuel, à la parole, se ressentiraient des idées de Tarde [9]. Étant donné l'absence d'études cherchant à replacer l'œuvre de Saussure dans le cadre de la situation culturelle dont elle est issue, la tentative de Doroszewski est louable, même si nous ne pouvons pas partager ses conclusions selon lesquelles la doctrine saussurienne prendrait son élan sur des idées élaborées au sein de la sociologie, de la philosophie, de la psychologie, et s'appuierait « essentiellement sur

une conception philosophique étrangère, en substance, à la
linguistique » [10]. D'autre part, il est aujourd'hui difficile de saisir la valeur exacte que la dichotomie langue-parole a dans le
Cours et de distinguer dans quelle mesure jouent dans celle-ci
l'opposition entre social et individuel, l'opposition entre abstrait et concret (sur laquelle insiste particulièrement la glossématique), l'opposition entre code et message (développée dans
la linguistique américaine) et enfin l'autre dichotomie saussurienne, celle entre paradigmatique et syntagmatique.

4. Syntagmatique et paradigmatique.

La langue est considérée par Saussure comme un système
de signes (p. 33). Le signe n'est pas une chose qui en remplace
une autre (c'est-à-dire qui en est le signe), mais un lien, un rapport entre deux choses : « Le signe linguistique unit... un
concept et une image acoustique » (p. 98), c'est-à-dire un signifié et un signifiant (p. 99). Le signe a deux caractéristiques
essentielles : l'arbitraire (p. 100-102) et la linéarité du signifiant (p. 103) [11]. Les signes ne sont pas abstraits mais ils sont
des « objets réels », ils sont les « entités concrètes » étudiées par
la linguistique (p. 144). De telles entités doivent être « déli-
mitées » (p. 145 et sv), c'est-à-dire être des unités qui s'opposent
l'une à l'autre dans le mécanisme de la langue. En outre, la
combinaison du signifiant et du signifié « produit une forme,
non une substance » (p. 157) [12]. Ici s'insère la notion de « valeur » : les valeurs sont complètement relatives, elles ne peuvent « s'isoler du système » dont elles font partie (p. 157), et
ceci vaut autant pour le signifié (p. 158-62) que pour le signifiant (p. 163-66), ainsi que pour le signe dans sa totalité (p.
166-69). « Dans la langue il n'y a que des différences, sans termes
positifs » (p. 166), dans la langue, comme dans tous les systèmes sémiologiques, « ce qui distingue un signe, voilà tout
ce qui le constitue » (p. 168) et c'est pour cela que « la langue est
une forme et non une substance » (p. 169). Par ailleurs il semble
possible de considérer les signes comme des entités non seu-

lement différentes mais même DISTINCTES, et dans leur ordre, positives (p. 166). La conception de la langue comme forme et non comme substance, forme dans laquelle il n'y a que des différences, sans termes positifs, constitue un des aspects les plus suggestifs et les plus avancés du *Cours*, même si Saussure semble ne pas avoir atteint les ultimes conséquences de ses intuitions.

Les rapports des signes entre eux sont de deux types (p. 170-84) : rapports syntagmatiques et rapports associatifs. Dans l'ordre syntagmatique, la valeur d'un terme est due au contraste avec ce qui précède et ce qui suit (étant donné que, par le caractère linéaire du signifiant, un terme ne peut pas être simultané à d'autres termes) ; au contraire, dans l'ordre associatif, un terme s'oppose à ceux avec lesquels « il a quelque chose en commun » (par sa ressemblance ou par sa différence), et qui n'apparaissent pas dans le discours, précisément parce que ce terme y apparaît : il s'agit d'un rapport *in absentia* (l'absence des termes avec lesquels le terme en question entre en rapport associatif), et non *in praesentia* (présence des termes précédents et suivants). Les termes du rapport associatif constituent une « série mnémonique virtuelle » dont le siège est « dans le cerveau » (p. 171). La terme qui apparaît est « comme le centre d'une constellation, le point où convergent d'autres termes coordonnés » (p. 174) dans un ordre non déterminé, et en un nombre qui peut être indéfini (p. 174-75). Même là, il n'est pas facile de voir exactement comment Saussure conçoit le rapport entre les deux dichotomies langue-parole et paradigmatique-syntagmatique [13].

5. APRÈS SAUSSURE.

Les successeurs de Saussure à la tête de l'école de Genève furent Ch. Bally de 1913 à 1939, A. Sechehaye de 1939 à 1945, puis H. Frei. Tous les trois suivirent leur évolution propre et, en particulier pour Bally, lointaine de la pensée saussurienne [14]. En 1940, sous l'initiative de S. Karcevskij, se constitua la société genevoise de linguistique (aujourd'hui remplacée par le

« Cercle Ferdinand de Saussure ») et depuis 1941 paraissent
les « Cahiers Ferdinand de Saussure ». Mais ce n'est que récemment que l'on commença à se préoccuper sérieusement du problème PHILOLOGIQUE de la constitution du texte saussurien [15].
En 1957 paraît un livre important sur les sources manuscrites
du *Cours* [16] et une édition critique (qui devrait éclairer beaucoup
de points discutés même si elle ne peut résoudre un problème
désespéré comme celui de la constitution du texte définitif
que Saussure n'a pas écrit [17]) est imminente. On se ressent de
l'absence d'une bonne monographie sur Saussure, illustrant
TOUTE son œuvre, montrant en particulier les liens entre sa
réflexion d'indoeuropéiste et ses conceptions théoriques (qui
apparaissent dans le *Cours* et qui apparaîtront, on peut le pré-
sumer, plus sûrement dans l'édition critique), et identifiant
avec précision les origines et les liens de la pensée saussurienne
(ce qui permettra d'en mieux apprécier l'originalité) outre
ses influences effectives à travers les écrits et l'enseignement.

NOTES DU CHAPITRE II

1. T. Bolelli, *Per una storia* cit. 358.
2. Pour les œuvres de Saussure on verra *Recueil des publications scientifiques de F. de Saussure*, publié en deux éditions, l'une à Genève et l'autre à
Heidelberg, en 1922 ; ce recueil comprend aussi aux pages 1-268 le *Mémoire
sur le système primitif des voyelles dans les langues indo-européennes* (1879
mais sorti en 1878). On manque d'éléments suffisants pour juger les recherches sur les anagrammes (ou « hypogrammes » ou « paragrammes ») en se
servant de ceux que Saussure chercha à lire dans la poésie indienne antique,
allemande, grecque, et dans la poésie et la prose latines, des « paraphrases »
de certains « mots-thèmes » (le plus souvent des noms propres de dieux et de
héros), dont les syllabes ou les phonèmes réapparaissaient (séparés l'un de
l'autre, justement en une espèce de paraphrase « espacée ») dans le contexte
phonique ; il disait qu'une des fonctions essentielles du poète antique était
justement celle de faire une « analyse phonique du mot », de cultiver « la
science des formes vocales des mots », en pratiquant des normes comme celle
d'utiliser les phonèmes particuliers un nombre pair de fois dans une unité
rythmique. Quelques extraits des 99 cahiers de notes laissés par Saussure sur
ce sujet se trouveront dans l'essai de J. STAROBINSKI (sur lequel se basent

les informations qui précèdent), *Les anagrammes de Ferdinand de Saussure,
Textes inédits,* « Mercure de France » CCCL 1964 243-62.

3. F. DE SAUSSURE, *Cours de linguistique générale, publié par Ch. Bally
et A. Sechehaye, avec la collaboration de A. Riedlinger,* Payot, Paris 1916.
L'indication des pages se réfère à la quatrième édition, 1949, que je cite.
On verra les textes édités récemment : *Notes inédites de F. de Saussure,*
« CFS » XII 1954 49-71 ; *Cours de linguistique générale (1908-1909). Introduction,* « CFS » XV 1957 3-103 ; R. GODEL, *Nouveaux documents saussuriens. Les cahiers E. Constantin,* « CFS » XVI 1958-59 23-32 ; *Souvenirs de
F. de Saussure concernant sa jeunesse et ses études,* « CFS » XVII 1960 12-25 ;
et aussi *Inventaire des manuscrits de F. de Saussure remis à la bibliothèque
publique et universitaire de Genève,* « CFS » XVII 1960 5-11. Sur Saussure on
verra A. MEILLET, dans « BSL » XVIII 1913 fasc. 61 p. CLXV-CLXXV (= *linguistique historique et linguistique générale,* II, réimp. Paris 1951 (1952) 174-
83) ; Ch. BALLY, *F. de Saussure et l'état actuel des études linguistiques,* Genève 1913 (= *Le langage et la vie,* Genève 1952[2] 147-60) ; W. STREITBERG,
dans « IJ » II 1914 (1915) 203-13 ; J. WACKERNAGEL, *Ein schweizerisches
Werk über Sprachwissenschaft,* « Sonntagsbl. d. Basler Nachrichten » XI
1916 165-66 et 172 ; L. GAUTIER, *La linguistique générale de F. de Saussure,*
« Gazette de Lausanne » 13 août 1916 ; A. OLTRAMARE, *La résurrection d'un
génie,* « La semaine littéraire » (Genève) 27 mai 1916 256-59 ; J. RONJAT,
Le cours de linguistique de F. de Saussure, « Journal de Genève » 26 juin
1916 I ; K. JABERG, dans « Sonntagsbl. d. Bund » 17 et 24 décembre 1916
790-95 et 806-10 (= *Sprachwissenschaftliche Forschungen und Erlebnisse,*
Paris-Zürich-Leipzig 1937 (1965[2]) 123-36) ; A. MEILLET dans « BSL » XX
1916 fasc. 64 33-36 ; id. dans « Revue Critique » N.S. 83 V 1917 49-51 ; H.
SCHUCHARDT dans « LGRP » XXXVIII 1917 1-9 (en extraits aussi dans les
pages 127, 254-56, 265-67, 322-23, 344-45, 347-48 de la première édition de
Hugo Schuchardt-Brevier, édité par L. SPITZER, Halle 1922) ; O. Jespersen,
dans « NTF » VI 1917 37-41 (= *Linguistica,* Copenhagen 1933 108-15)
A. Sechehaye, in « Rev. Philos. » LXXXIV octobre 1917 1-30 ; J. VENDRYES,
Le caractère social du langage et la doctrine de F. de Saussure, « JPsych »
XVIII 1921 617-24 (= *Choix d'études linguistiques et celtiques,* Paris 1952
18-25) ; H. LOMMEL, in « Philol. Wochenschr. » (Leipzig) XLII 1922 252-57 ;
ID., in « DLZ » XLV 1924 2040-56 ; L. BLOOMFIELD, in « MLJ » VIII 1924
317-19 ; G. DEVOTO, *Una scuola di linguistica generale,* « La Cultura » VII
1928 241-49 (cf. aussi *I fondamenti della storia linguistica,* Firenze 1951 pas-
sim) ; L. WEISGERBER, in « Teuthonista » (Halle) VIII 1932 248-49 ; H.
AMMANN, *Kritischer Würdigung einiger Hauptgedanken von F. de Saussure
Grundfragen...,* « IF » LII 1934 261-81 ; N. VAN WIJK, in *Album Th. Baader,*
Tilburg 1939 9-14 ; A. SECHEHAYE, *Les trois linguistiques saussuriennes,*
« VR » V 1940 1-48 ; et cf. aussi E. BUYSSENS, *Les six linguistiques de F. de
Saussure,* « R la V » 1942 fasc. 1 15-23 ; A. SECHEHAYE, in « CFS » iV 1944
65-69 ; E. BUYSSENS, *Mise au point de quelques notions fondamentales de la
phonologie,* « CFS » VIII 1949 37-60 ; H. FREI, *Saussure contre Saussure ?,*
« CFS » IX 1950 7-28 ; E. BUYSSENS, *Dogme ou libre examen ?* « CFS » X
1952 47-50 ; K. ROGGER, *Kritischer Versuch über die Saussures Cours général,*
« ZRPh » LXI 1941 161-224 ; R. PIPPING, *Om nagra grundtankar i F. de
Saussure föreläsningar över allmän sprakvetenskap,* « AVsLund » 1946 17-28 ;
R. S. WELLS, *De Saussure's system of linguistics,* « Word » III 1947 1-31 ;
R. A. BUDAGOV, *Iz istorii jazykoznanija (Sossjur i sossjurianistvo),* Moskva
1954 ; B. MALMBERG, *F. de Saussure et la phonétique moderne,* « CFS » XII
1954 9-28 ; A. J. GREIMAS, *L'actualité du saussurisme,* « FM » XXIV 1956
191-203 ; J. T. WATERMAN ; *F. de Saussure, forerunner of modern structu-*

ralism, « MLJ » XL 1956 307-9 ; H. BIRNBAUM, *F. de Saussure och den moderna sprakventenskapen*, «Filol. meddel. f Ryska inst. v. Stockholms högskola » 1957 fasc. 1 7-10 ; Sh. HATTORI, *Saussure no langue to gengokatei-setsu*, « Gengo Kenkyu » XXXII 1957 1-42 ; A. S. CIKOBAVA, *Problema jazyka kak prodmeta jazykoznanija*, Moskva 1959 84-125 ; S. HEINIMAMN, *F. de Saussures « Cours de linguistique générale »* in *neuer Sicht*, « ZRPh » LXXV 1959 132-137 ; E. BUYSSENS, *Origine de la linguistique synchronique de Saussure*, « CFS » XVIII 1961 17-34 ; E. BENVENISTE, *Saussure après un demi-siècle*, « CFS » XX 1963 7-21 ; R. GODEL, *F. de Saussures's theory of language*, in Current trends cit. 3 1966 479-93.. Pour la diffusion des idées du *Cours*, il ne sera pas inutile de rappeler les traductions : celle japonaise de H. Kobayashi, GENGOGAKU *genron*, Tokyo 1928 ; celle russe de A. M. Suhotin, *Kurs obscej lingvistiki*, Moskva 1931 (et cf. aussi aujourd'hui N. SLUSAREVA, *Quelques considérations des linguistes soviétiques à propos des idées de F. de Saussure*, « CFS » XX 1963 23-46) ; celle allemande de H. LOMMEL, *Grundfragen der allgemeinen Sprachwissenschaft*, Berlin-Leipzig 1931 ; celle espagnole de A. Alonso, *Curso de lingüistica general*, Buenos Aires 1945 ; celle anglaise de W. Baskin, *Course in general Linguistics*, New York 1959 (et London 1960) ; celle polonaise de K. Kasprzyk, *Kurs jezykoznawstwa ogolnego* Warszawa 1961.

4. F. DE SAUSSURE, *Cours* cit. 7.

5. Nous pensons par exemple aux passages fameux dans lesquels il parle de l'arbitraire du signe; sur cette question, à propos de laquelle il existe une vaste littérature, cf. l'article perspicace de E. BENVENISTE, « AL » I 1939 23-29, les discussions, avec une ample biliographie, de G. C. LEPSCHY, *Ancora su « l'arbitraire du signe »* cit. ; R. ENGLER, *Théorie et critique d'un principe saussurien: l'arbitraire du signe*, « CFS » XIX 1962 5-66 ; et ID., *Compléments à l'arbitraire*, « CFS » XXI 1964 25-32 ; G. DEROSSI, *Segno e struttura linguistici nel pensiero di F. de Saussure*, Trieste, 1965.

6. W. VON WARTBURG, *Betrachtungen über das Verhältnis von historischer und deskriptiver Sprachwissenschaft* in *Mélange Bally*, Genève 1939 3-18 (cf. ID. *Das Ineinandergreifen von deskr. und histor. Sprachw.*, « SbSAW » LXXXIII : I 1931 ; ID., *Einführung in Problematik und Methodik der Sprachwissenschaft*, Halle 1943 125-79, et on verra la nouvelle édition en collaboration avec S. ULLMANN, Tübingen 1962). A. G. HAUDRICOURT et A. G. JUILLAND, *Essai pour une histoire structurale du phonétisme français*, Paris 1949 3, considèrent l'antinomie entre synchronie et diachronie comme « une thèse paradoxale et contraire à tout le reste de l'enseignement du maître » ; mais il ne nous semble pas que, pour soutenir la validité du structuralisme diachronique, il soit nécessaire d'assumer cette position. E. BENVENISTE, *Tendances* cit. 132, note très bien que Saussure s'aperçut le premier que la langue « en soi ne comporte aucune dimension historique, qu'elle est synchronie et structure et qu'elle ne fonctionne qu'en vertu de sa propre nature symbolique. Ce n'est pas tant la considération historique qui est condamnée qu'une façon d'"atomiser" la langue et de mécaniser l'histoire ». On verra à ce sujet R. JAKOBSON, in « La Culture » XII 1933 637-38 ; J. VENDRYES, *Sur les tâches de la linguistique statique*, « JPsych » XXX 1933 172-84 ; B. TRNKA, *Synchronie a diachronie v strukturalnim jazykozpytu*, « ČMF » XX 1934 62-64 ; Ch. BALLY, *Synchronie et diachronie*, « VR » II 1937 345-52 ; A. SOMMERFELT, *Points de vue diachronique, synchronique et panchronique en linguistique générale*, « NTS » IX 1938 240-49 ; B. MALMBERG, *Système et méthode. Trois études de linguistique générale*, « ÅVsLund » 1945 3-52 : p. 22-32 *Synchronie et diachronie* ; V. M. ZIRMUNSKIJ, *O sinhronii i diahro-*

nii v jazykoznanii, « VJa » 1958 fasc. 548-25 (et ID., *O sootnošenii sinhronnogo analiza i istoričeskogo izučenia jaryka*, Moskva, 1960) ; E. COSERIU, *Sincronia, diacronia e historia*, Montevideo 1958. Pour la comparaison avec le jeu d'échecs, sur laquelle nous avons mis l'accent dans le texte, cf. P. A. VERBURG, *Het schaakspel-model bij F. de Saussure en bij L. Wittgenstein*, in *Wijsgerig perspectif op maatschappij en wetenschap*, Amsterdam I 1960-61 227-34.

7. W. DOROSZEWSKI, *Quelques remarques sur les rapports de la sociologie et de la linguistique : Durkheim et F. de Saussure*, « JPsych » XXX 1933 82-91 ; l'article reprend, avec quelques modifications, la communication faite au second Congrès international de linguistique *(Actes*, Paris 1933 146-48) ; on verra aussi ce qu'écrit DOROSZEWSKI dans les actes du huitième Congrès (*Proceedings*, Oslo 1958 540 et sv : sa source est Louis Caille). Cf. aussi id., *Filozofia i socjologia Durkheima* (1930), in *Studia* cit. 89-101.

8. Cf. entre autres E. DURKHEIM, *Les règles de la méthode sociologique*, Paris 1956 [13] 3-14.

9. Ici les affirmations de Doroszewski sont moins documentées ; L. Caille inviterait à confronter la définition saussurienne de la valeur avec les formes d'échange décrites par G. TARDE, *Psychologie économique*, Paris 102 I 285-86 et 289 (cf. le texte de Godel cité infra, chap. II, note 16, p. 282).

10. Sur la question en général, cf. Th. ABSIL, *Sprache und Rede. Zu De Saussures « Allgemeine Sprachwissenschaft »*, « NpH » X 1925 100-8 et 186-93 ; Ch. BALLY, *Langue et parole*, « LPsych » XXIII 1926 693-701 ; W. DOROSZEWSKI, *« Langue » et « parole »*, « Pracefilolog » XIV 1929 (1930) 485-97 ; J. M. KORINEK, *Einige Betrachtungen über Sprache und Sprechen*, « TCLP » VI 1936 23-29 ; J. VON LAZICZIUS, *Die Scheidung langue-parole in der Lautforschung*, in *Proceedings 3rd intern. Congr. Phonetic Sciences* 1938, Ghent 1939 13-23 ; Z. S. HARRIS, in « Lg » XVII 1941 345 et sv ; L. HJELMSLEV, *Langue et parole*, « CFS » II 1943 29-44 (*Essais linguistiques*, « TCLC » XII 1959 69-81) ; B. MALMBERG, *Autour du problème langue parole*, in *Système et méthode* cit. 5-21 ; ID., *Till fragan om sprakets systemkaraktür*, « ÅVsLund » 1947 147-73 ; K. MÖLLER, *Contribution to the discussion concerning « langue » and « parole »*, « TCLC » V 1949 87-94 ; H. FREI, *Langue, parole et différenciation*, « JPsych » XLV 1952 137-57 ; A. GILL, *La distinction entre langue et parole en sémantique historique*, in *Studies in Romance Philology and French Literature presented to John Orr*, Manchester 1953 90-101 ; N. C. W. SPENCE, *A hardy perennial : the problem of la langue and la parole*, « ArxhL » IX 1957 1-27 ; E. VASILIU, *« langue », « parole » stratification*, « Rling » V 1960 27-32 ; L. GESCHIERE, *Plaidoyer pour la langue*, « Nph » XLV 1961 21-37 ; N. C. W. SPENCE, *Langue and parole yet again*, « Nph » LXVI 1962 192-201 ; L. GESCHIERE, *La « langue » : condamnation ou sursis ?*, « Nph » LXVI 1962 201-10 et l'on verra les discussions soviétiques dans *Tezisy dokladov na konferencii « jazyk i reč »*, Moskva 1962. Les contributions de E. COSERIU sont intéressantes, *Sistema, norma y habla*, Montevideo 1952 et *Forma y sustancia en los sonidos del lenguaje*, Montevideo 1954, tous deux réunis dans *Teoria del lenguaje y lingüística general*, Madrid 1962 11-113 et 115-234 respectivement). R. JAKOBSON, in « La Culture » XII 1933 637-38 et A. ALONSO dans la préface à la traduction espagnole du *Cours* (p. 10 de la 4ᵉ édition, Buenos Aires 1961) associent les antinomies saussuriennes à la dialectique hégelienne à travers les « antinomies linguistiques » de V. Henry.

11. Saussure semble donner la plus grande importance à ce principe « elle est fondamentale et les conséquences en sont incalculables » ; il s'agit pour lui d'un principe évident, mais qu'on a toujours négligé de formuler

comme il convient. En réalité il semble ensuite l'oublier dans le *Cours*, et ne le reprend (d'une façon très discutable) que quand il s'agit de fonder la distinction entre rapports syntagmatiques et rapports associatifs. La question revient ensuite à la surface avec l'analyse suprasegmentale et l'élaboration des théories « pro-sodiques ». On verra à ce sujet mon *Sintagmatica e linearità* cit.

12. C'est là une des thèses saussuriennes qui sont au centre de la théorie glossématique, dont nous parlerons. Voir aussi E. Coseriu, *Forma y sustancia* cit.

13. La distinction entre syntagmatique et associatif est au centre de la réflexion de F. Mikus, *Principi sintagmatice*, Zagreb 1958 (et cf. ma bibliographie dans *Sintagmatica e linearità* cit. 34 note 15).

14. Sur l'école de Genève, cf. A. Sechehaye, *L'école genevoise de linguistique générale*, « LF » XLIV 1927 217-41 ; H. Frei, *La linguistique saussurienne à Genève depuis 1939*, « AL » V 1945-49 54-56 ; R. Godel, *L'école saussurienne de Genève*, in *Trends* 1961 cit. 294-99.

15. Cf. H. Frei in « JPsych » 1952 129 note 1.

16. R. Godel, *Les sources manuscrites du cours de linguistique générale de F. de Saussure*, Genève-Paris 1957.

17. Cf. R. Engler, *GLG und SM ; eine kritische Ausgabe des Cours de linguistique générale*, « Kratylos » IV 1959 119-32.

CHAPITRE III

L'ÉCOLE DE PRAGUE

1. INTRODUCTION.

Une école linguistique qui est parfois associée à la pensée de
Saussure est celle de Prague [1] ; mais il s'agit d'une association
a posteriori qui souligne les éléments communs à deux des principales et des plus importantes conceptions structuralistes. En
réalité la pensée de Saussure ne constitue qu'un (et pas même
des principaux) courant dont se réclamait l'école de Prague.

Le cercle linguistique de Prague fut fondé en octobre 1926
sur l'initiative de V. Mathesius, et B. Havránek, J. Mukařo-
vský, B. Trnka, J. Vachek, M. Weingart participèrent entre
autres à son activité. Parmi les étrangers, le Hollandais A.
W. de Groot, le philosophe allemand K. Bühler, le Yougoslave
A. Belic, l'Anglais D. Jones, les Français L. Bruo, L.Tesnière,
J. Vendryes, E. Benveniste, A. Martinet collaborèrent aux publications du cercle. Mais particulièrement significative fut
la participation à l'activité du cercle de trois linguistes russes :
S. Karcevskij, R. Jakobson et N. S. Troubetzkoy. Ceux-ci pré-
sentèrent au premier congrès international de linguistique de
La Haye, en 1928 [2], des thèses qui obtinrent un large écho.
Le cercle de Prague, récemment constitué, s'intéressait particulièrement à elles, et l'année suivante présenta au premier
congrès des philologues slaves le premier volume de ses « Travaux » [3], qui contenait neuf thèses [4], œuvre collective du cercle,
consacrées, dans les trois premières, à un programme exposant
les centres d'intérêt du cercle, et les six suivantes à une indication

des recherches à accomplir dans le champ des études slaves.
Cependant paraissaient aussi les « Remarques » de R. Jakobson [5], la première œuvre à affronter délibérément les problèmes
de la phonologie historique. En 1930, à Prague, se tient une
réunion phonologique internationale [6] au cours de laquelle
on fonde une association internationale pour les études phonologiques, dont la création est approuvée au deuxième congrès international de linguistique (Genève, 1931) et dont la
première réunion coïncide avec le congrès international de
sciences phonétiques tenu à Amsterdam en 1932. Dans son discours d'ouverture du congrès [7], J. van Ginnenken reconnais-
sait que la phonologie, malgré son origine autonome, « n'est
autre chose que le couronnement de l'œuvre entière ». Elle
synthétisait les résultats de toutes les sciences phonétiques.
Le mouvement phonologique s'était rapidement affirmé et
était officiellement entré dans le cercle des études linguistiques.

Les théories de l'école de Prague, dans ce que nous pourrions
appeler sa période classique, sont accessibles dans les huit volumes des « Travaux du Cercle Linguistique de Prague », édités entre 1929 et 1938 [8], dans d'autres publications du cercle [9]
et dans la vive activité scientifique de ses membres [10].

2. LES THÈSES DU CERCLE.

Les trois premières des thèses du cercle [11] que nous avons citées exposent des programmes de recherche dérivant de certaines positions méthodologiques. La première thèse concerne :
a) l'examen des « problèmes de méthode découlant de la conception de la langue comme système », ou plutôt comme « système fonctionnel » parce que la langue, produit de l'ACTIVITÉ
humaine, a un caractère de FINALITÉ, est un système de moyens
d'expression appropriés à un but, la fin consistant en la réalisation de l'intention du sujet d'EXPRIMER et de COMMUNI-
QUER [12]. b) L'analyse synchronique de faits actuels (qui seuls
offrent un matériel complet et dont on peut avoir un « sentiment direct ») est le meilleur moyen pour connaître « l'essence

et le caractère » d'une langue. Mais on ne met pas, comme l'école de Genève, des barrières insurmontables entre la méthode diachronique et la méthode synchronique. D'une part, pour justifier les changements, il faut tenir compte du système dans lequel ils se produisent, d'autre part, même la description synchronique ne peut éliminer la notion d'évolution sous la forme des éléments stylistiques sentis comme archaïsmes, de certaines formes plus ou moins productives, etc. [13]. *c*) La méthode comparative doit être utilisée non seulement à des fins diachroniques, pour la reconstruction et les problèmes généalogiques, mais aussi à des fins synchroniques, pour découvrir les lois structurales des systèmes linguistiques (même non apparentés) [14]. *d*) De telles lois contribuent au remplacement de la théorie des changements isolés et produits accidentellement par la théorie de « l'enchaînement selon les lois des faits évolutifs (nomogénèse) » ; l'hypothèse de l'évolution convergente est préférée à celle de l'expansion mécanique et fortuite [15].

La seconde thèse concerne les tâches qui doivent être affrontées dans l'étude d'un système linguistique : *a*) en ce qui concerne l'aspect phonique, il est nécessaire de distinguer le son comme fait physique objectif, comme représentation (acoustique) et comme élément du système fonctionnel [16]. Le « principe structural du système phonologique » n'attribue aux faits physiques objectifs qu'un rapport indirect avec la linguistique, et aux images mêmes (acoustiques-motrices) une importance relative à leur « fonction différenciatrice de significations » [17] : leurs relations réciproques au sein du système comptent plus que leur « contenu sensoriel ». Les tâches fondamentales de la phonologie synchronique sont donc : 1) caractériser le système phonologique (grâce au RÉPERTOIRE des phonèmes et à la spécification de leurs RELATIONS [18]); 2) déterminer les combinaisons de phonèmes réalisées par rapport aux combinaisons possibles ; 3) déterminer le degré d'utilisation et la densité de réalisation des phonèmes et de leurs combinaisons, leur « charge fonctionnelle » [19] ; 4) décrire l'utilisation morphologique des différences phonologiques (morpho-phonologie ou morphonologie) [20]. *b*) En ce qui concerne l'étude du mot et des groupes de mots, on a : 1) la théorie de la dénomination linguistique, pour laquelle le mot est le résultat de l'activité dénominatrice (qui décompose la réalité en éléments linguistiquement saisissables [21]) ; 2) la théorie des procédés syntagmatiques (essentiellement de l'acte prédicatif) [22] ; 3) la théorie des «systèmes des formes de mots et de groupes» ou morphologie, qui ne s'aligne pas sur les deux précédentes, mais les croise toutes deux [23].

La troisième thèse examine les diverses fonctions linguistiques [24] en tant qu'elles modifient la structure phonique et grammaticale et la composition lexicale d'une langue. En premier lieu il faut distinguer l'élément intellectuel de l'élément émotionnel [25] et, d'un point de vue social et non individuel, la fonction de communication de la fonction poétique. Dans la fonction de communication nous distinguerons une gravitation vers le langage pratique (« de situation »), qui compte sur des éléments extra-linguistiques, et une gravitation vers le langage théorique (« de formulation »), qui tend à constituer un tout le plus fermé possible, en se servant de « mots-termes » et de « phrases-jugements ». Naturellement on ne commettra pas l'erreur de confondre le langage intellectuel avec la langue et le langage émotionnel avec la parole [26]. Tandis que, dans sa fonction de communication, le langage est « dirigé vers le signifié », dans sa fonction poétique il est « dirigé vers le signe lui-même » [27]. La description de la langue poétique devra tenir compte du fait que, synchroniquement, le langage poétique a la forme de la parole et est un acte créateur individuel qui prend sa valeur sur le fond de la tradition poétique actuelle (langue poétique) et sur celui de la langue communicative contemporaine. Synchroniquement et diachroniquement, le langage poétique a avec ces deux systèmes une série de relations extrêmement complexes et variées. L'œuvre poétique sera étudiée comme une structure fonctionnelle dont les éléments ne sont pas compréhensibles en dehors de leur liaison avec l'ensemble.

A travers cet exposé sommaire on peut se faire une idée fausse de l'activité et surtout de l'influence du Cercle de Prague. Malgré la présence d'intérêts aussi vastes, littéraires et culturels, chez Troubetzkoy et beaucoup des membres du Cercle, l'argument qui eut le plus grand développement dans leurs travaux et qui par leurs travaux reçut la plus grande impulsion fut la PHONOLOGIE (comme il convient d'appeler encore aujourd'hui la phonématique d'origine troubetzkoyienne), au point que, pour beaucoup, les conceptions de l'école de Prague se réduisent (à tort) exclusivement à la théorie phonologique, alors que nombreux et importants furent dans les « Travaux » [28] les articles consacrés à des questions de langue littéraire et poétique, par exemple, surtout selon les méthodes chères aux formalismes russes [29].

3. TROUBETZKOY.

Troubetzkoy, appartenant à une illustre famille russe, s'intéresse tout d'abord, à Moscou, à l'histoire et à l'ethnologie. Peu après la fin de ses études universitaires de linguistique, il émigre et finit par se fixer à Vienne, où il enseigne la philologie slave de 1922 à 1938, date de sa mort. Au cours d'une intense vie scientifique [30], il élabore les théories qui, dans le champ phonologique, trouveront une formulation d'ensemble (quoique non définitive à cause de sa mort prématurée) dans le septième volume, posthume, des « Travaux ». Il convient d'exposer ici ces résultats, après avoir parlé des thèses du Cercle, non seulement parce que Troubetzkoy fut la personnalité dominante du cercle de Prague, mais aussi pour montrer la route parcourue au cours d'une féconde décennie d'études [31]. La conception troubetzkoyienne de la langue, celle qui apparaît dans les *Principes* [32], peut être schématisée comme suit (p. 1-29). (Voir page 62).

La PHONOLOGIE est donc l'étude des signifiants de la langue sur le plan REPRÉSENTATIF. Les particularités phoniques qui entrent en jeu, peuvent avoir trois fonctions [33] : CULMINATIVE,

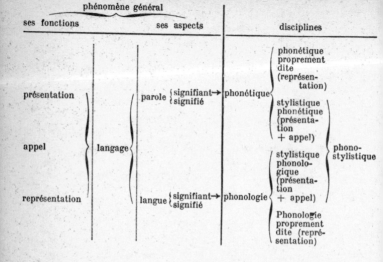

DÉLIMITATIVE et DISTINCTIVE, et elles sont étudiées par trois disciplines distinctes : pour la première il manque un nom particulier ainsi qu'un traitement correspondant dans le plan de l'œuvre [34] ; la fonction délimitative est étudiée par l'ORISTIQUE (p. 290-314) [35], et la fonction distinctive par la DIACRITIQUE (p. 33-289).

Ayant une fonction distinctive, un son doit s'opposer à un autre son (la distinction présuppose l'opposition) (p. 33) ; l'opposition peut être DISTINCTIVE OU PHONOLOGIQUE, et non distinctive. Evidemment, seuls deux sons pouvant apparaître dans le même contexte (qui sont donc permutables) peuvent être en opposition (p. 34). L'unité phonologique distinctive la plus petite est le PHONÈME qui est formé de VARIANTES, FACULTATIVES (individuelles ou générales) ou COMBINATOIRES (p. 47-50).

Les oppositions distinctives sont classables (p. 68-93) :

oppositions				corrélations
bilatérales	proportionnelles	privatives	neutralisables	une corrélation est l'ensemble de toutes les paires corrélatives caractérisées par la même marque de corrélation. Dans les oppositions bilatérales, ce qui est commun aux deux termes se détache ; dans les proportionnelles se détache la particularité différentiative (commune à d'autres couples) ; dans les privatives apparaît la particularité qui est présente dans un terme, absente dans l'autre. Le contenu phonologique est clair : la paire est constituée de deux phonèmes étroitement associés.
multilatérales	isolées	graduelles	constantes	
{ hétérogènes { homogènes		équipollentes		
{ linéaires { non linéaires				
d'après leurs rapports avec tout le système des oppositions : bilatérales si la base de comparaison est propre aux deux termes de l'opposition seulement, multilatérales dans les autres cas. Proportionnelles si le rapport entre les termes est identique au rapport entre les termes d'une autre opposition du système. Isolées dans les autres cas.		d'après les rapports entre les termes de l'opposition : privatives si la marque est dans un terme et pas dans l'autre ; graduelles s'ils ont une particularité à différents degrés ; équipollentes si les deux termes sont logiquement équivalents.	d'après l'étendue de leur pouvoir distinctif dans le système.	

Ce schéma sert plutôt d'aide-mémoire que d'illustration. Par ailleurs, il n'est pas question ici de faire un exposé détaillé des critères de l'analyse phonologique. La classification présentée dans notre schéma est à base logique et peut valoir pour n'importe quel type d'oppositions. Mais l'opposition phonologique est une différence PHONIQUE distinctive, pour laquelle on doit utiliser ces notions PHONÉTIQUES (p. 93-96). Les particularités phoniques distinctives utilisées dans les différentes langues peuvent être regroupées en trois classes : *a)* particularités vocaliques (p. 100-34) classables selon le degré d'aperture, la localisation et la résonance ; *b)* particularités consonantiques (p. 135-96) classables selon la localisation, le mode de franchissement et la résonance ; *c)* particularités prosodiques (p. 196-

246) qui peuvent être ramenées aux marques spécifiques d'une
séquence mélodique relative à la syllabe (intensité et hauteur)
et à leurs assemblage. La neutralisation (p. 246-61) [36], les groupes de phonèmes (p. 262-76) et la statistique phonologique [37]
sont traités à part. Vient enfin l'oristique (p. 290-314).

4. Ses prédécesseurs.

Troubetzkoy cite plusieurs linguistes qui avant lui ont formulé la notion de système linguistique, phonique en particulier, qui ont donc distingué sons et phonèmes, c'est-à-dire phonétique et phonologie. On peut bien sûr en ajouter d'autres à
ceux qu'il cite.

J. Winteler [38], en étudiant un dialecte suisse, avait démontré en 1876 la nécessité de distinguer deux types d'oppositions
phoniques : celles qui expriment des différences sémantiques
et grammaticales et celles qui n'en expriment pas. Indépendamment de lui, H. Sweet [39], le célèbre phonéticien anglais,
son élève Jespersen [40] et A. Noreen [41], avaient énoncé des idées
analogues. F. de Saussure [42] distinguait le son matériel du signifiant immatériel, mais n'avait pas saisi la nécessité de séparer deux disciplines qui s'étudieraient, avec des méthodes différentes, l'une les sons de la parole, l'autre les éléments différentiels du signifiant de la langue. Une telle distinction fut au
contraire posée avec clarté par J. Baudouin de Courtenay [43],
qui reprit le terme saussurien de phonème [44] et le fixa dans son
sens connu aujourd'hui, distinguant la discipline physiolo-
gique qui étudie les sons de la discipline psychologique qui étudie les images phoniques dans leurs fonctions linguistiques.
Il semble [45] que la distinction entre son et phonème remonte à
une suggestion de N. Kruszewski [46], un élève de Baudouin.
Celui-ci, qui considérait d'abord le phonème comme « cette
somme de particularités phonétiques qui constitue, dans les
comparaisons, soit dans le cadre d'une seule langue, soit dans
le cadre de plusieurs langues apparentées, une unité indivisible » [47], définit ensuite le phonème [48] comme « une représen-

tation unitaire, appartenant au monde phonique qui jaillit
dans l'âme au moyen de la fusion psychique des impressions
conservées à travers la prononciation d'un même son = Équivalent psychique du son. A la représentation unitaire du phonème est liée une certaine somme de simples représentations
anthropophoniques » (c'est-à-dire articulatoires et acoustiques).
La phonétique couvre tous les faits phonétiques et se divise
en anthropophonétique (qui étudie les faits articulatoires et
acoustiques) et psychophonétique (qui étudie les faits psychiques
qui sont le reflet des précédents). Au centre de la pensée de
Baudouin, on trouve la notion d'ALTERNANCE. Le terme apparaît, dans le même sens, dans le *Mémoire* saussurien : « Les langues italiques ont trop uniformisé la flexion pour qu'on puisse
s'attendre à retrouver chez elles l'*alternance* des formes faibles
et des formes fortes » [49]. Leskien arrive aussi à une notion semblable en 1884 [50] ; et Baudouin assure en 1894-95 qu'il est déjà
arrivé depuis 17 ans au concept d'alternance, dans ses cours
universitaires [51], parce qu'il n'était pas satisfait par la notion
courante de « passage » d'un son à un autre, d'un son qui « donne »
un autre son (même sur l'axe de la synchronie, avec un rapport
paradigmatique entre les deux sons en question, dirions-nous
aujourd'hui). Ceci n'expliquait pas, disait Baudouin, « das
Nebeneinander phonetisch verschiedener, aber etymologisch
verwandter Sprachlaute » et la cause d'un tel phénomène.
Dans ses cours en russe il employait le terme *čeredovanie* (et
en allemand *Abwechslung*) ; maintenant il déclare [52] : « Les alternances phonétiques ou les phonèmes alternants sont ces
phonèmes ou ces sons qui, bien qu'ils soient phonétiquement
distincts l'un de l'autre, renvoient à une origine historique
commune ou sont étymologiquement parents », par exemple
dans les formes polonaises, *mog-e, moš-esz : mog/mož*. On a
des ALTERNANCES à l'intérieur d'une langue et des CORRESPON-
DANCES entre des sons de langues différentes [53].

Troubetzkoy discute, dans les *Principes* (p. 41-46), différentes
définitions du phonème, et critique entre autres celle de Baudouin, parce qu'elle est d'une part exprimée en termes psycho-

logiques (alors que ce n'est pas le phonème, mais la variante,
quelle qu'elle soit, qui a un équivalent psychique), et implique
d'autre part une notion de SON LINGUISTIQUE qui n'est en
réalité définissable qu'en rapport avec le phonème : ce que
nous avons, c'est un continuum de l'acte de parole, et nous
pouvons isoler dans un tel continuum des sons particuliers
dans la mesure où de tels sons représentent « le correspondant »
de certains phonèmes [54]. Dans sa première période, la phonologie tendait certainement à souligner plutôt son originalité
que sa dépendance des théories précédentes (ce qui ne manque
pas de provoquer des polémiques) [55] ; mais Troubetzkoy n'a-
vait pas tort quand il soulignait qu'il avait été le premier à se
rendre compte de la portée méthodologique de certaines conceptions (que l'on trouvait déjà, en particulier chez Saussure
et Baudouin), et à leur garantir cette audience dans la pensée
internationale qui était nécessaire pour en assurer une fécondité effective dans la recherche scientifique. En effet, avec
Saussure, on s'était contenté de déclarations de principes (que
les phonèmes n'existent que comme partie du système, que
dans la langue les sons n'existent pas et que seules comptent
les oppositions phoniques, etc...), mais on n'avait pas cherché
à décrire concrètement des systèmes phonologiques. Baudouin,
quoique insistant moins sur les positions théoriques et sur la
notion de système, avait des idées plus précises sur la différence entre son et phonème, mais ne se rendait pas compte
exactement de la portée d'une telle distinction et n'avait pas
réussi à lui donner la diffusion qu'elle méritait. Parmi les trois
Russes qui avaient présenté au congrès de la Haye les thèses
citées ci-dessus, aucun n'était élève de Baudouin. Celui-ci,
Polonais de naissance, avait enseigné principalement en Russie, à Kazan et à Pétrograd, et ses théories demeurèrent longtemps ignorées en Europe (où il était plutôt connu comme sla-
visant). La traduction allemande de l'essai sur les phonèmes
et sur l'alternance parut en 1895, mais il ne semble pas qu'elle
attira beaucoup l'attention. Rappelons que ses théories, par
l'intermédiaire d'un de ses élèves, le grand orientaliste Poli-

vanov, furent largement diffusées au Japon [56]. L'influence
de Baudouin se manifeste aussi dans l'œuvre d'un autre de ses
élèves, L. V. Ščerba [57], tandis qu'indépendants de lui apparaissent, en découvrant eux aussi le phonème, les Américains [58],
ainsi que plusieurs linguistes qui avaient affronté les problèmes
« pratiques » de la transcription phonétique [59].

Troubetzkoy [60] polémique avec N. van Wijk [61] qui soutenait que la notion de système phonologique existait déjà chez
les linguistes du XIXᵉ siècle, chez les néogrammairiens (et en
particulier Brugmann) et chez Schuchardt, chez Jespersen
ensuite et chez d'autres. « C'est là un malentendu fâcheux »,
commente Troubetzkoy, parce que les fragments de système
que ces linguistes pouvaient construire (il faudrait être sourd
et muet pour ne pas s'apercevoir que les occlusives grecques
antiques forment trois séries parallèles et les sanscrites quatre)
n'étaient que la synthèse d'éléments isolés dont la régularité
et la correspondance étaient quelque chose de fortuit, d'inattendu et d'inexplicable, ou mieux « quelque chose de gênant ».
Partir du système pour arriver au phonème aurait été antimé-
thodique pour un néogrammairien « redoutant avec supers-
tition toute ombre de téléologie. »

5. LA PHONOLOGIE.

Une définition du phonème analogue à celle que Troubetzkoy fait sienne se trouve dans l'œuvre de L. V. Ščerba (1912) :
« La représentation phonique générale la plus brève qui, dans
la langue étudiée, possède la faculté de s'associer à des représentations douées de sens, et de différencier des mots » [62]. Ici
au moins, bien que restant dans le champ de la psychologie
associative, on souligne cette fonction du phonème de différencier les signifiés. N. F. Jakovlev [63] définit le phonème comme
« chaque particularité phonique que l'on peut extraire de la
chaîne parlée comme l'élément le plus bref qui serve à différencier des unités de signifiés » et de là se trouve déjà exclu
tout élément psychologique. La définition que Troubetzkoy

adopte dans les *Principes* remonte essentiellement à R. Jakobson (1929) [64] et, un peu différemment, apparaît aussi dans le
Projet (1930) [65].

Appelant « opposition phonologique » chaque opposition
phonique qui peut différencier dans une langue des signifiés
intellectuels, et « unité phonologique distinctive » chaque terme
d'une opposition phonologique, Troubetzkoy définit les phonèmes comme (p. 37) les « unités phonologiques qui ... ne se
laissent pas analyser en unités phonologiques encore plus petites et successives ». Le phonème est donc (p. 37-38) « la plus
petite unité phonologique de la langue étudiée ». Cette définition diffère de celle que Troubetzkoy avait donnée dans ses
premiers travaux phonologiques, quand il avait utilisé l'expression « représentation phonique » [66], mais une telle expression, dit-il (p. 42 n 1), « n'était pas employée comme une définition scientifique précise », et l'emploi qu'il faisait de la notion
de phonème était alors « exactement le même qu'aujourd'hui ».
Une « représentation phonique », soutient Troubetzkoy (p. 42),
correspond à chaque variante phonétique particulière et il
n'est pas possible de considérer certaines représentations comme
« conscientes » à la différence d'autres qui seraient « incons-
cientes ». Le degré de conscience du processus articulatoire dépend en fait de la pratique, sans que, quand change la « conscience », le répertoire des phonèmes change. Nous avions, dans
l'expression « intention phonique » [67], une transposition de la
représentation phonique dans le domaine de la volonté, mais
même l'intention est différente pour chaque variante phonétique (p. 42) : « Toutes ces expressions psychologiques ne sont
pas appropriées à la nature du phonème et doivent par conséquent être écartées... Il faut éviter de recourir à la psychologie pour définir le phonème : en effet, le phonème est une
notion linguistique et non pas notion psychologique. Toute
référence à la « conscience linguistique » doit être écartée en
définissant le phonème », également parce que « conscience
linguistique » est soit une désignation métaphorique de la
langue, soit une expression vague, indéfinie et peut-être même
pas définissable [68].

Comme on le voit, on semble conclure ici, du moins au point de vue de l'affirmation de principes méthodologiques, la « chasse au psychologisme » qui a caractérisé le développement de cette branche de la phonologie. Troubetzkoy s'est éloigné des positions initiales (à la page 44 il accueille avec faveur même la définition de Bloomfield), et vise une définition rigoureusement fonctionnelle (p. 43) : « le phonème est avant tout un concept fonctionnel, qui doit être défini par rapport à sa fonction. » D'autre part, chaque mot se présente comme une silhouette unique qui est distinguée de tous les autres mots grâce aux phonèmes qui sont comme les marques distinctives de telles silhouettes [69]. Le même phonème peut d'autre part être membre d'une opposition phonologique (distinctive) et d'une opposition non phonologique (p. 39) (par exemple l'opposition phonologique en allemand entre *stechen* et *stecken*, et celle non phonologique entre les consonnes de *ich* et *ach*). Ceci arrive parce que le phonème se compose de plusieurs particularités, de plusieurs traits, et se distingue d'un autre phonème non pas par tous ses traits mais seulement par quelques-uns d'entre eux. C'est pourquoi le phonème coïncide non pas avec « une image phonique concrète » mais seulement avec les particularités phonologiquement pertinentes de telles images. On peut dire (p. 40) que le phonème « est la somme des particularités phonologiquement pertinentes que comporte une image phonique ». Les sons concrets sont comme les « symboles matériels » des phonèmes. Le son est l'ensemble de toutes les particularités (pertinentes ou non) qui apparaissent au point précis du courant sonore où un phonème se réalise.

NOTES DU CHAPITRE III

1. Sur le cercle de Prague et sur la phonologie en général, cf. en italien
G. C. LEPSCHY, *La Scuola di Praga*, « Il Verri » (en cours d'impression). Un
très récent glossaire des termes techniques édité par J. VACHEK et S. DUBSKY,
Dictionnaire de linguistique de l'école de Prague, Utrecht-Anvers 1960, et
l'anthologie de J. VACHEK, *A Prague School reader in linguistics*, Bloomington 1964 (avec des textes anglais, français et allemands : ceux qui étaient
rédigés dans une autre langue ont été traduits en anglais). On verra les tra-
vaux généraux suivants : N. S. TROUBETZKOY, *La phonologie actuelle*,
« JPsych » XXX 1933 227-46 ; R. JAKOBSON, *La scuola linguistica di Praga*,
« La Cultura » XII 1933 633-41 ; A. MARTINET, *La phonologie*, « FM » VI
1938 131-46 (et polémique avec Grammont, ibid 205-11 et VII 1939 33-40) ;
ID., *La phonologie synchronique et diachronique*, « CILP » VI 1938 41-58 ;
ID., *Où en est la phonologie ?* « Lingua » I 1943 34-58. En outre : A. W. DE
GROOT, *Phonologie und Phonetik als Funktionswissenschaften*, « TCLP » IV
1931 116-47 ; Ch. MÖLLER, *Thesen und Theorien der Pragen Schule*, « Acta
Jutlandica » VIII : 2 1936 ; B. FADDEGON, *Phonetics and phonology*, Ams-
terdam, 1938 ; N. VAN WIJK, *Phonologie*, 's-Gravenhage 1939 ; H. J. Pos,
Perspectives du structuralisme. « TCLP » VIII 1939 29-47 ; B. TRNKA, *O sou-
časném stavu badani ve fonologii*, « SS » VI 1940 164-170 et 203-15 ; L. MI-
CHEL, *La phonologie*, Bruxelles 1941-42 (de « RLaV » VII-VIII) ; E. SEIDEL
Das Wesen der Phonologie, Kopenhagen-Bucuresti 1943 ; J. VON LAZICZIUS
Phonétique et Phonologie, « Lingua » I 1948 293-302 ; H. LAUSBERG, *Ueber
Wesen und Aufgabe der Phonologie*, « ZPhon » III 1949 249-61 ; W. BRAN-
DENSTEIN, *Einführung in die Phonetik und Phonologie*, Wien 1950 ; O. LEŠ-
KA, *K voprosu o strukturalisme (dve koncepcij grammatiki v Prazskom ling-
vist kruzke)* ; « VJa » 1953 fasc. 5 88-103 ; O. S. AHMANOVA, *Fonologija*, Mos-
kva 1954 ; K. HORALEK, *These k Ceskoslovenské diskusi o fonologii*, « SS »
XV 1954 33-35 ; A. V. ISACHENKO, *Hat sich die Phonologie überlebt ?* « ZPhon »
IX 1956 311-30 ; S. K. ŠAUMJAN, *Der Gegenstand der Phonologie*, « ZPhon »
X 1957 193-203 ; O. S. AHMANOVA, *Ueber die Grundbegriffe der Phonologie*,
« ZPhon » X 1957 359-65 ; B. TRNKA, J. VACHEK et d'autres, *Prague Struc-
tural linguistics*, « PhP » I 1958 33-40 (cfr « VJa » 1957 fasc. 344-52) ; K.
MATTHEWS, *Phonetics and phonology in retrospect*, « Lingua » VII 1958 254-
68 ; P. S. KUZNECOV, *Ob osnovnyh polozenijah fonologii*, « VJa » 1959 fasc.
2 28-35 ; le supplément du volume IV, 1959, de « Phonetica » contient les
communications présentées à un congrès sur Troubetzkoy ; T. V. BULYGINA,
Prazskaja lingvističeskaja škola, aux pages 46-126 du volume cité, édité par
Guhman et Jarceva ; J. SVOBODA, *L'école linguistique de Prague*, « PI » VI
1964 239-42 ; voir la récente synthèse d'un auteur autorisé, J. VACHEK,
The linguistic school of Prague. An introduction to its theory and practice,
Bloomington-London 1966. Ces indications n'ont qu'une valeur indicative
car la bibliographie phonologique est très ample. Voir aussi le chap. III
notes 59 et 67.

2. *Actes I congr. Int. Ling. (La Haye 1928)*, Leiden 1929 33-35. Nous parlerons de Troubetzkoy et de Jakobson dans les pages qui suivent. Sur Kar-

cevskij, cf. par exemple R. JAKOBSON, dans « CFS » XIV 1956 9-16 ; N. S.
POSPELOV, *O lingvističeskom nasledstve S. Karcevkogo*, « VJa » 1957 fasc. 4
45-56.

3. « TCLP » I 1929.

4. « TCLP » I 1929 5-29.

5. « TCLP » II 1929.

6. Cf. « TCLP » IV 1931.

7. *Proceed. Ist Int. Congr. Phon. Sc.*, Amsterdam 1932 « ANPE » VIII-IX
1933 16 et sv.

8. En voici le sommaire : I 1929 : *Mélanges linguistiques dédiés au Ier
Congrès des philologues slaves* ; II 1929 : R. JAKOBSON, *Remarques sur l'évolution phonologique du russe comparée à celle des autres langues slaves* ; III
1930 : B. TRNKA, *On the syntax of the English verb from Caxton to Dryden* ;
IV 1931 : *Réunion phonologique internationale tenue à Prague* (18-21 XII
1930) ; V fasc. 2 1934 : *Description phonologique du russe moderne*, II : N. S.
TROUBETZKOY, *Das morphonological System der russischen Sprache* ; VI
1936 : *Études dédiées au quatrième congrès de linguistes* ; VII 1939, N. S.
TROUBETZKOY, *Grundzüge der Phonologie* ; VIII 1939 : *Études phonologiques
dédiées à la mémoire de M. le prince N. S. Troubetzkoy.*

9. Cf. par exemple *Charisteria Guilelmo Mathesio quinquagenario a disci-
puli s et circuli linguistici pragensis sodalibus oblata*, Pragae 1932 ; N. S.
TROUBETZKOY, *Anleitung zu phonologischen Beschreibung*, Brno 1935 ; les
bulletins d'information de l'Association internationale pour les études
phonologiques de 1932, la revue « SS » de 1935 et pour les comptes rendus
de l'activité du cercle « ČMF » de 1928.

10. Il suffit de renvoyer à la bibliographie de Troubetzkoy en appendice
à « TCLP » VIII 1939 et de R. Jakobson, dans *For Roman Jakobson*, The
Hague 1956 1-12 ; pour les œuvres d'autres membres importants du cercle
cf. J. MUKAROVSKY, *Kapitoly z české poetiky*, Praha 1948 (2 vol.) ; V. MA-
THESIUS, *Čeština a obecny jazykozpyt. Soubor stati*, Praha 1947.

11. « TCLP » I 1929 5-21.

12. Troubetzkoy a insisté souvent de façon polémique sur le motif de la
finalité ; et un tel motif est évidemment désagréable à la linguistique structurale américaine. A. Martinet a souvent mis en lumière le fait que ce principe n'est pas nécessaire à la phonologie ; sur son origine, cf. R. JAKOBSON,
dans « La Cultura » XII 1933 639.

13. L'intérêt porté au structuralisme diachronique, en particulier sous
l'aspect phonologique, peut être considéré comme caractéristique de l'École
de Prague (ainsi que de R. Jakobson et A. Martinet) face à l'intérêt décidé-
ment synchronique de l'École de Copenhague et du structuralisme américain
(avec des exceptions importantes, s'entend).

14. L'intérêt pour la typologie est central dans le structuralisme danois
et occupe une large place dans la réflexion des structuralistes américains.

15. La phonologie s'associait par là à la polémique contre la grammaire
comparée de type néogrammairien.

16. Le problème de fond n'est pas bien clair (on peut déjà l'entrevoir
chez Saussure) : Quel rapport y a-t-il entre le phonème comme « représentation » et le phonème comme élément du système fonctionnel ? Une fois posée
cette dernière notion, est-il possible de l'appliquer directement aux faits
phonétiques, sans passer par une stade psychologique ?

17. Ici se pose une question centrale qui n'a jamais eu de réponse adé-

quate. La « fonction différenciatrice des signifiés » devient chez Troubetzkoy « différenciatrice des signifiés sur le plan de la représentation » ou de
« signifiés intellectuels ». Dans la phonologie pragoise, la division tripartite
de K. Bühler, *Sprachtheorie*, Jena 1934, entre fonctions de représentation,
d'appel et d'expression, est importante. L'analyse phonologique au sens
étroit s'est limitée à la fonction représentative. Dans la morphémique américaine l'absence d'une division de ce genre a mené à de nombreuses complications (malgré la distinction parfois adoptée entre dénotation — correspondant à la fonction de représentation — et connotation — correspondant à
l'expression et à l'appel). Le problème qui n'est pas encore résolu est : *a*)
Est-il possible, et comment, de distinguer des différences de signifié « représentatif » (par exemple entre *port* et *bord*), et des différences de signifié
« affectif » (par exemple entre *port* et *port* prononcés avec deux intonations
différentes ; *b*) dans l'affirmative, est-il possible et comment de traiter structuralement les caractéristiques formelles qui différencient deux énoncés
« affectivement » différents (d'une manière comparable à celle par laquelle
on traite structuralement les caractéristiques qui différencient deux énoncés « représentativement » différents, comme *port* et *bord*) ?

18. La question se rapproche de celle que nous avons soulignée au chapitre
III, note 16 : les phonèmes sont-ils des entités en quelque sorte « positives »,
comme l'affirment les réalistes, sur le plan psychologique (en tant que « représentation » ou « engramme ») ou sur le plan phonétique (comme classes
de sons), ou sont-ils des entités négatives et différentielles, comme l'affirme
Saussure, consistant en leurs différences l'un par rapport à l'autre (chacun
ayant une caractéristique différente de toutes les autres) ? Un phonème est-il
caractérisable uniquement au moyen de l'ensemble des rapports (paradigmatique et syntagmatique) qu'il peut entretenir avec tous les autres phonèmes ? Les caractéristiques distributionnelles ne reçurent pas dans la première période de la phonologie une extrême attention ; mais cf. N.S. Troubetzkoy, *Principes* (cit. par ailleurs chapitre III note 32) 262-76 et aussi
statistiquement 276-89.

19. Pour tout cela on verra les recherches statistiques citées plus loin.

20. Cf. N. S. Troubetzkoy, *Gedanken über Morphologie*, « TCLP » IV
1931 160-63 (traduit dans l'appendice des *Principes* 337-341) ; Id., *Das
morphologische System der russischen Sprache* cit.

21. Cf. par exemple E. Cassirer, *Le langage et la construction du monde
des objets*, « JPsych » XXX 1933 18-44 ; Id., *Structuralism in modern linguistics* cit. ; et l'on se rappellera l'intérêt prêté à cet argument dans la glossématique, ou dans ce qu'on appelle « l'hypothèse de Sapir et de Whorf »
sur laquelle nous reviendrons.

22. La dichotomie paradigmatique-syntagmatique, importante chez
Saussure, est mise à part dans la théorie de Troubetzkoy ; R. Jakobson et,
de façon différente, les structuralistes danois et américains lui accordent
une grande attention.

23. Il s'agit de l'ordre paradigmatique.

24. On entend ici les différents usages de la langue. L'étiquette « linguistique fonctionnelle » se réfère généralement à un autre sens du terme de
fonction.

25. Cette distinction est soulignée par l'école de Genève. On verra en particulier les travaux de A. Sechehaye et la stylistique de Ch. Bally.

26. La langue peut être autant intellectuelle qu'affective ; les distinctions
saussuriennes vont nécessairement se multiplier et se compliquer. On se

référera à la discussion citée entre Sechehaye et Buyssens et on se rappellera la notion de « parole organisée », etc.

27. Cette conception se retrouve chez les structuralistes danois : cf. A. STENDER PETERSEN, in « TCLC » V 1949 277-87 ; S. JOHANSEN, *ibid.*, 288-303. Elle est reprise par R. Jakobson.

28. On se reportera à l'anthologie publiée par P. L. GARVIN, *A Prague School reader on aesthetics, literary structure and style*, Washington 1964[2] ; cf. aussi J. MUKAROVSKY, in « TCLP » I 1929 121 et sv. ; ID., in « TCLP » IV 1931 278 et sv. ; ID., in *Actes* 4º *Congr. Int. Ling.* 1936, Copenhague 1938 98 et sv. ; ID., dans les documents préparatoires au Vᵉ congrès international de linguistique. *Rapports*, Bruges 1939 94-102 ; et l'on verra de nombreux articles (de B. Havránek, P. Bogatyrev, J. Rypka, etc.) dans différents volumes des « TCLP ».

29. Sur le formalisme russe, cf. B. TOMAŠEVSKIJ, *La nouvelle école d'histoire littéraire en Russie*, « RESl » VIII 1928 226-40 ; et plus récemment V. ERLICH, *Russian formalism. History-doctrine*, 's-Gravenhage 1955 ; R. WELLEK, A. WARREN, *Teoria della letteratura e metodologia dello studio letterario*, Bologne 1956 186-208.

30. Cf. la bibliographie éditée par B. Havránek in « TCLP » VIII 1939 335-42 ; sur son œuvre en général, Cf. R. JAKOBSON in « AL » I 1939 64-76 ; sur différents aspects : J. KRAMSKY, *Trubeckoj and oriental linguistics*, « AO » XVI 1948 225-64 ; R. JAGODITSCH, *N. S. Trubeckoj als Literarhistoriker*, « WSlJb » IV 1955 28-50 et *Zum 25. Todestage von N. S. Trubeckoj*, « WSlJb » XI 1964 5-166. J'utilise toujours en italien la transcription du nom russe de Trubeckoj, de préférence à la graphie « Trubetzkoy » et « Troubetzkoy » généralement utilisée par lui dans ses essais en allemand et en français. Je veux rappeler ici un travail particulièrement suggestif dans lequel on touche aux bases de la linguistique indo-européenne : N. S. TRUBECKOJ, *Gedanken über das Indogermanenproblem*, « AL » I 1939 81-89 mais pour des positions structuralistes différentes, cf. par exemple H. M. HOENIGSWALD, *Language change and Linguistic reconstruction*, Chicago-London 1960 ; O. J. L. SZEMERENY, *Trends and Tasks in comparative philology*, London 1961 ; les idées de Troubetskoy y sont discutées de façons diverses mais peut-être pas suffisamment.

31. Les principales étapes sont constituées par : *Zur allgemeinen Theorie der phonologischen Vokalsysteme*, « TCLP » I 1929 39-67 ; *Sur la morphonologie* ; *ibid.* 85-88—; *Die Phonologischen Systeme*, « TCLP » IV 1931 96-116 ; *Gedanken über Morphonologie, ibid.* 160-63 ; *Les systèmes phonologiques envisagés en eux-mêmes et dans leur rapport avec la structure générale de la langue*, rapport au second Congrès de linguistique, in *Actes* cit. 120-25 ; *Charakter und Methode der systematischen phonologischen Darstellung einer gegebener Sprache*, dans les actes du premier Congrès international de sciences phonétiques cit. 18-22 ; *Anleitung zu phonologischen Beschreibungen* cit. ; *Die phonologischen Grenzsignale*, dans les Actes du second Congrès international de sciences phonétiques cit. 45-49 ; *Die Aufhebung der phonologischen Gegensätze*, ʳ TCLP » VI 1936 29-45 ; *Essai d'une théorie des oppositions phonologiques*, « JPsych » XXXIII 1936 5-18 ; *Ueber eine neue Kritik des Phonemsbegriffes*, « Arch. vgl. Phon. » I 1937 129-53 (sur A. SCHMITT, in « WuS » XVII 1936 57-98) ; *Die Quantität als phonologisches Problem*, dans les actes du quatrième Congrès international de linguistique cit. 117-22 ; *Die phonologischen Grundlagen der sog. Quantität in der verschiedenen Sprachen*, in *scritti... Trombetti*, Milan 1938 155-76 (mais l'article date de 1934).

32. N. S. TRUBECKOJ, *Grundzüge der Phonologie* ; « TCLP » VII 1939 ;

nous en avons maintenant une seconde édition, Göttingen 1958, qui est une
reproduction de la première avec l'ajout de *Phonologie und Sprachgeogra-
phie* (des « TCLP » IV 1931 228-34), *Gedanken über Morphonologie* cit., *Auto-
biographische Notizen*, communiquée par R. Jakobson, et un (incomplet)
errata. Nous citons dans le texte la traduction française de J. Cantineau,
Principes de Phonologie Paris 1949 (réimpression en 1957) qui constituèrent
dans la décennie 1949-1958 un texte de référence générale, l'original allemand
étant épuisé et introuvable. L'édition française contient en appendice, outre
les textes, présents dans la nouvelle édition allemande, trois travaux importants de R. Jakobson. La comparaison avec la traduction russe de A. A.
Holodovic, *Osnovy fonologii*, est également intéressante (Moskva 1960, présenté par S. D. Kacnel'son et avec un appendice de A. A. Reformatskij) ;
une traduction italienne est en préparation aux éditions Einaudi.

33. N. S. TROUBETZKOY, *Principes* cit. 31 et sv. Cette répartition dans la
diacritique pose encore des problèmes intéressants ; les phénomènes que le
structuralisme américain traite sous l'étiquette de « jointure » et de phonème « suprasegmentaux » sont distribués entre la fonction culminative et
la fonction délimitative.

34. *Ibid.*, 32 n.l. : on parle de la fonction culminative à propos de l'accent
du mot (222-31) ; elle n'avait pas d'autre place dans l'œuvre, il manquait
simplement à la fin vingt pages qui auraient été consacrées aux signes démarcatifs de phrases (cf. *ibid.*, p. VII).

35. Dans l'index de N. S. Troubetzkoy, *Principes*, cit. 393 ligne 5 en partant de la fin, on lira « délimitative » et non « démarcative ».

36. Cf. sur ce point l'article très clair de A. MARTINET, *Neutralisation
et archiphonème*, « TCLP » VI 1936 46-57.

37. Rappelons que la « statistique » est une chose différente de la « distribution » : la première s'intéresse aux pourcentages, la seconde à la possibilité ou à l'impossibilité de déterminer des occurrences.

38. J. WINTELER, *Die kerenzer Mundart des Kantons Glarus*, Leipzig
1876.

39. H. SWEET, *A handbook of phonetics*, Oxford 1877 103-5 (la distinction
entre transcription étroite (narrow) et large (broad) : cette dernière est une
sorte de transcription phonologique) ; ID., *A primer of phonetics*, Oxford
1890 ; ID., *The practical study of language*, London 1899 (réédité London
1964 dans la série « language and language learning », par R. Mackin et P. D.
Strevens) ; cf. aussi les principes de transcription de P. PASSY dans « The
phonetic teacher » août 1888 57 ; dans P. PASSY, *Études sur les changements
phonétiques*, Paris 1890, A. MARTINET, *Économie* (cité par ailleurs, chapitre
IV note 34) 42 et sv. se trouve la présentation la plus claire de la « théorie
fonctionnelle des changements phonétiques » ; cf. aussi J. VACHEK, dans
« CMF » XIX 1932-33 273-92 ; R. JAKOBSON, *H. Sweet's path toward phonemics*, dans le volume d'essais édité par C. E. Bazell et autres, *In memory of
J. H. Firth*, London 1966 242-254.

40. Cf. O. JESPERSEN, *Lehrbuch der phonetik*, Leipzig-Berlin 1904 (traduction de *Fonetik, en systematik fremstilling af laeren om sproglyd*, Köben-
havn 1897-99) ; ID. *Phonetische Grundgragen*, ibid. 1904 ; ID., *Elementar-
buch der Phonetik*, ibid. 1912.

41. B. COLLINDER, dans un article violemment antiphonologique, *Laut-
lehre und Phonologismus*, dans les actes du quatrième Congrès international
de linguistique, cit. 122-27 cite un passage de A. NOREEN, de 1905 (*Vart
sprak*, I-II, Lund 1903-10 123) (et cf. J. LOTZ, *Plan and publication of No-*

reen's Varl sprak, « SL » VIII 1954 82-91) dans lequel la notion de phonème est clairement présentée : « Unter einem gewissen, qualitativ bestimmen laut verstehen wir — nicht einen unter allen Umständen identischen laut — Sondern wir verstehen z. b. unter dem neuschwedischen i-laut eine Menge lautvarietäten, die einander dermassen ähnlich sind — dass sie — entweder garnicht oder wenigstens nur mit grosser schwierigkeit als verschiedene aufgefasst werden, und deren qualitative differenz, wenn sie auch dem ohr merkbar sein sollte, jedenfalls nicht au sprachlichen zwecken, d. h. als träger irgendeiner bedeutungsdifferenz verwendet wird. Auf diesem Grunde kann eine solche gruppe von minimal verschiedenen lauten füglich als in sich ganzhomogen betrachtet werden, und jedes lautindividuum der gruppe kann somit ohne übelstand denselben namen tragen-, dermithin ein gattungsname, kein eigenname ist ». Le passage est d'une clarté impressionnante : mais il faut surtout noter qu'avant l'École de Prague, malgré ces idées théoriquement très bonnes, la notion de phonème n'était pas utilisée avec sa pleine valeur ; B. COLLINDER poursuit sa polémique antistructuraliste dans *Les origines du structuralisme,* «ASLU » I : 1 1962 1-15. A. D. (AUZAT), in « FM » VII 1939 40, annotant la polémique entre Martinet et Grammont, soutient avoir précédé les phonologues dans son ouvrage *Essai de méthodologie linguistique,* Paris 1906 254-55.

42. F. DE SAUSSURE, *Cours* cit. 37.

43. Cf. J. BAUDOUIN DE COURTENAY, *Versuch einer Theorie phonotischer Alternationen. Ein Kapitel aus der Psychophonetik,* Strasbourg 1895 (c'est l'abrégé allemand un peu modifié de *Proba teorii alternacyj fonetycznych,* « Rozprawy wydzialu filologicznego » de l'Académie des Sciences de Cracovie, XX 1894 219-464 — résumé qui était trop long pour l'«Anzeiger» de la même Académie).

44. N. S. TROUBETZKOY, in «JPsych» XXX 1933 229 n. 1 : Saussure semble avoir introduit le terme dans la linguistique, mais avec un sens différent de « somme des impressions acoustiques et des images articulatoires ». On verra J. R. FIRTH, *The word « phoneme »,* « MPhon » avril-juin 1934 44-46 ; D. JONES, *The phoneme,* Cambridge 1950 213 (et p. VI) ; ID., *The history and meaning of the terme « phoneme »,* suppl. « MPhon » juillet-décembre 1957 ; mais le terme français « phonème » semble (GODEL, *Sources* cit. 160) remonter à A. DUFRICHE-DESGENETTES qui dans la communication à la Société de linguistique de Paris du 24 mai 1873 (*Sur la nature des consonnes nasales*) (cf. « BSL » II 1873 fasc. 8 p. LXIII) l'introduisait ainsi que d'autres néologismes qui eurent moins de chance : cf. « Revue critique » I 1873 fasc. 12 p. CLXVIII-CLXXXII ; ID., *Sur les voyelles qui n'appartiennent pas à la langue française,* « BSL » III 1875 fasc. 13 p. XLIV-XLVII ; ID., *Sur la lettre R et ses diverses modifications,* « BSL » III 1875 fasc. 14 p. LXXII-LXXIV ; ID., *Sur la consonne L et ses diverses modifications, ibid.,* p. LXXIV-LXXVI. Il ne s'agit pas seulement de termes : la problématique de Dufriche-Desgenettes est singulièrement moderne et mérite encore aujourd'hui la lecture la plus attentive.

45. J. BAUDOUIN, *Versuch* cit. 6 n. I.

46. N. KRUŠEVSKIJ, *Novejšija otkrytija v oblasti ario-evropejskago vokalizma,* « Russk. Filolog. Vestnik » IV a. II 1880 33-45 : C'est la première des *Lingvističeskija* zametki, *ibid.* 33-62. Kruszewski a développé plusieurs idées de son maître, Baudouin de Courtenay : cf. ID., *Nabljudenija nad nekotorymi fonetičeskimi javlenijami svjazannymi s akcentuaciej,* Kasan' 1879 ; ID., *K voprosu o gune. Izsledovanie v oblasti staroslavjanskago vokalizma,* « Russk. Filolog. Vestnik » V a III 1881 ; ID. *Ueber die lautabwechslung,* Kasan 1881.

47. J. Baudouin, *Versuch* cit. 6 n. 1 : il considérait d'abord le phonème comme « diejenige Summe phonetischer Eigentümlichkeiten, welche bei den Vergleichungen, sei es im Bereich einer und derselbe Sprache, sei es Bereich mehrerer verwandten Sprachen, eine unteilbare Einheit darstellt » ; cf. Id., *Nekotorye otdely sravnitelnoj gramm. slavjanskih jarykov* (*otr. iz lekcij*), « Russk· Filolog. Vestnik » V a. III 1881 (265-344). 325.

48. J. Baudouin, *Versuch* cit. 9-10 : « eine einheitliche, der phonetischen Welt angehörende Vorstellung, welchemittelst psychischer Verschmelzung der durch die Aussprache eines und desselben Lauter erhaltenen Eindrücke in der Seele entsteht = psychischer Aequivalent des Sprachlautes. Mi der einheitlichen Vorstellung Phonems verhnüpft sich (associert sich) einegewisse Summe einzelner anthropophonischer Vorstellungen ». Malgré cette définition, le procédé de Baudouin n'est pas par la suite trop lié à cette interprétation psychologique ; le caractère de programme en apparaît même dans le sous-titre (*Ein Capitel aus der Psychophonetik*), qui veut indiquer l'adhésion au courant qui « in allen sprachlichen Erscheinungen in erster Reihe den psychologischen Factor erblickt ».

49. F. de Saussure, *Mémoire* cit. 12.

50. A. Leskien, *Der Ablaut der Wurzelsilben im Litauischen*, Leipzig 1884.

51. Cf. *Podrobnaja programma lekcij v 1876-1877 uč. godu*, Kazan'–Varsava 1878 56-61 ; 85 ; et *ibid.*, pour 1877-78, 1881 85, 86-88, 105-6, 145. Cf. « Russk. Filolog. Vestnik » V a. III 1881 191 et sv.

52. J. Baudouin, *Versuch* cit. 11-12.

53. On peut voir dans la suite de ce *Versuch* le developpement de la théorie des alternances ; du reste Saussure, qui avait observé la façon dont se confondirent les choses en disant par exemple que φόρος « vient de » * bhoros, ou bien qu'il « vient de » φέρω (Godel, *Sources* cit. 40), et qui avait noté le mouvement qui « vient d'à côté », dans la morphologie d'une langue, dû aux « formes concurrentes » (*ibid.* 42), pensait que « Baudouin de Courtenay et Kruszewski ont été plus près que personne d'une vue théorique de la langue, cela sans sortir des considérations linguistiques pures » (*ibid.* 51). Sur Baudouin, cf. R. Jakobson, *J.B.d.C.*, « Slav. Rundsch. » 1929 809-12 ; L. V. Ščerba, I.A.B.d.K. *i ego znacenie u nauke o jazyke*, article de 1929 aujourd'hui dans *Izbrannye raboty po russkomu jazyku*, Moskva 1957 85-96 ; M. Weingart, *J.B.d.C.*, « Rocenka slovanského ustava za rok 1929 » 1930 172-98 ; Z. M. Arend, *B.d.C. and the phoneme idea*, « MPhon » janvier-mars 1934 2-3 ; M. Vasmer, *J.B.d.C. Zur 100. Wiederkehr seines Geburtstages*, « ZPhon » I 1947 71-77 (cf. Id. in « IJ » XVI 1932 338) ; W. Doroszewski *J.B.d.C.*, « PJ » 1949 fasc. I 1-4 ; E. A. Zemskaja, *«Kazanskaja lingvističeskaja škola » prof. I.A.d.K.*, « RJaŠ » XII fasc. 6 1951 61-73 ; in « VJa » 1952 fasc. 6 154 n. 10 est citée une thèse de T. A. Belinskaja sur Baudouin de Courtenay ; K. Nitsch, *W cwiercwiecze smierci J.B.d.C.*, « JP » XXXIV 1954 322-24 ; S. Urbanczyk, *Sesja Baudouinowska PAN*, « JP » XXXIV 1954 377-79 (et cf. H. Ulaszyn, in « JP » XXXV 1955 233-35 et S. Urbanczyk in « JP » XXXV 1955 235-36) ; W. Doroszewski, *J.B.d.C. na tle swej epoki i jako prekursor nowych pradów w jezykoznawstwie*, « Nauka Polska » 1955 fasc. 1 47-58 (également dans *Studia i* cit. 68-75) ; Z. Štieber, *Teorija fonem I.A.a d K. v sovreznnom jazykoznanii*, « VJa » 1955 fasc. 4 88-93 ; L. Wald, *Despre conceptia lingvistica a lui I.A.d.C.*, « LbR » VII 1958 fasc. 4 5-10 ; A. A. Leon'tev, *Obscelingvisticeskie vzgljady I.A.B.d.K.*, « VJa » 1959 fasc. 6 115-24 ; R. Jakobson, *Kazanska szkola polskiej lingwistyki i jej miejsce w świato ł wym rozwoju fonologii*, « BPTJ » XIX 1960 3-34 ; A.

A. Leon'tev, *I.A.B. d. K. i peterburgskaja škola russkoj lingvistiki*, « VJa »
1961 fasc. 4 116-24 ; S. Szlifersztejn, *Historia jeryka a gramatyka histo-
tyczna w studiach polonistycznych*, « PJ » 1964 fasc. 7 (222) 317-24 ; A. A.
Leont'ev, *I.A.B.d.K. i ego ucenie o jazyke*, « RJaS » XXIX : 2 1965 87-93;
id., *B. i francuzskaja lingvistika*, « IzvAN » XXV 1966 329-32 ; on verra
aussi le volume édité par l'Institut de philologie slave de l'Académie des
Sciences de l'U.R.S.S.: *I.A.B.d.K.* (*k 30-letiju so dnja smerti*), Moskva 1960,
avec une bibliographie de Baudouin 640 numéros) et sur Baudouin, et avec
des articles intéressants (parmi lesquels signalons ceux de A. A. Leon'tev,
5-27 et de V. N. Poporov, 28-36) ; et l'édition russe des *Izbrannye trudfi
po obščemu jarykoznaniju*, t. I, Moskva 1963, édité par la section de langue
et littérature de l'Académie des Sciences, avec une préface de V. V. Vino-
gradov (6-20) et avec le résumé d'un article de W. Doroszewski (21-30 ;
cf. « SlOr » XI 1962 437-60).

54. Également criticable, pour des motifs analogues, la définition de N.
van Wijk des phonèmes comme « les plus petites unités que la conscience
linguistique sente comme indivisible » : « lier le concept de phonème à des
notions vagues comme celle d'« esprit », de « conscience linguistique », de
« sentir », ne peut servir à l'expliquer » note Troubetzkoy, avec des mots qui
pourraient avoir été écrits par Bloomfield.

55. J. Schijnen, *Nova et vetera*, in *Proceedings* cit. du premier Congrès
international de phonétique 24-27.

56. Cf. H. E. Palmer, *The scientific study and teaching of language*, London
1917 ; Id. *Principles of romanization*, Tokyo 1930. Sur Polivanov cf. V. V.
Ivanov, *Linqvističeskie vzgljady E. D. Polivanova*, « VJa » 1957 fasc. 3 55-76.

57. L. V. Ščerba, *Court exposé de la prononciation russe*, Suppl. « MPhon »
novembre-décembre 1911 ; Id., *Russkie glasnye v kačestvennom i količest-
vennom otnosenij*, Sankt Petersburg 1912 (aujourd'hui en partie réimprimé
in L. V. Ščerba, *Izbrannye raboty po jazykoznaniju i fonetiki*, I, Leningrad
1958 124 et sv.

58. Manque dans l'édition originale italienne. N.d.T.

59. N. S. Troubetzkoy, in « JPsych » XXX 1933 227 et sv. cite C. Mein-
hof, *Der Wert der Phonetik für die allg. Sprachwissenschaft*, 1918 et différents linguistes dilettantes de la fin du siècle dernier. Cf. D. Jones, *The
theory of phonemes and its importance in practical linguistics*, in *Proceedings*
cit. du premier Congrès international de phonétique, 23-24 ; Id. *On phonemes*, « TCLP » IV 1931 74-79 ; Id. *Concrete and abstract sounds*, in *Proceedings* cit. du troisième Congrès international de phonétique 1-7 ; id.,
Some thoughts on the phoneme, « TPhS » 1944 119-35 ; Id., *The phoneme* cit.
(sur lequel cf. R. I. McDavid Jr, in « Lg » XXVIII 1952 377-86 ; A. Martinet, in « Word » VII 1951 253-54 ; cf. aussi J. Vachek, *Professeur D. Jones
and the phoneme*, in *Char. Mathesio* cit. 25-33 ; P. Menzerath, in « ZPhon »
IV 1950 272-76 ; G. Dietrich, in « ZPhon » VIII 1954 127-35).

60. N. S. Troubetzkoy, in « JPsych » XXX 1933 234 n. I.

61. N. van Wijk, in « NTg » XXVI 1932 65.

62. Cf. N. S. Troubetzkoy, *Principes* cit. 37 n. 1.

63. *Ibid.*

64. R. Jakobson, in « TCLP » II 1929 5.

65. « TCLP » IV 1931 311.

66. N. N. Troubetzkoy, *Polabische Studien*, « SbÖAW » 1930 211 n. 4
III ; et « TCLP » I 1929 39.

67. Id., in *Actes* cit. 120 et sv. du second Congrès international de lin-

guistique ; cf. K. Buhler, *Psychologie der phoneme*, in *Proceedings* cit. 162-69 du second Congrès international de phonétique (sur la terminologie troubetzkoienne variée : Laut-vorstellungen, –begriffe, –absichten, –intentionen, rappelant une Erlebnis-psychologie, cf. Id., *Phonetik und phonologie*, « TCLP » IV 1931 22-53). Cf. entre autres T. Benni, *Zur neueren Entwicklung des Phonemsbegriffes*, in *Donum... Schrijnen*, Nijmegen-Utrecht 1929 35 et sv. ; D. Čyzevskyj, *Phonologie und psychologie*, « TCLP » IV 1931 3-22 ; H. Ulaszyn, *Laut, Phonema, Morphonema, ibid.*, 53-61 ; W. Doroszewski, *Autour du phonème*, ibid. 61-74 (également dans *Studia* cit· 352-63) ; V. Mathesius, *Zum Problem des Belastungs– und Kombinationsfähigkeit der Phoneme, ibid.*, 148-52 ; H. J. Pos, *Quelques perspectives philosophiques de la phonologie*, in *Proceedings* cit. 135-39 du premier Congrès international de phonétique ; J. von Laziczius, *A new category in phonology*, in *Proceedings* cit. 57-60 du second Congrès international de phonétique ; V. Brondal, *Sound and phoneme, ibid.* 40-45 ; J. Vachek, *On some aspects of the phonology theory, ibid.*, 33-40 ; Id., *Phonemes and phonological units* » TCLP » VI 1936 235-39 ; B. Trnka, *General laws of phonemic combinations, ibid.* 57-62 ; Id., *On the combinatory variants and neutralization of phonemes*, in *Proceedings* cit. 23-30 du troisième Congrès international de phonétique ; L. Novak, *Projet d'une nouvelle définition du phonème*, « TCLP » VIII 1939 66-70 ; J. M. Korinek, *Zur Definition des Phonems*, « AL » I 1939 90-94 ; S. Bergsveinsson, *Klasse, Norm und Manifestation*, « ZPhon » III 1949 261-77 ; L. R. Zinder, M. I. Matusevič, *K istorii učenija o foneme*, « IzvAN » XII 1953 fasc. I 62-75 ; W. Belardi, *Elementi di fonologia generale*, Roma 1959 ; H. Steen Sörensen, *The phoneme and the phoneme variant*, « Lingua » IX 1960 68-88 ; Id., *A note on the phoneme and the phoneme variant*, « Lingua » X 1961 302-4 ; J. Vachek, *A propos de la terminologie linguistique et du système de concepts linguistiques de l'Ecole de Prague*, « PhP » IV 1961 65-78. Outre les textes cités (égale ment chap. III notes 1 et 59), on verra, pour la critique des conceptions de Troubetzkoy, W. K. Twaddell, in « AL » I 1939 60-63 ; Z. S. Harris, in « Lg » XVII 1941 345-49 ; A. Martinet, in « BSL » XLV 1949 fasc. 131 19-22 ; E. Stolte, in « ZPhon » III 1949 277-82.

68. Sur la notion de « conscience linguistique » cf. les observations de R. Jakobson, in « TCLP » II 1929 102 n. 3 ; l'ample étude de A. Mirambel, *Essai sur la notion de « conscience linguistique »*, « JPsych » LV 1958 266-301 ; H. Weinrich, *Phonemkollisionen und phonologisches Bewusstsein*, « Phonetica » IV 1959 Suppl. 45-58.

69. Les points de contact entre phonologie (et linguistique structurale en général) et Gestaltpsychologie sont nombreux, et n'ont pas reçu un traitement adéquat.

CHAPITRE IV

L'ÉCOLE DE COPENHAGUE

1. INTRODUCTION.

La pensée linguistique danoise a, avec Madvig, Wiwel, Noreen, Jespersen (et auparavant avec le grand Rasmus Rask)[1], une forte tradition de savants se consacrant à la grammaire générale. C'est de cette tradition que sont issus les principaux représentants de l'école de Copenhague, qui se réclament aussi de Saussure et qui développent avec le maximum de cohérence certains des aspects du *Cours*[2]. La théorie linguistique devient, avec Bröndal et Hjelmslev, plus formelle et abstraite qu'elle ne le fut avec leurs prédécesseurs ; on note du reste chez ces deux linguistes des intérêts philosophiques marqués, en particulier pour la logique (il ne serait pas inutile d'approfondir la question des rapports entre la linguistique de Copenhague et la pensée logique formelle danoise des dernières décennies).

2. BRÖNDAL.

La recherche de Bröndal[3] est conduite avec un critère initial unique, toujours présent en elle : retrouver dans la langue les conceptions de la logique. « La philosophie du langage a pour objet de rechercher le nombre des catégories linguistiques et leur définition. Si on peut démontrer que ces catégories sont partout les mêmes, en dépit de toutes les variations, on aura contribué d'une manière importante à caractériser l'esprit humain »[4].

Les idées de Bröndal sur la linguistique structurale sont exposées expressément dans l'article-programme qui sert d'introduction à « Acta Linguistica » [5]. Il considère la grammaire comparée « fille du XIXe siècle », avec son caractère « historique » (inspiré par le « goût du romantisme pour l'antiquité reculée »), « positiviste » (inspiré par l'intérêt « pour *les petits faits vrais*, pour l'observation exacte et minutieuse »), et « légal » (inspiré par la science naturelle de l'époque qui visait à constituer des lois, c'est-à-dire des rapports constants entre les faits constatés). De la même façon qu'au XXe siècle beaucoup de conceptions scientifiques ont changé, nous avons une linguistique différente. On a senti « la nécessité d'isoler, de découper dans le flux du temps l'objet propre à une science, c'est-à-dire de poser d'une part des états qui seront regardés comme stationnaires, et d'autre part des sauts brusques d'un état à l'autre » (qu'on pense à la physique quantique de Planck, aux mutations étudiées par la biologie). De la même façon nous avons en linguistique la coupure opérée par Saussure entre synchronie et diachronie ; la synchronie permettant de considérer des éléments comme simultanés, et donc d'observer leur stabilité, leur unité et leur cohérence.

De la même façon que dans la science on a affirmé « la nécessité du concept général, seule unité possible des cas particuliers, de toutes les manifestations individuelles d'un même objet », de la même façon qu'en biologie on a le génotype, « ensemble des facteurs du patrimoine héréditaire dont les phénotypes les plus divers sont les réalisations » (W. Johannsen), de la même façon qu'en sociologie on a le fait social (Durkheim), indépendant de ses rapports avec ses manifestations individuelles, extérieur aux consciences particulières, on a également en linguistique la séparation opérée par Saussure entre parole et langue (et cette dernière est à la fois ESPÈCE comme en biologie et INSTITUTION comme en sociologie).

Tout comme dans la langue s'est affirmée l'idée des « liaisons rationnelles à l'intérieur de l'objet étudié », de sa cohésion intime, de sa structure (cf. les notions de la physique atomique, ou en psychologie la notion de *Gestalt*), Saussure nous parle de la langue comme SYSTÈME, et Sapir nous illustre la notion de *pattern*.

La linguistique structurale est donc fondée sur ces trois points synchronie, langue et structure [6].

3. HJELMSLEV.

Alors que la pensée de Bröndal ne semble pas avoir exercé une grande influence, une véritable école linguistique s'est peu à peu constituée autour des théories de L. Hjelmslev, dominante dans le cercle de Copenhague [7], et largement connue et discutée dans la culture linguistique internationale ; aux États-Unis, par exemple, la linguistique européenne qui semble susciter le plus d'intérêt (mis à part les courants anglais) est avant tout celle de la phonologie de l'école de Prague et de la glossématique danoise.

Dans le premier livre de Hjelmslev, les *Principes* de 1928 [8], certaines idées qu'il aurait pu développer dans la voie glossématique apparaissent déjà ; mais la glossématique naîtra plus tard et acquerra son nom vers la fin de 1935.

En 1931, dans le groupe de linguistique de Copenhague, s'établirent deux « groupes de travail » [9], l'un pour les études phonologiques, l'autre pour les études grammaticales. Trois savants du groupe phonologique, L. Hjelmslev, P. Lier et H. Uldall, aboutirent à une nouvelle théorie phonologique, qu'ils appelèrent PHONÉMATIQUE, et qui fut présentée au second Congrès international des sciences phonétiques, à Londres en 1935 [10]. En même temps, Hjelmslev et Uldall s'étaient aussi occupés du groupe grammatical et, en étudiant les « rapports mutuels entre système phonématique et système grammatical », élaborèrent une nouvelle théorie dont ils voulurent souligner l'originalité par rapport aux conceptions linguistiques précédentes par le choix du nom de GLOSSÉMATIQUE. Cette nouvelle théorie fut présentée le 18 décembre 1935 par Hjelmslev et Uldall à l'Humanistik Samfund de Aarhus. Dans

les premiers volumes des « Humanistik Samfunds Skrifter »,
Hjelmslev et Uldall publièrent l'article *Synopsis of an outline
of glossematics*, dans lequel on mentionnait un *Outline* qui
aurait dû être publié à l'automne de la même année. En réalité la publication en fut renvoyée et le manuscrit de la première partie de l'*Outline* consacré à la théorie générale de H. J.
Uldall, ne fut confié à l'éditeur qu'en 1952 et vit finalement le
jour en 1957, comme première partie du volume X des « Travaux du Cercle de Linguistique de Copenhague ». Durant les
vingt et un ans qui séparèrent l'annonce de cet *Outline* de la
publication de sa première partie, Hjelmslev et Uldall publièrent pourtant un certain nombre d'études, en particulier Hjelmslev fit imprimer en 1943 dans une *Festskrift* de l'Université
de Copenhague une œuvre (que nous désignerons désormais par
OSG [11]), dont, dix ans plus tard, parut en Amérique une traduction anglaise (que nous désignerons désormais par *Prolégomènes*) [12], qui, corrigée et approuvée par Hjelmslev, a largement remplacé dans la culture linguistique internationale
l'OSG, moins accessible. Bien que Hjelmslev ait constamment
modifié sa terminologie et différents détails de sa théorie, les
Prolégomènes et l'*Outline* restent les principaux textes de référence pour une discussion sur la glossématique. Pour la diffusion des conceptions glossématiques, les volumes des « Travaux » du cercle de Copenhague (qui commencèrent à être publiés en 1944) et la revue « Acta Linguistica » (qui parut pour
la première fois en 1939 et fut ensuite publiée de façon plutôt
irrégulière) sont plus importants que le « Bulletin » du Cercle
de Copenhague, publié irrégulièrement depuis 1934.

Nous exposerons ici sommairement le contenu des *Prolégomènes* de Hjelmslev. P. L. Garvin a observé que, une fois compris, les *Prolégomènes* sont un délice « esthétique ». L'observation de Martinet semble plus appropriée : « Hjelmslev, qui a
mis dix ans pour mettre sa théorie sur pied, est impitoyable
pour ses lecteurs » [13]. Les *Prolégomènes* sont un texte extrêmement compact et concis. Notre résumé servira plutôt d'introduction à la lecture de l'original ou d'aide-mémoire pour
ceux qui le connaissent, que d'illustration.

4. Les « Prolégomènes ».

Les *Prolégomènes* constituent dans l'intention de l'auteur
l'introduction à une théorie qui puisse indiquer les prémisses
et les méthodes d'une « vraie linguistique », qui « doit tenter
de saisir la langue non pas comme un conglomérat de phénomènes non linguistiques (par exemple physiques, physiolo-
giques, psychologiques, logiques, sociologiques), mais comme
une totalité se suffisant à elle-même, une structure *sui generis* »
(p. 2).

Cette théorie touche aussi à l'épistémologie générale. En s'opposant au caractère « poétique », « anecdotique », « discursif »,
« vague et subjectif, métaphysique et esthétisant », d'une « certaine tradition humaniste qui, sous différents aspects, a jusqu'à présent dominé dans la science linguistique », et selon
laquelle « les phénomènes humanistes, en tant qu'opposés aux
phénomènes naturels, ne sont pas récurrents » et ne peuvent
pas subir un « traitement précis et généralisant », mais sont
plutôt l'objet « d'une description simple... plus proche de la
poésie que de la science exacte », Hjelmslev affirme qu' « il
semblerait que la thèse selon laquelle à chaque PROCESSUS
correspond un SYSTÈME sur la base duquel le processus peut être
analysé et décrit avec un nombre limité de prémisses, soit de
validité générale. On doit affirmer que chaque processus peut
être analysé en un nombre limité d'éléments qui servent constamment dans différentes combinaisons. Donc, en se basant
sur cette analyse, il devrait être possible de ranger ces éléments en classes, selon leurs possibilités de combinaison. Et il
devrait être en outre possible de faire un compte général et
exhaustif des combinaisons possibles. Une histoire ainsi cons-
truite s'élèverait du niveau de la simple description primitive
à celui d'une science systématique, exacte et généralisante,
dont la théorie prévoit tous les événements (combinaisons
possibles d'éléments) et établit les conditions de leur réalisation » (p. 5). C'est là le but de la théorie linguistique : montrer
que, pour un objet typiquement « humaniste » comme la lan-

gue, « il y a un système sous le processus, une constante sous
la fluctuation » (p. 5).

La théorie doit être ARBITRAIRE et APPROPRIÉE : c'est-à-
dire qu'elle doit introduire des prémisses de la plus grande généralité possible (qui puissent se référer à un grand nombre de
faits expérimentaux), mais elle doit être « indépendante de
toute expérience » : « les faits expérimentaux ne peuvent jamais renforcer la théorie même, mais seulement son applica-
bilité ». Un objet auquel la théorie n'est pas applicable n'est,
simplement, pas un objet de cette théorie. La théorie « peut
seulement être utilisée pour ordonner les possibilités qui sont
la conséquence des prémisses ». En se basant sur la théorie et
sur les THÉORÈMES (que nous déduisons d'elle sous la forme d'implications logiques, p. 8), nous construisons des HYPOTHÈSES,
et le destin des hypothèses dépend de leur vérification dans les
faits. La théorie linguistique rend « explicites les prémisses
spécifiques de la linguistique en remontant en arrière autant
qu'il est possible », dans un système de définitions explicites
dont les postulats et les axiomes sont réduits à un minimum
qui semble indéfinissable du point de vue de la théorie linguistique et qui consiste en termes généraux, non spécifiques à la
théorie linguistique en tant qu'elle s'oppose aux autres théories (il s'agit de termes comme « description », « objet », « uniforme », etc...). Au cours de l'opération, nous pouvons introduire des DÉFINITIONS OPÉRATOIRES, avec une fonction temporaire, termes qui seront définis plus formellement plus tard,
ou bien qui disparaîtront dans la formulation définitive.

La théorie fournit une MÉTHODE, des procédés au moyen
desquels les objets d'une nature déterminée pourront être décrits d'une façon cohérente et exhaustive, et ce de la manière
la plus simple possible. La DESCRIPTION « mène à ce qu'on
appelle habituellement connaissance ou compréhension de
l'objet en question » (p. 9). Les exigences d'une description
complète, cohérente et simple sont formulées dans le PRINCIPE
EMPIRIQUE (p. 6) qui constitue la base de la théorie. Dans l'attente d'une définition formelle ultérieure, la théorie linguis-

tique se limite à « ces objets que les gens s'accordent à appeler
langues ». (p. 10). Le processus est là un TEXTE et le système est
une LANGUE. Comme nous l'avons d'abord vu pour la théorie
en général, la théorie linguistique « doit servir à décrire et à
prédire... n'importe quel texte composé dans n'importe quelle
langue », et doit être applicable même à « des langues qui ne
se sont peut-être jamais réalisées et dont certaines ne se réali-
seront probablement jamais » (p. 10).

Nous avons vu qu'un processus consiste en éléments qui ont
recours à différentes combinaisons. Des tels éléments ont l'un
par rapport à l'autre et chacun par rapport à l'ensemble des
rapports particuliers de DÉPENDANCE. Ces dépendances, ou
relations entre les objets, sont le seul but de la description
scientifique ; elles ne sont pas, comme pourrait le croire le réa-
lisme ingénu, secondaires par rapport à des objets principaux
dont elles seraient la propriété. Les rapports sont au contraire
la seule chose dont nous pouvons parler scientifiquement, tandis que les objets n'ont pas d'autre existence scientifique que
celle de points terminaux, d'intersections entre des groupes
de rapports. Les rapports qui satisfont aux conditions de l'analyse sont les FONCTIONS. Le point terminal d'une fonction est
un fonctif ; dans le cas d'une fonction entre fonctions, une fonction peut être à son tour un fonctif. Un fonctif qui n'est pas
une fonction est une entité. Les fonctions multilatérales, con-
trastées par plus de deux fonctifs, peuvent toujours être considérées comme des fonctions entre fonctions BILATÉRALES. Les
fonctions peuvent être de différents types.

Si un terme présuppose l'autre et vice versa, on a des INTER-
DÉPENDANCES (entre deux CONSTANTES : INTERDÉPENDANTES,
SOLIDAIRES, COMPLÉMENTAIRES) (on expliquera plus loin pour-
quoi l'on donne ici ces trois termes) ; si un terme (VARIABLE :
DÉTERMINANT, SÉLECTIONNANT, SPÉCIFIANT) présuppose l'autre
(CONSTANT : DÉTERMINÉ, SÉLECTIONNÉ, SPÉCIFIÉ) sans que l'in-
verse soit vrai, on a des dépendances unilatérales dites DÉ-
TERMINATIONS. Les dépendances plus libres, dans lesquelles
deux termes sont compatibles sans qu'aucune des deux ne

présuppose l'autre, sont appelées des CONSTELLATIONS (entre
VARIABLES : CONSTELLATIVES, COMBINÉES, AUTONOMES) (p.
14-15). La distinction entre FONCTION ET et FONCTION AUT a
une importance fondamentale (CONJONCTION, COEXISTENCE et
DISJONCTION, ALTERNANCE respectivement) ; « c'est ce qui est
à la base de la distinction entre processus et système » (p. 22).
Les fonctifs d'un processus contractent une fonction ET, les
fonctifs d'un système contractent une fonction AUT. Si nous
avons *rate* et *mine*, en changeant *r* et *m*, ou *t* et *m*, nous obtenons *mate* et *rime* ou *rame* et *mite*, c'est-à-dire des CHAÎNES
qui entrent dans un texte (processus linguistique). Au contraire, r, a, t, e et m, i, m, e produisent des PARADIGMES qui
entrent dans le système linguistique. Dans *rate* il y a conjonction, coexistence entre r, a, t, et e, dans *mime* il y a conjonction, coexistence entre m, i, m et e. Nous avons devant les yeux
ET r ET a, ET a ET t, ET t ET e. Mais entre *r* et *m*, *a* et *i*, *t* et *m*, *e*
et *e*, nous avons des disjonctions, des alternances ; nous avons
devant les yeux AUT *r* AUT *m*, AUT *a* AUT *i*, AUT *t* AUT *m*, AUT e
AUT e (mais évidemment si nous considérons *carne* et *projet*,
nous avons conjonction entre *r* et *n* ou entre *p* et *r*). En un
certain sens, les mêmes unités entrent dans le texte et dans le
système : *r* comme DÉRIVÉ de la chaîne *rate* entre dans un processus (conjonction) et comme dérivé du paradigme *r* : *m* entre
dans un système (disjonction). Le choix dépend du point de vue :
chaque fonctif entre soit dans un processus, soit dans un système, est un CONJOINT ou un DISJOINT, une COEXISTENCE ou
une ALTERNANCE (p. 22-23). Il y a des cas dans lesquels une
série de termes peut être considérée, selon le point de vue,
comme un processus ou comme un système (p. 15) [14].

Hjelmslev préfère renoncer aux termes traditionnels et en
utiliser de moins équivoques : CORRÉLATION ou ÉQUIVALENCE
pour la fonction AUT, entre fonctifs CORRÉLÉS, et RELATION
ou CONNEXION pour la fonction ET, entre fonctifs relés. Si
nous maintenons les termes cités ci-dessus pour les différents
types de fonction, pour les dépendances en général, et si nous
introduisons les termes différents (déjà cités entre parenthèses)

pour les dépendances selon qu'elles entrent dans un processus ou dans un système, nous pouvons établir le tableau terminologique suivant [15] :

termes utilisés en référence au texte ou à la langue	processus : texte syntagmatique : relation connexion	système : langue paradigmatique : corrélation (équivalence)
fonctions : cohésion { détermination interdépendance réciprocité { constellation	fonction ET : sélection solidarité combinaison	fonction AUT : spécification complémentarité autonomie
analyse de la classe en segments. hiérarchie : classe avec ses dérivés	partition de la chaîne en parties processus : hiérarchie relationnelle	articulation du paradigme en membres ; système : hiérarchie corrélationnelle

Le linguiste se trouve confronté au « texte non encore analysé, dans son intégrité absolue et indivisée » (p. 17) ; il devra procéder de façon analytique et déductive. S'il veut COORDONNER un système au processus du texte, il doit considérer le texte comme une CLASSE qui est DIVISÉE en SEGMENTS (avec une progression analytique et spécifiante de la classe au segment). « Des parties coordonnées qui procèdent d'une analyse unique d'un tout, dépendent d'une façon réciproquement uniforme de ce tout » (p. 17) : à chaque stade de l'analyse il y a uniformité de dépendance. L'analyse doit continuer tant qu'elle n'apparaît pas en elle-même terminée. Après quoi il est possible de continuer la description avec d'autres divisions, sur d'autres bases d'analyse. C'est là un ENSEMBLE d'analyses : la procédure (classe d'opérations avec détermination réciproque) peut même être une INDUCTION, c'est-à-dire qu'elle consiste en une SYNTHÈSE. Il s'agit alors de la description d'un objet non pas en tant que classe divisée, mais en tant que segment d'une classe. Et puisque notre donnée immédiate est un

tout non analysé, on a une détermination entre analyse et
synthèse : la synthèse présuppose l'analyse, mais la réciproque
n'est pas vraie. A chaque stade de l'analyse on doit faire un
inventaire (exhaustif et le plus simple possible) des entités
avec des relations uniformes (les entités inventoriées à chaque
stade ont des ÉLÉMENTS) ; ceci est particulièrement important
pour le stade ultime, lorsque nous aurons le plus petit nombre
possible d'entités ultimes, base du système, avec lesquelles
sont construites toutes les autres entités. Nous devons donc
être en mesure de RÉDUIRE, dans des conditions rigoureusement déterminées, deux entités en une, c'est-à-dire de les IDEN-
TIFIER. En effet, dans n'importe quel texte, nous pouvons
trouver plusieurs exemples (ou VARIANTES) de certaines entités (INVARIANTES) ; si une division mécanique de la chaîne
nous donne les variantes, à chaque stade de l'analyse nous devons avoir une méthode pour inférer les invariantes à partir
des variantes.

En étudiant ce que l'on a coutume d'appeler le signe linguistique (p. 25-38), on arrive à la conclusion qu'il y a une
FONCTION SIGNE (et précisément une interdépendance) entre
deux fonctifs qu'arbitrairement nous appelons PLAN DU CON-
TENU et PLAN DE L'EXPRESSION. La première démarche d'une
analyse sera toujours la division de ces deux segments, c'est-
à-dire, pour un texte, division de la LIGNE DU CONTENU et de la
LIGNE DE L'EXPRESSION (les deux PARTIES d'une extension
maximum) ; et pour un système, division entre le CÔTÉ DU
CONTENU et le CÔTÉ DE L'EXPRESSION (les deux PARADIGMES
les plus centraux). Mais le signe n'est pas seulement une fonction, mais aussi un signe qui est là POUR quelque chose d'autre,
qui est signe DE quelque chose d'autre. Ce quelque chose, c'est
le sens ou la MATIÈRE [16], « une entité uniquement définie par
le fait qu'elle contracte une fonction avec le principe structural
de la langue et avec tous les facteurs qui font que les langues
diffèrent les unes des autres » (p. 31). La matière est en elle-
même amorphe (p. 49) et « inaccessible à la connaissance » ;
mais elle peut être sujette à une analyse non linguistique, du

domaine de la physique ou de la psychologie qui, grâce à une déduction, porterait à une HIÉRARCHIE non linguistique (l'USAGE LINGUISTIQUE) qui contracte une fonction particulière avec la hiérarchie linguistique (le SCHÉMA LINGUISTIQUE), c'est-à-dire qui la MANIFESTE. Nous avons une matière du contenu et une matière de l'expression, toutes deux indépendantes de la FORME spécifique (avec laquelle elle a une relation arbitraire).

La FORME DE L'EXPRESSION forme la matière de l'expression, elle en fait la SUBSTANCE DE L'EXPRESSION ; la FORME DU CONTENU forme la matière du contenu, elle en fait la SUBSTANCE DU CONTENU. La substance apparaît « par le fait que la forme est projetée sur la matière, comme un filet ouvert jette son ombre sur une superficie non divisée qui se trouve sous lui » (p. 36) [17]. Ceci peut advenir autant pour le processus du contenu que pour le système du contenu ; et autant pour le processus de l'expression que pour le système de l'expression [18]. Une même matière peut être formée de façons différentes dans les différentes langues. La division entre plan du contenu et plan de l'expression étant faite, l'analyse devra procéder de façon analogue sur les deux plans, parce qu'ils « sont structurés de la même façon » (p. 37). Et, bien sûr, on ne devra pas analyser une langue en signes, comme si elle était « une nomenclature ou un ensemble d'étiquettes que l'on fixe sur des choses préexistantes » (p. 36) ; mais on ne devra pas pour autant renoncer à prendre en considération la fonction signe, qui seule nous permet de diviser opportunément le plan du contenu et le plan de l'expression (p. 37).

A mesure que l'on procède, la mesure des inventaires accomplis aux différents stades de la déduction diminue. Même dans le cas où le texte serait illimité (langue vivante), on arrive toujours à un point où le nombre des unités inventoriées devient restreint, après quoi il diminue continuellement. Par exemple, il semble certain que n'importe quelle langue a un nombre restreint (quoique parfois relativement élevé) de syllabes ; le nombre des parties de la syllabe sera moins élevé ;

et encore moins élevé le nombre des phonèmes (c'est sur cela que se fonde l'invention de l'alphabet). Le signe se distingue du non signe dans la mesure où il est porteur de signifié ; quand dans l'analyse de l'expression on en arrive à un stade où les entités inventoriées ne peuvent plus être considérées comme portant des signifiés (p. 28), il ne s'agit plus d'expressions de signes, mais de parties ou de dérivés d'expressions de signes (par exemple syllabe ou phonème). Certaines entités peuvent être « transférées intactes d'un stade à l'autre » (p. 25), par exemple le latin *i* !, « va ! », qui est une période consistant en une proposition consistant en un mot consistant en une syllabe consistant en une partie de syllabe ; en réalité il ne s'agit pas du même objet, mais d'objets différents selon les opérations auxquelles ils appartiennent ; le *s* de la troisième personne du singulier des verbes anglais est l'expression d'un signe, mais le *s* de *sell* ne l'est pas : ce sont deux objets différents ; l'expression du signe *s* inclut un phonème auquel elle ne doit pas être identifiée. Une langue pour être adéquate doit être capable de créer de nouveaux signes ; mais pour être pratique et aisée dans son utilisation, elle doit construire ce nombre illimité de signes à l'aide d'un nombre très limité de non-signes que nous pouvons provisoirement appeler des FIGURES. Une langue est un système de signes dans ses fonctions externes, dans ses relations avec les facteurs non linguistiques qui l'entourent ; mais dans ses fonctions internes elle est un système de FIGURES utilisées pour construire des signes. Le contenu et l'expression seront analysés séparément ; sur ces deux plans, on trouvera un nombre limité d'entités « qui ne sont pas nécessairement susceptibles d'une correspondance biunivoque avec les entités du plan opposé » (p. 29) ; mais les FIGURES seront bien sûr enregistrées « aussi bien sur le plan de l'expression que sur le plan du contenu » (p. 42) : ceci n'est qu'une « conséquence logique de l'existence des signes ».

Jusqu'à présent « une telle analyse du contenu des signes en FIGURES DU CONTENU n'a jamais été faite et pas même tentée en linguistique », et ceci a eu pour conséquence « absolument

catastrophique » que « devant un nombre non réduit de signes,
l'analyse du contenu est apparue comme un problème insoluble,
un travail de Sisyphe, un obstacle insurmontable » (p. 42). Au
contraire, de la même façon que sur le plan de l'expression,
une fois enregistrées les syllabes *sla, sli, slai, sa, si, sai, la, li,
lai*, par exemple, nous les répartissons au stade suivant dans
leurs parties centrales (sélectionnantes) et marginales (sélectionnantes), c'est-à-dire *a, i, s, l*, sur le plan du CONTENU, de la même
façon, si nous enregistrons par exemple en anglais, les entités
« ram », « ewe », « man », « woman », « boy », « girl », « stallion »,
« mare », « sheep », « human being », « child », « horse », au stade
suivant nous aurons seulement, « he », « she », « sheep », « human
being », « child », « horse ». En effet « ram » = « he-sheep » sera
différent de « ewe » = « she-sheep » exactement comme *sl* est
différent de *fl*, par exemple ; et «ram» = «he-sheep» sera différent de « stallion » = «he-horse», exactement comme *sl* est
différent de *sn*, par exemple. On arrive à ce résultat au moyen
d'une PREUVE PAR L'ÉCHANGE qui nous ramène à la distinction
entre variante et invariante. Si un élément, changé avec un
autre, comporte aussi une différence sur l'autre plan, nous
avons alors deux invariantes (par exemple en français *rate* et
mate) ; si au contraire l'échange ne comporte aucune différence
sur l'autre plan, nous avons alors deux variantes d'une même
variante (par exemple deux prononciations différentes de *r*
dans *rate*). En d'autres termes, « il y a une différence entre invariantes sur le plan de l'expression, quand il y a une corrélation (par exemple la corrélation entre *p* et *t* dans *père* et *terre*)
à laquelle correspond une corrélation sur le plan du contenu
(la corrélation entre les deux entités du contenu dans « père »
et « terre »), de façon telle qu'on puisse enregistrer une RELATION
entre la CORRÉLATION de l'expression et la CORRÉLATION du
contenu » (p. 41). La même chose vaut pour l'échange entre
entités du contenu (p. 44) : si nous changeons « she-sheep »
avec « he-sheep » dans le contenu, nous obtenons dans l'expression un changement de *ram* à *ewe*. Ceci vaut sur les deux
plans, pour des entités de n'importe quelle extension ; **sous**

cet aspect nous n'avons que des différences entre signes et
figures : « dans le cas des signes, ce sera toujours la même différence de contenu qui se manifestera dans la même différence
d'expression, mais dans le cas des figures une même différence
d'expression peut, dans plusieurs cas précis, comporter des
changements divers dans les entités du contenu » (p. 42) ; par
exemple, le changement entre les entités de l'expression *p* et *t*,
dans *pire*, *pour*, *port*, provoque trois changements de l'entité
du contenu (de « pire » en « tire », de « pour » en « tour », de « port »
en « tort ») qui (bien que les entités changées dans l'expression
soient les mêmes) n'ont rien de commun. Plus techniquement,
nous appellerons COMMUTATION « une corrélation sur un plan
qui... est en relation avec une corrélation sur l'autre plan »
(p. 46) ; la PREUVE DE COMMUTATION nous permet d'identifier
les invariantes (corrélées par une commutation mutuelle) ;
la SUBSTITUTION est le contraire de la commutation ; la substitution ne comporte pas de changement sur l'autre plan (si
bien que nous pourrons dire que les variantes sont corrélées
par une substitution mutuelle). La PERMUTATION est analogue
à la commutation, mais elle s'applique aux parties d'une
chaîne [19]. MUTATION est le terme commun pour permutation
et commutation. Certaines entités n'ont ni commutation mutuelle ni substitution mutuelle, parce qu'elles n'entrent pas
dans le même paradigme (par exemple *h–* et *–ng* en anglais qui
ne peuvent pas être changés l'un contre l'autre car *h–* est uniquement possible à l'initiale et *–ng* uniquement possible en fin
de syllabe).

La pleine utilisation de la commutation montre que non
seulement la grammaire traditionnelle, avec sa façon d'imposer les catégories du latin à l'analyse des autres langues, mais
aussi la récente méthode grammaticale (utilisée par exemple
dans les *Principes* de Hjelmslev), avec sa façon de procéder de
l'expression au contenu (p. 47-48), se trompent toutes deux.
L'analyse doit en effet toujours se fonder sur des fonctions
(dans ce cas la fonction qui relie les deux plans, celui du contenu et celui de l'expression).

Le fait que dans la définition de la langue on n'ait pas recours
à la substance nous pousse à considérer la langue comme un
cas spécial d'un objet plus général, la SÉMIOTIQUE [20]. Hjelmslev
étudie en particulier deux questions : la place de la langue dans
la totalité des structures sémiotiques, et les rapports entre
sémiotique et non sémiotique ; dans l'étude sémiologique « se
trouve sous une forme réinterprétée, la plus grande partie de
la linguistique spécifiquement sociologique, et de la linguistique
externe saussurienne » (p. 80) ; on arrive à « un concept de totalité qui peut difficilement être imaginé de façon plus absolue »
(p. 80) ; on ne trouve « aucun objet qui ne soit pas éclairé à
travers la position-clé de la théorie linguistique » (p. 81). Mais
ceci a été obtenu au prix de cette « restriction temporaire du
champ de vision » pour laquelle nous nous sommes limités à
une linguistique établie sur «une base interne et fonctionnelle»,
une linguistique « dont la science de l'expression n'est pas une
phonétique et dont la science du contenu n'est pas une sémantique », une linguistique qui est « une algèbre de la langue, qui
opère avec des entités sans nom, c'est-à-dire avec des entités
arbitrairement nommées et qui n'ont pas de désignation naturelle » (p. 50).

5. LA GLOSSÉMATIQUE.

Une confrontation des différentes œuvres s'inspirant des
principes glossématiques serait certainement instructive, ainsi
qu'une confrontation entre la théorie et la pratique de la glossématique ; il serait également utile de discuter (au delà de
simples listes de correspondances ou de discordances termino-
logiques) du rapport entre la glossématique dans son ensemble
et les autres tendances structuralistes. Nous nous limiterons
ici à constater que les conceptions glossématiques, prenant
comme objet propre un domaine beaucoup plus large que celui
des langues naturelles, n'apparaissent pas les plus appropriées
au champ de recherche traditionnel des linguistes. D'autre
part, sur le plan de la recherche épistémologique et de l'apparat

logique formel mis en œuvre, la théorie laisse autant à désirer
et elle est beaucoup moins rigoureuse et explicite (malgré les
formules algébriques utilisées par Uldall) qu'il n'est nécessaire, étant donné les termes dans lesquels elle se présente elle-
même et les buts qu'elle se propose. En particulier, les textes
dont nous disposons n'offrent aucun procédé de description
effective : pour décrire une langue conformément à la théorie,
il faut avoir recours continuellement à l'intuition. On n'exclut pas, bien entendu, la possibilité que ce problème (comme
concrètement on doit traiter de la SUBSTANCE du contenu et de
l'expression) [21] soit affronté dans l'avenir, étant donné que la
théorie même est encore dans une phase d'élaboration. Il faut
cependant reconnaître à la glossématique le mérite d'avoir
affronté clairement beaucoup de problèmes, surtout les problèmes inhérents à la logique interne et à la constitution même
de la théorie linguistique, mis de côté (à leur désavantage) dans
d'autres théories, et de l'avoir fait avec une avance notable
sur la période la plus récente au cours de laquelle les recherches rigoureuses sur la théorie linguistique (distinctes des recherches sur le langage) ont vu reconnaître l'importance qui
leur était due.

NOTES DU CHAPITRE IV

1. Cf. R. RASK, *Ausgewählte Abhandlungen, hgg... von L. Hjelmslev, mit
einer Einleitung von H. Pedersen*, Kopenhagen 1932-37, 3 vol.

2. N. EGE, dans « TCLC » V 1949 23-24, écrit : « C'est Saussure qui a formulé le principe que la langue est une forme, non une substance, mais c'est
Hjelmslev qui s'y est conformé. »

3. L'œuvre de Brøndal est accessible de façon commode dans les trois
volumes édités en français par Munksgaard : *Essais de linguistique générale*,
Copenhague 1943 ; *Les parties du discours*, Copenhague 1948 ; *Théories des
prépositions*, Copenhague 1950 (et cf. J. KURYLOWICZ, dans « AL » VI 1950
100-9) ; la bibliographie de Brøndal dans *Essais* cit. 141-68 ; l'aspect historique et sociologique de l'œuvre de Brøndal mériterait une étude à part,
on verra à ce sujet sa thèse (1917) publiée en partie par la Société roumaine

de linguistique, *Substrat et emprunt en roman et en germanique. Étude sur l'histoire des sons et des mots*, Copenhague-Bucuresti 1948.

4. BRÖNDAL, *Les parties* cit. 76.

5. ID., in « AL » I 1939 2 -10 (= *Essais* cit. 90-97).

6. Un exposé plus détaillé de la théorie de Bröndal dans mon travail dans « ASNP » XXX 1961 223-29.

7. Non sans contrastes, comme on peut par exemple le voir dans la polémique (plus amusante qu'instructive) entre L. L. HAMMERICH, dans « APhS » 1952, et P. DIDERICHSEN, *ibid.* 87-97 ; cf. *ibid.* 97-104.

8. L. HJELMSLEV, *Principes de grammaire générale*, « Kgl. Danske Vidensk. Selskab. Hist. Filol. Medd. » XVI : I 1928.

9. Également pour les informations qui suivent, cf. B. SIERTSEMA, *A study of glossematics. Critical survey of its fondamental concepts*, The Hague 1955 (1965 2) ; E. FISCHER-JORGENSEN, dans « Lingua » II 1949 95-109 ; K. TOGEBY, dans « Symposium » III 1949 226-37 ; H. SPANG-HANSSEN, *Glossematics* dans *Trends* 1961 cit. 128-64. Pour d'amples exemples, cf. E. ALARCOS LLORACH, *Gramatica estructural (segun la Escuela de Copenhague y con especial atencion a la lengua espanola)*, Madrid 1951.

10. Cf. les *Proceedings* cit. du second Congrès international de phonétique : L. HJELMSLEV, *On the principles of phonematics*, 49-54 ; H. J. ULDALL, *The phonematics of Danish*, 54-57.

11. L. HJELMSLEV, *Omkring sprogteoriens grundlaeggelse*, Festskr. udg. af Kobenhavns Univ., novembre 1943 (que nous indiquons par « OSG ») ; ce texte fut rendu accessible à ceux qui ne lisent pas le danois par l'exposé critique lucide de A. MARTINET, *Au sujet des Fondements de la théorie linguistique de Louis Hjelmslev*, « BSL » XLII 1942-45 (1946) fasc. 124 19-42 ; cf. aussi H. VOGT, in « AL » IV 1944 94-98 ; C. E. BAZELL, in « ArchL » I 1949 89-92. D'autres contributions intéressantes : E. FISCHER-JORGENSEN, in « NTTS » VII 1943 81-96 ; G. L. TRAGER, in « SIL » IV 1946 100 ; F. HINTZE, in « SL » III 1949 86-106 ; les discussions furent renouvelées par la publication de *Recherches structurales : Interventions dans le débat glossématique*, publ. à l'occasion du cinquantenaire de L. Louis Hjelmslev, in « TCLC » V 1949 ; G. L. TRAGER, in « SIL » VIII 1950 99 ; C. E. BAZELL, in « ArchL » II 1950 177-80 ; R. S. WELLS, in « Lg » XXVII 1951 554-70 ; P. L. GARVIN, in « IJAL » XVII 1951 252-55 ; C. F. HOCKETT, in « IJAL » XVIII 1952 86-99 ; W. PREUSLER, in « IF » LX 1952 329-31. On verra d'autres indications au chap. IV note 21. Comme utile lecture introductive ou accompagnatrice pour les travaux de Hjelmslev, signalons, outre les travaux cités supra de Martinet et de Alarcos Llorach, E. FISCHER-JÖRGENSEN, *Remarques sur les principes de l'analyse phonémique*, « TCLC » V 1949 214-34 ; K. TOGEBY, *Structure immanente de la langue française*, « TCLC » VI 1951 (surtout la première partie, 7-24). Cf. aussi S. JOHANSEN, *Glossematics and logistics*, « AL » VI 1950 17-30 ; G. UNGEHEUER, *Logischer Positivismus und moderne Linguistik (Glossematik)*, Uppsala 1959 ; Y. K. ABDULLA, *Prinzipien zur strukturellen Sprachanalyse (Anwendung logisch-positivistischer Sprachanalyse)*, Diss. Münster 1961.

12. L. HJELMSLEV, *Prolegomena to a theory of language*, Traduc. de F. J. Whitfield, « IJAL » XIX : I 1953 Suppl. (Mém. VII) : les indications dans les pages du texte se réfèrent à cette édition. Une édition plus récente a été publiée à Madison 1961 ; une traduction italienne est en préparation aux éditions Einaudi. Cf. les comptes-rendus de P. L. GARVIN, in « Lg » XXX 1954 69-96 ; ID. « AmA » LVI 1954 925-26 ; E. HAUGEN, in « IJAL » XX 1954

247-51. Beaucoup d'articles de Hjelmslev sont aujourd'hui réunis dans *Essais linguistiques*, « TCLC » XII 1959. Contemporain des *Prolegomena* mais publié plus tard, *Srpoget. En Introduction*, Kobenhavn 1963 (et en français : *Le langage, une introduction*, Paris 1966, préface par A. J. GREIMAS).

13. P. L. GARVIN, « Lg » XXX 1954 95 ; A. MARTINET, « BSL » XLII 1942-45 fasc. 124 42.

14. Par exemple la hiérarchie des définitions qui sont données (p. 15) l'une après l'autre comme un processus, mais qui peuvent aussi être considérées comme un système sous-jacent à un processus possible ; p. 24 : le processus et son système contractent une fonction qui peut être conçue comme une relation ou comme une corrélation ; cette fonction est une détermination où le système est la constante : c'est-à-dire que le processus détermine le système. Nous pourrions voir une langue sans aucun texte (où le processus textuel ne soit pas réalisé mais virtuel).

15. Voici les exemples donnés par Hjelmslev : SÉLECTION, entre le latin *sine* et l'ablatif ; entre le thème et la désinence de dérivation ; entre morphème de comparaison et morphème de cas en latin ; entre sonnante et consonnante dans la syllabe ; SOLIDARITÉ : entre le paradigme des morphèmes de cas et le paradigme des morphèmes de nombre, dans un nom latin ; entre la préposition et son objet ; entre la fonction et la classe de ses fontifs ; COMBINAISON : entre le latin *ab* et l'ablatif ; entre un cas particulier et un nombre particulier dans un nom latin. Haugen dans son compte rendu cit. doute que les trois types de fonction puissent se trouver dans le système : Hjelmslev donne pour la COMPLÉMENTARITÉ l'exemple de substantif et d'adjectif, et de voyelle et de consonne, mais pour la SPÉCIFICATION il donne l'exemple des définitions dans la hiérarchie, qui peuvent aussi contracter un rapport de sélection. P. L. GARVIN, « Lg » XXX 1954 346 note qu'il manque les termes pour l'EXCLUSION (par exemple impossibilité de *ab* et accusatif en latin) qui est une forme particulière de fonction et non l'absence de fonction.

16. Le mot *ring* est un signe pour cette chose certaine sur mon doigt, et cette chose en un certain sens (traditionnel) n'entre pas dans le signe même. Mais cette chose sur mon doigt est une entité de substance du contenu qui, à travers le signe, est ordonnée en une forme du contenu, est placée sous elle, avec différentes autres entités de substance du contenu (par exemple le son venant du téléphone) » (p. 36). De façon analogue pour l'expression : différentes entités de substance de l'expression (par exemple différentes prononciations d'un même mot) sont, en vertu du signe, ordonnées en une forme de l'expression. Et la substance, pour les deux plans, peut être considérée en termes d'entité physique comme en termes de la conception qu'a de ces entités celui qui utilise le langage (p. 49).

17. Uldall, et aussi plus tard Hjelmslev (« Word » X 1954 163-88), parlent de quatre STRATES qui ici ne sont pas encore complètement reconnues. Pour la question centrale du rapport entre forme et substance cf. E. FISCHER-JÖRGENSEN, « JAcS » XXIV 1952 611-17 ; et « AL » VII 1952 12 n. 3 : l'analyse purement formelle n'est pas identifiée aux opérations linguistiques préliminaires nécessaires pour achever la description (parmi celles-ci le recours à la substance n'est pas éliminable) mais sert comme contrôle final des résultats obtenus.

18. Exemples : dans le CONTENU, PROCESSUS : la matière du contenu que nous pouvons indiquer en français par « je ne sais pas » est une masse amorphe définie seulement par ses fonctions externes, c'est-à-dire par le fait qu'elle contracte certaines fonctions avec les phrases linguistiques dans lesquelles

différentes formes (formes du contenu) forment une telle matière en des subs-
tances du contenu différentes et correspondantes, par exemple « jeg véd det
ikke » en danois, « I do not know » en anglais, « Non so » en italien, etc...
(nous gardons présentes, dans les exemples, les différences dans les formes
du CONTENU et non celles, s'il y en a, dans les formes de l'expression). Dans
le CONTENU, SYSTÈME : sur le même zone de matière un paradigme dans une
langue et un paradigme correspondant dans une autre ont des subdivisions
différentes ; sur le contenu amorphe du spectre lumineux chaque langue met
arbitrairement les limites des paradigmes fournis par les désignations des
couleurs, par exemple cf. tableau a).

Tableau *a*)

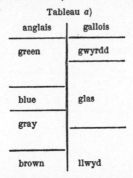

anglais	gallois
green	gwyrdd
blue	glas
gray	
brown	llwyd

De façon analogue dans les paradigmes de morphèmes la « zone » du nombre
est analysable diversement dans les langues qui distinguent uniquement
le singulier et le pluriel, dans celles qui ont aussi le duel (comme le grec an-
cien et le lituanien), dans celles qui ont un « paucel », le triel (langues mélané-
siennes), un quadrel (langues micronésiennes des îles Gilbert) ; la zone des
temps est analysable différemment dans les langues qui ont seulement un
présent et un passé, ou dans les langues qui ont aussi le futur ou divers
types de passé. Un autre exemple est fourni par les termes réunis dans le
tableau b (p. 34).

Tableau *b*)

danois	allemand	français
Trae	Baum	arbre
	Holz	bois
skov	Wald	
		forêt

Dans l'EXPRESSION, PROCESSUS : la même matière de l'expression (par
exemple le nom de ville *Berlin*) peut être formée diversement dans diverses
langues : il a une prononciation différente par exemple en anglais, en allemand, en danois, en japonais ; et l'on note qu'il est indifférent que la matière

du contenu soit la même : la même matière de l'expression a différentes
formations en anglais *god*, allemand *Gott*, danois *godt* ; où la matière du contenu est différente ; dans l'EXPRESSION, SYSTÈME : nous pouvons penser
à une sphère phonétique dans laquelle les limites entre figures (phonèmes)
sont placées en des lieux différents dans différentes langues : par exemple
le long du profil central du palais, du pharynx aux lèvres, nous pouvons,
« dans les langues qui nous sont familières », distinguer une aire-k postérieure,
une aire-t médiane et une aire-t antérieure ; mais, en considérant seulement
les occlusives, l'esquimau et le letton par exemple distinguent deux aires-k
(différentes dans les deux langues) ; plusieurs langues de l'Inde distinguent
deux aires-t (une de t rétroflexe et une de t dental), et ainsi de suite (p. 34).

19. Hjelmslev ne donne pas d'exemple de permutation ; P. L. GARVIN,
« Lg » XXX 1954 79 suggère l'échange de position du sujet et de l'objet en
anglais.

20. D'autres informations dans mon travail in « ASNP » XXX 1961 41
et sv.

21. Cf. chap. IV note 17, et SIERTSEMA, *A study of glossematics* cit. 130.
On verra aussi C. H. BORGSTROEM, *The technique of linguistic description*,
« AL » V 1945-49 1-14 ; V. SKALIČKA, *Kodansky strukturalismus a « Präská
škola*, « SS » X 1948 135-42 ; E. FISCHER-JÖRGENSEN, *On the definition of
phoneme-categories on a distributional basis*, « AL » VII 1952 8-39 ; F. J.
WHITFIELD, *Linguistic usage and glossematic analysis*, in *For Roman Jakobson* cit. 670-76 ; E. FISCHER-JÖRGENSEN, *The commutation test and its application to phonemic analysis*, *ibid.* 140-51 ; W. HAAS, *Concerning glossematics*,
« ArchL » VIII 1956 93-110 ; B. SIERTSEMA, *Further thoughts on the glossematic idea of describing linguistic units by their relations only*, in *Proceedings
of the eighth international congress of linguists*, Oslo 1958 142-44 ; P. DIDE-
RICHSEN, *The importance of distribution versus other criteria in linguistic
analysis*, *ibid.* 165-82 ; H. SPANG-HANSSEN, *ibid.* 182-94 ; ID. *Probability
and structural classification in language description*, Copenhagen 1959 ; Ju.
K. LEKOMCEV, *Osnovnye položenija glossematiki*, « VJa » 1962 fasc. 4 90-97 ;
V. P. MURAT, *Glossematiceskaja teorija*, aux p. 127-76 du volume cité, édité
par Guhman et Jarceva (et des précédentes discussions soviétiques : par
exemple S. K. ŠAUMJAN, *Protiv agnosticizma v fonologii* (*kritika fonologičes-
koj teorii El'msleva*), « UZMU » CL 1952 311-23 ; O.S. AHMANOVA, *Glosse-
matika Lui El'msleva kak projavlenie upadka sovremennogo burzuaznogo
jazykoznanija*, « VJa » 1953 fasc. 3 25-47) ; A. ROSETTI, *Des pre Glosematica
lui L. Hjelmslev*, « LbR » XIII 1964 543-51 ; J. PRUCHA, *Glossematická kon-
cepce strukturního popisu*, « SS » XXV 1964 56-59 ; et aujourd'hui la nécro-
logie de Hjelmslev dans l'œuvre de K. TOGEBY, « SNPh » XXVII 1965 269-78.

linguistique américaine des caractéristiques spécifiques par
rapport à la linguistique européenne. D'une part, on avait la
prédominance d'une direction structuraliste (dans les divers
aspects représentés par les conceptions de Sapir et de Bloomfield), d'autre part, à l'intérieur de la postulation structuraliste,
on avait une prédominance nette des intérêts synchroniques
sur les intérêts diachroniques. La prédominance d'un intérêt
descriptif synchronique s'explique aussi par la nécessité (sentie aussi du reste pour le passé) [5] de décrire les langues indi-
gènes américaines, privées, sur le plan général, d'une tradition
écrite qui poserait (comme cela se passait pour beaucoup de
langues indo-européennes) le problème de l'histoire des langues
particulières. Dans le champ des études diachroniques on eut
ensuite (à la différence de ce qui arrivait en Europe) de vigou-
reuses réaffirmations des principes néogrammairiens (dont
certains furent du reste « vérifiés » par Sapir et Bloomfield dans
le champ particulier de la grammaire comparée des langues
indiennes d'Amérique). On eut aussi (et c'est évidemment ce
qui nous intéresse le plus) un développement notable des discussions sur la linguistique générale, et en particulier sur les
problèmes de méthodologie structuraliste, concentrées sur la
phonétique durant la période 1930-45, et avec un ample développement de la morphémique après 1945. De la même façon
que l'exigence de la description des langues indiennes d'Amérique avait constitué un stimulant « pratique » vers certaines
directions, d'autres stimulants « pratiques » (de l'enseignement
et l'apprentissage rapide des langues étrangères « exotiques »
sur une forme parlée et non pas littéraire, aux exigences des
ingénieurs des télécommunications) [6] portèrent à accélérer le
rythme de la recherche dans certains domaines (description
synchronique la plus formalisée possible) par rapport à d'autres
(études diachroniques, stylistiques ou sémantiques par exemple).

Du point de vue de l'histoire externe nous pouvons rappeler, en 1924, la fondation de la Linguistic Society of America
dont la revue « Language » (1925 et ss) a un rôle de premier plan
pour les discussions de caractère structuraliste ; parallèlement

à l'activité de la Linguistic Society of America, il faut rappeler
celle du Linguistic Institute, avec ses « Summer Sessions »
(1928 et ss), et à partir de 1934, celle du Summer Institute
of Linguistics, sous la direction de Pike et de Nida (où les recherches linguistiques sont orientées en particulier vers l'étude
des langues et des civilisations « exotiques » en vue de la préparation des missionnaires et des traductions bibliques). Outre
« Language », il y a une revue de haut niveau, organe du Cercle
Linguistique de New York, « Word », qui parut en 1945. Deux
autres revues, publiées en édition économique, sont intéressantes : « Studies in Linguistics », à partir de 1942, et « Anthro-
pological Linguistics » à partir de 1959 [7].

2. SAPIR.

Edward Sapir (d'origine juive, comme plusieurs grandes
personnalités de la linguistique américaine, de Boas à Bloomfield, Harris, Chomsky) naquit en Allemagne et il émigra à cinq
ans aux États-Unis ; il enseigna à l'Université de Chicago puis
à Yale. Il s'intéressa à un nombre très vaste de domaines, allant
de la linguistique proprement dite (grand connaisseur des langues de familles les plus disparates, il excella dans le champ
des langues indiennes d'Amérique, ainsi que dans la spécula-
tion théorique) à l'anthropologie, de la littérature (il écrivit
aussi des poèmes) à la musique (qu'il pratiquait non seulement comme interprète mais aussi comme critique). Ces intérêts divers ne donnent pas du tout un aspect fragmentaire
à sa production mais se fondent en une unité complète grâce
au caractère synthétique de son intelligence et à l'originalité
avec laquelle il réussissait à grouper l'unicité d'un intérêt et
d'un point de vue des notions et des champs de recherche divers. Ce caractère fait de lui ce que nous pourrions appeler le
plus humaniste des linguistes américains, en se référant à son
intérêt pour la personnalité humaine telle qu'elle se manifeste
dans les aspects de la culture, de l'art, de la vie sociale. Il étudia tous ces aspects avec sensibilité et goût, en tenant compte

des nuances et sans chercher à supprimer au moyen d'artifices théoriques les difficultés réelles; et il les reporta tous constamment, avec la façon qu'il avait de les approfondir, aux manifestations dans l'analyse desquelles il était plus particulièrement compétent, c'est-à-dire aux manifestations linguistiques.

Peu de linguistes eurent comme lui le sens de la complexité et de la variété des formes du fait linguistique, qu'il étudia sous l'aspect social de la communication, sous l'aspect technique du langage scientifique (y compris les problèmes de l'élaboration d'une langue artificielle auxiliaire), sous l'aspect esthétique de la création individuelle, sous l'aspect littéraire de la tradition littéraire (écrite ou orale), sous l'aspect (particulièrement problématique, et souvent délaissé à tort par les linguistes) ontologique et psychologique du rapport entre langue et réalité d'une part, et entre langue et pensée d'autre part (ou mieux, peut-être, entre pensée linguistiquement formulée et vie du psychisme). Dans ce contexte, cela ne semblera pas un hasard que Benedetto Croce soit parmi les très rares auteurs cités dans le livre suggestif que Sapir publia en 1921 sous le titre de *Language*, et que Sapir soit parmi les très rares linguistes américains que cite Croce. Non seulement il le nomme dans le chapitre consacré à « langage et littérature », mais il écrit dans sa préface : « Parmi les écrivains contemporains influencés par la pensée libérale, Croce est un des très rares à être arrivés à la compréhension de la signification fondamentale du langage. Croce en a indiqué le rapport étroit avec le problème de l'art. La compréhension de ce point constitue pour moi une grosse dette à son égard » [8].

Les œuvres les plus importantes de Sapir sont accessibles dans une ample anthologie de ses écrits, sauf le volume dont nous avons tiré des citations [9].

Nous laissons ici de côté l'explication que Sapir nous donne dans *Language* des rapports entre les langues (le problème de l'emprunt, chap. XI), des rapports entre langage, race et culture (chap. X), qui sont des notions non nécessairement liées,

et des rapports entre langage et littérature (chap. XI). Nous
laissons également de côté, malgré son intérêt, l'explication
qu'il donne du *drift* (chap. VII) et de la loi phonétique, lorsqu'il étudie les langues comme « produit historique »[10]. Il faut
noter la prudence et l'équilibre avec lesquels il parle de la structure linguistique, en évitant les simplifications excessives et
le scientisme facile qui par la suite deviendront si fréquents à
propos de telles notions. Même dans sa préface il insiste sur le
caractère « inconscient et sur la nature irrationnelle de la structure linguistique », et il souligne ensuite l'aspect purement
humain, non instinctif, de ce système de symboles qu'est la
langue (p. 8) ; il s'agit d'une fonction « non instinctive, acquise,
"culturelle" » (p. 4), et non localisable avec précision, physiolo-
giquement (p. 10). Il y a en effet une relation symbolique particulière entre « tous les éléments possibles de la conscience »
d'une part, et d'autre part « certains éléments déterminés loca-
lisés dans l'appareil auditif, moteur, et en d'autres parties du
système nerveux et cérébral » (p. 10) ; si bien qu'il n'y a pas
à proprement parler d' « organes de la parole » (p. 9), mais seulement des organes incidemment utiles à la production de la
parole. Ainsi « les seuls sons du discours » ne sont pas aussi
essentiels (p. 22) que « les fonctions et la forme de ces systèmes
symboliques arbitraires » (p. 11) que sont les langues. Le livre,
après avoir abordé le problème de la définition du mot (chap.
II), et de la phonétique (chap. III), aborde dans les chapitres
IV, V et VI les problèmes de la « forme linguistique », c'est-à-
dire de la structure grammaticale, et nous offre dans cette partie qui est peut-être la plus pénétrante de toutes, une présentation qui est probablement encore aujourd'hui ce que nous
avons de plus intelligent et de plus satisfaisant pour une classification morphologique des langues[11]. Le fait linguistique
essentiel, affirme Sapir, consiste « dans la classification, dans
la configuration (*patterning*) formelle, dans la référence aux
concepts. Une fois de plus, la langue comme structure est dans
son aspect interne l'empreinte de la pensée » (p. 22). Il y a une
relative indépendance entre la forme et la fonction linguistique

(p. 58-59) : la forme linguistique doit être étudiée essentiellement du point de vue des « types de configurations, indépendamment des fonctions qui leur sont associées » (p. 60). En ce qui concerne la forme (chap. IV), il faut distinguer les méthodes formelles employées par une langue, c'est-à-dire ses processus grammaticaux, ses configurations (*patterns*) formelles, et la distribution des concepts vis-à-vis de leur expression formelle : c'est-à-dire quels sont les types de concepts qui constituent le contenu des configurations formelles (p. 57).

Les processus grammaticaux **principaux** peuvent être subdivisés en six types : ordre des mots (p. 62), composition (p. 64), affixation (p. 67), mutation vocalique ou consonantique interne (p. 73), redoublement (p. 76) et variation d'accent (p. 79).

Le monde des concepts (chap. V), en tant qu'il est « reflété et systématisé dans la structure linguistique » (p. 82), peut se diviser en quatre groupes (p. 101) : 1) concepts de base (concrets), comme les objets, les actions, les qualités, normalement exprimés par des mots indépendants ou des éléments radicaux ; ils n'impliquent aucune relation (ex : homme, blanc) ; 2) concepts dérivés, normalement exprimés par des éléments non radicaux affixés à des éléments radicaux (ex : en anglais *farmer*, *duckling*), ou par des modifications internes des éléments radicaux ; ces éléments dérivés modifient le signifié d'un élément radical mais pas d'une proposition ; 3) des concepts de relations concrètes, normalement exprimés comme les précédents, impliquent des relations qui transcendent le mot isolé auquel ils sont affixés, et mènent ainsi aux 4) concepts de relations pures, exprimés par des éléments affixés ou par des modifications d'un radical ou par des mots indépendants, servent à mettre en relation les éléments concrets, en donnant à la proposition sa forme syntaxique. Les deux premiers types expriment un contenu matériel, les deux seconds expriment une relation. Nous ne nous attarderons pas au chapitre VI dans lequel Sapir nous donne une classification des types de structures linguistiques suivant trois critères (p. 145) : le type conceptuel (les quatre subdivisions ci-dessus), la technique et le **degré de synthèse** [12].

Nous avons vu que Sapir ne traite que rapidement et de façon sommaire la question des « sons » au chapitre III ; il dit à plusieurs reprises que le son en tant que tel « n'est pas du tout un élément linguistique » (p. 42), et il s'attarde sur la « valeur » psychologique des éléments phonétiques (p. 54) ; une différence « objective » qui soit « non pertinente » pour la « conscience » du locuteur ne peut avoir « une valeur fonctionnelle » ; derrière le « système de sons purement objectif » d'une langue il y a « un système plus restreint "interne" ou "idéal" » qui, quoique parfois également inconscient pour le locuteur non averti, peut cependant être porté à la connaissance de la conscience plus facilement que ne le ferait le système phonétique, sous la forme d'une « configuration bien délimitée, d'un mécanisme psychologique » (p. 55) ; mais de ce « système idéal de sons » on se dit seulement qu'il est « un principe réel et énormément important dans la vie du langage » (p. 55), et que « la notion de système phonétique idéal, de configuration phonétique d'une langue n'est pas appréciée comme elle devrait l'être par les linguistes » (p. 56). Ce chapitre est évocateur, mais bien loin de répondre aux problèmes qu'il pose en illustrant les caractéristiques de ce « système phonétique idéal » et ses relations avec le système phonétique réel (en supposant qu'il existe une entité de ce genre). Sapir affronte le problème : comment se fait-il que les actes linguistiques particuliers soient toujours différents, si « le parler, dans son système acoustique et articulatoire, est vraiment un système rigide ? » La réponse est que ce qui échappe « à la rigide structuration articulatoire n'appartient pas au parler, idéalement » mais est « complication vocale », même si, « en pratique cela est inséparable du parler ». « Le parler, comme tous les éléments de la culture, exige une sélection conceptuelle, une inhibition du caractère aléatoire du comportement instinctif » (ici il semble que l'on considère comme non linguistique toute « la coloration individuelle du discours, l'emphase, le rythme, la cadence, la hauteur de la voix individuelle »). Du reste, « il est évidemment vrai pour chaque aspect de la culture que l'idée n'est jamais

réalisée comme telle dans la pratique, étant donné que ses
supports sont des organismes instinctivement animés » (p. 46).
Nous n'avons pas encore ici clairement la notion de phonème,
mais on parle de « points dans la configuration » (p. 56) et du
fait (qui par ailleurs n'est pas encore approfondi) que « le sentiment linguistique du locuteur moyen est que la langue est cons-
truite, acoustiquement, avec un nombre relativement restreint
de sons distincts » (p. 42).

La notion de phonème devait apparaître avec une clarté et
une lucidité singulières (d'autant plus remarquable quand on
songe à la date de parution) dans un article de 1925 [13]. Ici aussi
on soutient l'insuffisance de n'importe quelle tentative de définir les sons, en tant qu'éléments linguistiques, d'un point de vue
purement physique. Un *wh–*, initial par exemple dans l'anglais
when, est différent d'un son semblable produit, lorsqu'on éteint
une chandelle, essentiellement parce qu'il est « un parmi un
nombre précisément limité d'autres sons » qui « constituent
ensemble un système défini de jetons symboliquement utilisables » (p. 35) ; chaque membre d'un tel système est caractérisé non seulement par une articulation (et par une image acoustique correspondante) différente, mais aussi, « et ceci est cru-
cial, par une certaine distance psychologique par rapport à
tous les autres membres du système » (p. 35). Les « intervalles
qui séparent » les sons sont tout autant nécessaires à leur définition psychologique que les articulations et les images acoustiques auxquelles on a normalement recours pour les définir.
Sapir distingue le « point de la configuration » (qui est une
« forme typique », un « son fondamental ») (p. 36) de ses « variantes » (les variations peuvent être individuelles ou condi-
tionnées) ; ceci est important pour établir « la configuration
interne» du système des sons d'une langue, la « situation intuitive » des sons l'un par rapport à l'autre » (p. 35).

Sapir ne donne pas, et n'a pas pour but de donner, une méthode pour identifier objectivement les phonèmes et les situer
dans un système ; s'il se demande comment on peut assigner
une place à un son dans une configuration phonétique, la ré-

ponse est : « En un tel système on trouve intuitivement une "place" pour un son (qui est conçu ici comme un vrai "point dans la configuration", non comme une simple variante conditionnée), grâce au sentiment général de ses rapports phonétiques, provenant de tous les rapports phonétiques (comme parallélisme, contraste, combinaisons, impossibilité de combinaisons, etc...) avec tous les autres sons » (p. 42). Dans l'article de 1925 le terme de "phonème" était employé accidentellement, quand Sapir parlait de la rencontre, « dans un phonème objectif particulier d'un véritable élément de la configuration phonétique avec une forme secondaire d'un autre élément analogue » (p. 39-40) ; le terme apparaît ensuite dans le titre d'un article de 1933 sur la réalité psychologique des phonèmes [14]. Ici le phonème est « une unité fonctionnellement signifiante dans la configuration des sons, rigidement définie, qui est particulière à chaque langue », et se distingue nettement du « son » ou « élément phonétique » (p. 46) ; dans le cours de l'article, on soutient aussi que « l'attitude phonétique est plus fondamentale, psychologiquement parlant, que celle rigoureusement phonétique ».

Dans la même année 1933, paraissait *Language* de L. Bloomfield, dont nous parlerons bientôt, qui représentait, dans la même direction de recherche (le développement d'une linguistique structurale cohérente), le pôle opposé, du point de vue de la méthode, à celui de Sapir. Sapir et Bloomfield sont souvent considérés (non sans une certaine exagération) comme les deux chefs de file, dans la linguistique américaine, des courants opposés que l'on désigne avec une étiquette provenant de la psychologie, comme mentaliste et behaviouriste. Non seulement Sapir ne considère pas comme nécessaire d'indiquer des méthodes applicables mécaniquement, de façon rigoureuse et objective, pour permettre de vérifier ce qu'il affirme [15] ; mais il utilise souvent des expressions polémiques acérées pour ceux qui croyaient, illusoirement, résoudre les problèmes de la science en faisant d'abstraites déclarations de foi en la rigueur naturaliste de la méthode scientifique (et ceux qui cultivaient, verbalement et sur le plan des intentions, un abstrait rigorisme scientiste, étaient en ce temps très nombreux, particulièrement aux États-Unis. Sapir ne se lasse jamais de mettre l'accent sur le caractère fondamentalement symbolique du langage, dans son livre de 1921 ; et il reprend cette position d'une façon encore plus décisive dans un article de 1933 pour l'*Encyclopedia of the Social Sciences* [16]. Non seulement il affirme que « le parler comme commportement est une fusion, d'une complexité merveilleuse, entre deux systèmes de configurations, le système symbolique et le système expressif », aucun ne pouvant se développer sans l'intervention de l'autre (p. 14-15), mais il soutient que plutôt que de poser la « communication » comme une « fonction primaire » du langage, « il vaut mieux admettre que le langage est en premier lieu une actualisation vocale de la tendance à voir la réalité de façon symbolique, et que c'est justement cette qualité qui fait de lui un instrument adapté à la communication » (p. 15) [17].

Dans son livre de 1921 Sapir a souvent recours au « sentiment » linguistique, non seulement comme spécification dont la langue est objet (par exemple à la page 102, où il parle d'un « sens " interne " » de la structure), mais encore, sans détour, comme attitude dont la langue est sujet (par exemple à la page 56 : « La structure phonétique comme la structure conceptuelle montre le sentiment instinctif que le langage a pour la forme ») ; il parle du « génie phonétique d'une langue » (p. 54), et du « " génie " structural d'une langue » (p. 120) ; il souligne (comme pour prévenir le manque d'intérêt que beaucoup de linguistes américains auraient montré face à l'histoire, contribuant à une fracture générale entre les attitudes structuralistes et les intérêts historiques) que « les langues, après tout, sont des structures historiques d'une extrême complexité » (140). Sa conception de la méthodologie linguistique est aussi exprimée dans un vigoureux et ironique essai publié en 1924, dans lequel [18] on critique les psychologues qui considèrent la langue comme un type de comportement consistant en « habitudes laryngales » ; et, « si on trouve — ajoute-t-il — le type juste de psychologue qui nous aide » (il nous est difficile de ne pas penser à l'aide que Bloomfield avait trouvée en Weiss), on peut aller plus loin et «réduire la pensée à la place qui lui incombe de simple "laryngalisation subvocale" » (p. 152). Il faut au contraire se rendre compte du fait que « le devoir le plus noble de la linguistique est de comprendre les langues comme forme plutôt que comme fonction ou processus historique », pourvu qu'on n'oublie pas que « la configuration formelle du parler, à un moment ou à un lieu donnés, est le résultat d'un développement historique long et complexe qui, à son tour, est incompréhensible sans une référence constante à des facteurs fonctionnels » (p. 152).

La présence des conceptions de Sapir dans la linguistique américaine est particulièrement importante parce qu'elles ont constitué un réservoir grâce à l'oxygène duquel on a pu vivifier les recherches dans les moments où se faisait le plus sentir en elle le danger d'asphyxie par excès de raréfaction de l'atmosphère. L'œuvre de Sapir a servi à rappeler la présence et l'importance des problèmes qu'une certaine linguistique structurale tendait irresponsablement (à cause d'un malentendu sur le sens de la responsabilité imposée par la méthodologie scientifique) à supprimer sans les avoir résolus. On a aujourd'hui recours à l'œuvre de Sapir non seulement pour sa vitalité générale, mais aussi pour des points particuliers, comme par exemple la question du rapport entre son et système morphophonémique, question qui apparaît posée de façon plus féconde avec la notion sapirienne de système phonétique qu'avec la phonémique de la tradition bloomfieldienne.

3. BLOOMFIELD.

Leonard Bloomfield est le linguiste qui a le plus marqué la linguistique aux États-Unis ; il suffit de parcourir la revue « Language », particulièrement pour les deux premières décennies, pour se rendre compte de l'importance que les conceptions bloomfieldiennes ont eue dans la culture linguistique

américaine. Il exerça son influence plutôt à travers ses écrits
que par son enseignement oral (qui n'est pas comparable par
son efficacité à celui de Sapir, extraordinairement fascinant au
dire des auditeurs). Sa production fut importante ; après un
manuel publié en 1914 [19], il publia plusieurs ouvrages, soit de
linguistique générale et de méthodologie, soit sur des sujets
spécialisés (en particulier sur la linguistique germanique et sur
les langues maléo-polynésiennes et amérindiennes ; dans ce
dernier domaine ses études furent exceptionnellement vivantes
et suggestives) [20]. En d'innombrables comptes rendus (publiés en particulier dans « Language »), il eut l'occasion de reve-
nir sans arrêt sur les mêmes problèmes, et n'hésita pas à manifester une rigueur impitoyable quand il lui semblait que les
formulations traditionnelles des problèmes linguistiques ne
tenaient pas devant les exigences d'une méthode vraiment
« scientifique » comme celle qu'il voulait pratiquer [21]. Son œuvre
principale fut un manuel qui avait le même titre que celui publié
douze ans auparavant par Sapir, *Language*, publié en 1933.
Ce texte compact, de près de six cents pages, réunissait en
une synthèse d'une rigueur, d'un complet et d'une concision
inégalées, les doctrines linguistiques que Bloomfield considérait
alors comme valides ; mais la postulation que Bloomfield im-
posa en la matière fit de ce texte moins une synthèse de ce qui
avait été établi par la glottologie, moins le fruit et le bilan d'une
période passée, que le début d'une nouvelle période qui s'ins-
pirait des méthodes de Bloomfield. Le livre se révéla (mais non
pas à ceux qui, bien qu'appelant leurs recherches historiques
et littéraires « linguistiques », ignorent les questions proprement
linguistiques et ne voient en Bloomfield que le « dinosaure du
structuralisme ») d'une fertilité et d'un dynamisme grâce auxquels, encore aujourd'hui, il est loin d'être dépassé. Bien sûr,
s'il y eut une période durant laquelle les linguistes américains
se référaient à l'œuvre de Bloomfield, et en cherchant à en
appliquer les principes se réclamaient d'elle comme d'un modèle,
aujourd'hui la fécondité de cette œuvre nous apparaît comme
différente, non seulement pour les aspects qui méritent un

approfondissement suivant les directions bloomfieldiennes, mais aussi pour ceux qui soulèvent des objections, ou pour ceux dans lesquels la recherche, menée ces dernières décennies selon la direction donnée par Bloomfield, n'a pas donné, ou a montré qu'elle ne pouvait pas donner, les fruits espérés. L'influence de ce qui a été appelé « le plus grand livre de linguistique publié durant notre siècle, de part et d'autre de l'Atlantique » [22], a été telle que nous pouvons considérer comme bloomfieldienne et post-bloomfieldienne, la linguistique américaine des trente années suivant 1925 (si, pour fixer une année, nous prenons comme point de départ le début du journal « Language »), même si dans cette linguistique nous devons considérer au moins un courant proprement bloomfieldien, et un autre que nous pouvons appeler sapirien. Ce n'est que récemment que furent mises en question, dans une partie importante de la linguistique américaine, quelques conceptions fondamentales de Bloomfield ; mais il ne s'agit pas ici, bien sûr, d'une rupture basée sur l'incompréhension réciproque (comme il est advenu lors de certaines polémiques entre « bloomfieldiens » et « idéa-listes ») ; il s'agit plutôt d'un développement qui va sans aucun doute au delà des positions bloomfieldiennes, contre elles, mais qui ne serait même pas pensable sans les résultats acquis par de telles positions.

Les vingt-huit chapitres de *Language* peuvent se subdiviser de la façon suivante : les quatre premiers traitent de questions générales ; les chapitres V-VIII traitent de problèmes phoné-tiques ; les chapitres IX-XVI traitent de questions grammati-cales et lexicales ; les chapitres XVII-XXVIII traitent des autres problèmes (géographie linguistique, méthode compara-tive, emprunt, changement, etc...) que nous laisserons de côté ici [23]. Dans le chapitre II, Bloomfield expose sa conception matérialiste (mécaniste et non dialectique, serait-il utile d'ajou-ter) et behaviouriste des faits linguistiques, à propos de l'usage du langage. Cette conception se résume en termes de stimulus et de réponse, dans le schéma célèbre : S-r-s-R. Dans ce schéma, une stimulus externe (S) pousse quelqu'un à parler (r), cette réponse linguistique du locuteur constitue pour l'auditeur un stimulus linguistique (s) qui provoque une réponse pratique (R). S et R sont donc « des événements pratiques » qui appartiennent au monde extralinguistique ; r et s constituent au contraire l'acte linguistique ; comme illustration de ceci nous pouvons utiliser une fable (un des exemples traditionnels du behaviourisme) : Jill veut la pomme qui est sur l'arbre (ou mieux, en éliminant le terme mentaliste « veut », nous devrons dire "a faim et voit la pomme", ou mieux encore "dans son corps se produisent des phénomènes déterminés à cause " desquels ", etc...) ; au lieu de faire l'effort de se procurer la pomme, Jill, qui n'a pas envie de monter sur l'arbre (ou ne sait pas y monter), demande la pomme à Jack (c'est-à-dire, fait « un petit nombre de mouvements dans la gorge et dans la bouche », qui produisent « un petit bruit ») [24] ; ceci est une « réaction linguistique substituée » à la réaction non linguistique qui aurait été d'aller directement prendre la pomme désirée ; et cette réaction linguistique constitue pour Jack un stimulus grâce auquel (s'il a des raisons suffisantes pour se déranger, des raisons qui seraient trop compliquées à exposer ici en termes de stimulus et de réponse) il va prendre la pomme et la donner à Jill. Nous dirons donc que « le langage permet à une personne d'accomplir une certaine réaction (R) quand une autre personne éprouve le stimulus (S) » ; et en généralisant, que « la division du travail, et avec elle tout le fonctionnement de la société humaine, sont dus au langage » (il ne s'agit pas, bien entendu, d'une prise de position dans la méthodologie de l'histoire : « sont dus » au langage, dans le sens qu'ils existent grâce au langage ; Bloomfield était certainement convaincu que c'était le langage qui devait son existence aux exigences de la division du travail, et non pas vice versa).

De cette façon, les possibilités de réagir à un certain stimulus sont considérablement augmentées. « L'intervalle entre le corps du locuteur et celui de l'auditeur (la discontinuité des deux systèmes nerveux) est comblé par les ondes sonores » (p. 16) ; voici en quel sens l'expression « organisme social »

n'est pas une métaphore ; entre l'individu et la société il y a
un rapport analogue à celui existant entre la cellule et l'animal
pluricellulaire ; de la même façon qu'un tel rapport est rendu
possible, chez l'animal, par le système nerveux, il est rendu
possible dans la société par la langue, ou plus précisément par
les ondes sonores (p. 28). Évidemment « le mécanisme auquel
le parler est soumis, doit être très complexe et très délicat »
(p. 32) ; en effet, même si nous avons une information assez
ample sur les stimuli agissant sur le locuteur, « en général nous
ne pouvons pas prévoir s'il parlera ou ce qu'il dira » (p. 32).
Devant l'énorme variabilité des réponses qu'un certain stimulus peut provoquer, Bloomfield n'accepte pas l'illusoire tentative de solution mentaliste qui attribue une telle variabilité
à un facteur non physique (« esprit », « volonté », « conscience »)
qui se soustrairait aux normales « configurations de succession
(séquences de causes et effets) du monde matériel » (p. 33).
Les idées, les concepts, les images, les actes de volonté, les
sentiments auxquels a recours le mentaliste sont considérés
par le behaviouriste comme « de simples termes populaires
pour différents mouvements corporels » (p. 142) qui peuvent
être à l'égard du langage « des processus sur une large échelle »,
d'importance sociale, pour lesquels on a les expressions linguistiques normales, ou bien « des contractions musculaires
et des sécrétions glandulaires à échelle réduite, obscures et très
variables », qui ne sont pas représentées par les expressions
linguistiques normales, ou enfin « des mouvements silencieux
des organes vocaux, qui remplacent les mouvements du parler
et ne sont pas perceptibles aux autres ("penser en parole") »
(cf. p. 28). Bloomfield choisit la solution mécaniste qui attribue
la variabilité du comportement humain uniquement au fait
que « le corps humain est un système très complexe » ; en particulier (p. 33) le système nerveux est responsable du fonctionnement du langage, et il est un « mécanisme à gachette », si
bien que nous pouvons accomplir les actions les plus compliquées (présenter des réponses macroscopiques) à la suite d'un
stimulus apparemment négligeable comme « les minuscules

percussions des ondes sonores sur la membrane du tympan »
(p. 33). Si ce postulat étroitement behaviouriste se prête facilement à l'ironie et apparaît dans de nombreux cas comme
franchement obtus, il faut souligner que Bloomfield l'accepte
parce qu'il lui semble qu'il est l'unique moyen cohérent par
rapport à l'univers (ou aux univers) du discours scientifique,
et ce faisant il a au moins le mérite de mettre en pleine lumière
un problème (quelle que soit en fait la scientificité des affirmations de la linguistique) qui, chez les linguistes de tendance
opposée, est souvent enveloppé dans un mélange d'expressions
peu clarificatrices. Il ne faut pourtant pas croire que, en disant
« mouvements sublaryngaux » au lieu de « idées », on ait fait
quelques progrès ; au contraire, la terminologie mentaliste est
aujourd'hui la plus adaptée (et dans beaucoup de cas la seule
possible) à de nombreuses questions que le linguiste doit affronter. La question à poser est la suivante : jusqu'à quel point
arrive-t-on aujourd'hui en conduisant l'analyse linguistique
rigoureusement en termes de stimulus et de réaction ? La réponse est que, dans les conditions actuelles, non seulement
on n'arrive pas loin, mais encore on ne bouge pas du tout, on
ne peut même pas commencer la description. Il n'est pas dit
que dans le futur la situation ne puisse changer ; il est au contraire probable qu'elle changera et qu'une analyse conduite
suivant ces termes pourra être faite, même si pour l'instant
nous ne sommes pas en mesure de prévoir la date de ce changement. Mais, de nos jours, les conditions concrètes dans lesquelles l'analyse linguistique est possible sont plus intéressantes,
ainsi que les spécifications du maximum de rigueur avec lesquelles on peut conduire effectivement cette analyse, et les
idéaux de scientificité abstraitement compris vis-à-vis desquels
l'étude linguistique (ainsi que de nombreuses autres études,
même dans le domaine des sciences naturelles) ne peut même
pas être affrontée, ne le sont pas.

L'étude du rapport entre le texte de 1914 et celui de 1933,
qui est d'un intérêt élevé, ne peut être faite dans les limites
de cet exposé. Bloomfield refuse d'y voir une évolution d'une

psychologie de type wundtien à une psychologie de type behaviouriste ; dans l'introduction au texte de 1933 il précise que ce
qu'il avait fondé en 1914 sur le système psychologique wundtien n'était pas l'explication des faits linguistiques, mais seulement cette « phase de l'exposition » qui consistait en la tentative de parler des choses réellement fondamentales dans le
langage, qui sont en général ignorées par les non-spécialistes,
« en termes simples, montrant leur importance dans la vie de
l'homme » ; mais, cependant, il s'est convaincu que l'on peut
et doit affronter « l'étude du langage sans se réclamer d'aucune
doctrine psychologique particulière » (p. VII). Il s'agit en un
certain sens d'une pétition de principe : le behaviourisme n'est
pas considéré par Bloomfield comme une quelconque doctrine
psychologique, mais il s'identifie à la méthode scientifique
tout court. Ce que vise Bloomfield, c'est une étude « scientifique » des faits linguistiques ; et se réclamant moins de J. B.
Watson (dont le *Behaviorism* [25] se lit encore avec intérêt) que
de A. P. Weiss [26], qu'il admirait particulièrement [27], il impose
à la méthode scientifique les limites du behaviourisme étroit
(« ne traiter que les événements accessibles, dans leur temps
et dans leur lieu, à tous les observateurs, et à n'importe quel
observateur »), du mécanisme (ne traiter « que les événements
placés dans les coordonnées du temps et de l'espace »), de l'opé-
rationnalisme (n'avoir recours « qu'à des propositions initiales
et à des prévisions qui impliquent des opérations matérielles
précises »), du physicisme (n'utiliser « que des termes dérivables
avec des définitions rigides d'un ensemble de termes quoti-
diens qui traitent d'événements physiques ») : ainsi s'exprime-
t-il dans l'essai préparé pour le premier volume de la *International Encyclopedia of Unified Science* [28], et il s'efforce de faire
coïncider son exposé à ces exigences.

De ces exigences s'inspire aussi la doctrine de Bloomfield
sur le signifié (chap. IX de *Language*). Déjà, en exposant le
modèle de l'acte linguistique en termes de stimulus et de réaction, il nous avait dit que l'on peut considérer le signifié comme
l'ensemble des événements pratiques auxquels est lié un énoncé.

Le signifié doit donc être défini par une autre science ; ou bien,
pour en parler, on peut avoir recours à des expédients tels que
l'ostension (montrer du doigt), la circonlocution (usuelle dans
les dictionnaires) ou la traduction. Si soignée qu'elle soit, une
définition de la situation ne pourrait pas tenir compte comme
il le faudrait de « l'état du corps du locuteur », y compris « la
prédisposition de son système nerveux, résultat de toutes ses
expériences, linguistiques et autres, jusqu'à l'instant en question, ainsi que des facteurs héréditaires et prénatals » (p. 141).
Il est évident qu'il s'agit de termes tout à fait irréalistes du point
de vue des possibilités (pour aujourd'hui et pour le proche avenir) de la description scientifique. Quand on ajoute que la plus
grande partie de nos raisonnements consiste en un « displaced
speech » (c'est-à-dire le fait de parler de certaines choses même
en l'absence de ces choses), on comprendra pourquoi Bloomfield
considère l'entreprise de traiter du signifié comme désespérée :
« la description du signifié est... le point faible de l'étude du
langage, et il le sera tant que nos connaissances ne seront pas
plus avancées qu'aujourd'hui » (p. 140). La solution mentaliste
est naturellement illusoire ; dire que le signifié d'un mot est
la conception que l'on en a, équivaut à une affirmation indé-
montrable (puisque pour parler des concepts il faut les désigner
avec des mots : ils restent sinon hors d'atteinte), ou à une pétition de principe, qui pose les concepts comme une espèce de
doublet mental des expressions, et qui amène à se trouver
ensuite dans l'obligation de définir à nouveau les concepts.

Puisque l'on ne peut définir les signifiés et qu'on ne peut en
démontrer la constance, il faut poser « le postulat fondamental
de la linguistique », c'est-à-dire que « dans certaines commu-
nautés (linguistiques) certains énoncés sont semblables par la
forme et le signifié » (p. 144, cf. p. 78 et 158) [29].

L'importance essentielle des théories de Bloomfield ne consiste pas tant dans le fait qu'il ait soutenu certains principes
méthodologiques abstraits, que dans la présentation d'une description formaliste et non psychologique, rigoureuse et cohérente des faits grammaticaux. Il distingue (chap. X) les FORMES

linguistiques LIÉES des formes linguistiques LIBRES (ces dernières peuvent se présenter isolément) ; une forme COMPOSANTE
ou CONSTITUANTE peut ENTRER (ou être CONTENUE) dans une
forme COMPLEXE. Une forme qui ne soit pas ultérieurement
analysable est SIMPLE, est donc un MORPHÈME, qui peut avoir
plusieurs ALTERNANTS dont l'un est BASIQUE. Les morphèmes
sont les constituants ULTIMES ; mais l'analyse est faite à chaque stade en CONSTITUANTS IMMÉDIATS. Le signifié d'un morphème est un SÉMÈME ; l'ensemble des morphèmes d'une langue
constitue son LEXIQUE.

Dans chaque expression linguistique il y a des traits signifiants dont le vocabulaire ne rend pas compte : le signifié
dépend en partie de la DISPOSITION des formes (arrangement).
« Les dispositions significatives d'une langue constituent la
grammaire de cette langue » (p. 163) ; on en conclut qu'il y
a quatre façons de classer les formes linguistiques : ORDRE,
MODULATION (usage des phonèmes secondaires), MODIFICA-
TION PHONÉTIQUE et SÉLECTION (pour laquelle certaines formes
diffèrent en ce que, dans la même disposition, elles ont des
signifiés différents, et constituent donc des CLASSES FORMELLES,
divisées à leur tour en sous-classes). Un TRAIT SIMPLE de disposition grammaticale est un trait grammatical ou TAXÈME ;
les taxèmes peuvent constituer les formes TACTIQUES ; une
forme tactique, avec son signifié, est une forme grammaticale »
sont les TAGMÈMES, et leurs signifiés sont les EPISEMÈMES.
N'importe quel énoncé peut se décrire de façon exhaustive
en termes de formes grammaticales et lexicales. Les formes
grammaticales d'une langue peuvent être groupées en trois
grandes classes : 1º TYPE DE PHRASE (chap. XI) ; 2º CONSTRUC-
TION, que l'on peut diviser en SYNTAXE (chap. XII), quand
aucun des constituants immédiats n'est une forme liée, et en
MORPHOLOGIE (chap. XIII), lorsque entre les constituants il y
a au moins une forme liée ; on étudie ici l'inflexion, la dérivation, la composition, et les différents types morphologiques ;
3º SUBSTITUTION (chap. XV) par laquelle un substitut (approximativement un « pronom » de la grammaire traditionnelle)

«remplace une quelconque classe de formes linguistiques» dans
certaines circonstances (p. 247). Le chapitre XVI, consacré
aux classes formelles et au lexique, offre une synthèse et affronte
les problèmes que l'on pourrait appeler « usage et signifié » [30].

Dans les chapitres V à VIII on aborde les problèmes phonémiques. Les phonèmes peuvent s'identifier grâce à un processus
de confrontation et d'échange : en partant du « postulat fondamental de la linguistique » (p. 78) dont nous avons parlé, nous
pouvons (soit en faisant confiance à notre connaissance spon-
tanée de notre langue, soit par la voie d'essais et d'erreurs ou
avec un informateur pour une langue étrangère) décider quelles
formes sont « les mêmes » et quelles formes sont « différentes ».
Avec une série de comparaisons (par exemple en anglais entre
pin avec *fin, sin, tin* ; *in, man, sun, hen* ; *pig, pill, pit* ; *pat.
push, peg* ; *pen, pan, pun* ; *dig, fish, mill*), nous pouvons arriver à la conclusion que *pin* est constitué par trois unités distinctives indivisibles ; chacune se présente aussi dans d'autres
combinaisons mais elles ne peuvent être ultérieurement analysées, elles sont « une unité minime dans le cadre des traits
phoniques distinctifs, un PHONÈME » (p. 79). Les TRAITS DIS-
TINCTIFS se présentent toujours avec d'autres traits, non distinctifs, dont ils ne sont pas séparables dans la prononciation ;
les phonèmes ne sont donc pas des sons, mais « seulement des
traits phoniques » (p. 80). Un enregistrement d'intérêt scientifique devra être ou bien un enregistrement parfaitement fidèle,
fait avec une aide mécanique ; ou bien une transcription en
termes de phonèmes (avec un alphabet phonétique qui ait un
signe et un seul pour chaque phonème). Les types de phonèmes
(chap. VI) peuvent être classés en termes de phonétique pratique, et sont sujets à « des modifications » (chap. VII). En réalité, observe Bloomfield au sujet de la « structure phonétique »
(chap. VIII), ce qui compte ce n'est pas la caractérisation phonétique des sons : « la chose importante dans la langue... n'est
pas la façon dont elle sonne », mais « sa fonction de relation
entre le stimulus du locuteur... et la réaction de l'auditeur »
(p. 128) ; cette relation s'accomplit grâce aux phonèmes ; ce

qui est important, ce n'est pas qu'un phonème se présente
d'une façon ou d'une autre, mais seulement qu'il soit « sans
aucune équivoque différent de tous les autres. A part le fait
d'être différent, le domaine de variation et le caractère acoustique d'un phonème sont non pertinents » ; n'importe quels
signaux peuvent remplacer les phonèmes pourvu qu'ils soient
en correspondance bi-univoque avec eux, sans que soit altérée
l'essence du fait linguistique.

On ne devra donc pas avoir recours à une description purement physique (qui ne met pas l'accent sur les traits acoustiques
« identiques » et les traits acoustiques « différents »), pas plus
qu'à une liste qui tienne uniquement compte des traits distinctifs ; il faudra plutôt chercher à montrer les « faits struc-
turaux », c'est-à-dire « le rôle que les différents phonèmes
jouent dans le fonctionnement de la langue » ; il faudra illus-
trer la possibilité qu'ils ont de servir comme SYLLABIQUES en
syllabes accentuées et non accentuées, d'entrer dans des phonèmes composés, et ainsi de suite. Si chaque énoncé résulte
d'au moins un phonème syllabique, il faudra montrer quels
phonèmes non syllabiques (ou leurs groupes) peuvent apparaître dans les trois positions possibles : initiales (avant le
premier syllabique d'un énoncé), finales (après le dernier syllabique d'un énoncé) et intérieures (entre deux syllabiques).
Ainsi (et en procédant de façon analogue pour les syllabiques),
nous pourrons obtenir pour chaque phonème une définition
basée « sur la fonction qu'il exerce dans la structure des formes
linguistiques » (p. 137), ou sur le rôle qu'il joue « dans la configuration structurale des formes linguistiques » (p. 136). Voilà
quel est l'objet de la PHONOLOGIE, qui doit être distinguée
non seulement de la « phonétique pratique », en tant « qu'elle
ne tient pas compte de la nature acoustique des phonèmes »
(p. 137) [31].

NOTES DU CHAPITRE V

1. Sur la linguistique américaine cf. l'excellent ouvrage de J. B. CARROLL, *The study of language. A survey of linguistics and related disciplines in America*, Cambridge, Mass. 1955 ; un riche panorama dans *American linguistics*. R. A. HALL JR, 1925-1950, « ArchL » III 1951 101-25 et IV 1952 1-16 (cf. « RL » I 1951 273-302), suivi de ID., *American linguistics, 1950-1960*, « AIONL » VI 1965 241-60 ; autres essais : J. MATTOSO CAMARA JR, *Os estudios lingüisticos nos Estados Unidos da America do Norte*, Rio de Janeiro 1945 ; J. KING, J. TONDRIAU, *La linguistique aux États-Unis et au Canada*, « Aevum » XXIV 1950 384-403 ; O. S. AHMANOVA, *O metode lingvističeskogo issledovanija u amerikanskih strukturalistov*, « VJA » 1952 fasc. 5 92-105 ; H. MÜLLER, *Sprachwissenschaft auf neuer Wegen. Die beschreibende Linguistik in den U.S.A.*, «ZPhon» VII 1953 1-23 ; K. KOCH, *Trends in modern American linguistics. A critical survey*, « ÅVsLund » 1954 27-52 ; A. W. DE GROOT, *De moderne Taalwetensschap, in het bizonder in Amerika*, Groningen-Djakarta, 1956 ; K. L. PIKE, *As correntes da lingüistica Norte-Americana*, « RBF » 11 1956 207-16 ; N. D. ARUTJUNOVA, E. S. KUBRJAKOVA, *Problemy morfologii v trudah amerik. deskriptivistov*, in *Voprosy teor. jaz. v. sovr. zarub. lingv.*, Moskva 1961 191-238 ; N. D. ARUTJUNOVA, G. A. KLIMOV, E. S. KUBRJAKOVA, *Amerikanskij strukturalism*, aux pages 177-306 du volume cit., édité par Guhman et Jarceva ; plusieurs articles dans *Trends...* 1961 cit. sont utiles. Les polémiques, ayant trait aussi aux rapports entre linguistique américaine et linguistique européenne, sont à consulter à titre d'indication plutôt qu'instructives : dans : « SIL » IX 1951 69-75, « LN » XII 1951 112-14 et XIII 1952 47-50, 81 ; « AGI » XXXVII 1952 84-87 etc.

2. W. D. WHITNEY, *Language and the study of language*, New York 1967 ; ID., *The life and growth of language*, ibid. 1875.

3. Cf. R. A. HALL JR, dans « ArchL » III 1951 114 n. 1 ; R. JAKOBSON, dans « IJAL » X 1944 188-95 ; et le volume édité par W. GOLDSCHMIDT, *The anthropology of F. Boas*, « AmA » LXL : 5 part 2 1959 (Mem. 89), avec l'excellente contribution de R. JAKOBSON, *Boas' view of grammatical meaning*, 139-45.

4. F. BOAS, *Handbook of American Indian languages*, I, Washington, 1911 ; 11, ibid., 1922 ; 111, Glöckstadt, Hamburg-New York 1933-38.

5. Cf. R. A. HALL JR dans « ArchL » III 1951 112 et suite : par exemple M. J. POWELL, D. C. BRINTON, A. S. Gatschet ; cf. aussi A L. KROEBER, dans « AnL » Ll : 4 1960 1-5 ; D. H. HYMES, dans « AnL » 111 : 6 1961 15-16.

6. Cf. R. A. HALL JR, dans « ArchL » IV 1952 9-15 ; J. B. CAROLL, *The study* cit. 140-95. Les rapports entre la linguistique structurale et l'enseignement des langues devraient être étudiés indépendamment ; cf. L. BLOOMFIELD, *Outline guide for the pratical study of foreign languages*, Baltimore 1942, et les œuvres de C. C. FRIES, par ex. *American English grammar*, New York 1940 ; *Language study in American education*, New York 1940 ; *Teaching and learning English as a foreign language*, Ann Arbor 1945 ; *The structure of English*, New York 1952 ; consulter l'étude de W. G. MOULTON,

dans *Trends...* 1961 cit. 82-109 ; il faut rappeler le Cornell language Program, la School of languages and linguistics du Foreign Service Institute, et les différents instituts de la Georgetown University, à l'University de Michigan, et à Harvard par exemple.

7. Beaucoup d'autres revues sont naturellement importantes pour suivre l'activité linguistique aux États-Unis, parmi lesquelles : « IJAL », « JAOS », « JAcS », « AS », « RomPh », « GL ». Pour l'étude de l'histoire de la linguistique aux États-Unis, il est bon de consulter aussi d'utiles instruments comme le vocabulaire de E. P. HAMP, *A glossary of American technical linguistic usage*, 1925-1950, Utrecht-Antwerp 1957 (et une nouvelle édition revue en 1963) ; et l'anthologie de M. JOOS, *Readings in linguistics. The development of descriptive linguistics in America since* 1925, New York 1958 [2] ; il y a aussi plusieurs ouvrages de synthèse qui mettent l'accent sur les étapes plus ou moins intéressantes, comme ceux de E. SAPIR, *Language. An introduction to the study of speech*, New York 1921 (je cite de l'édition Harvest Books ; New York, 1957) (traduc. franç. *Le langage. Introduction à l'étude de la parole*, Payot, Paris, 1953 ; 2e édit. 1967) ; L. BLOOMFIELD, *Language*, New York 1933 ; l'édition anglaise, London 1935 (je cite d'après la réimpression de 1957 de cette édition) ; Z. S. HARRIS, *Methods in structural linguistics*, Chicago 1951 (avec le titre *Structural linguistics* de l'édition Phoenix Bookx, 1960) ; H. A. GLEASON, *An introduction to descriptive linguistics*, New York 1955 (et *ibid.*, 1961 [2] ; cf. maintenant Id., *Linguistics and English grammar*, New York 1965) ; C. F. HOCKETT, *A course in modern linguistics*, New York 1958 (sur ce sujet cf. en italien « ASNS » XXIX 1960 141-48) ; A. A. HILL, *Introduction to linguistic structures. From sound to sentence in English*, New York 1958.

8. E. SAPIR, *Language* cit., p. V, cf. 222 et 224.

9. ID., *Selected writings in language, culture and personality*, édité par D. G. Mandelbaum, Berkeley 1949 (1951 [2]) ; ainsi qu'une édition mineure : *Culture, language and personality, selected essays*, Berkeley 1957. Sur SAPIR cf. F. BOAS, dans « IJAL » X 1939-44 58-63 ; L. HJELMSLEV, dans « AL » I 1939 76 ; M. SWADESH, dans « Lg » XV 1939 132-35 ; D. G. MANDELBAUM, dans *Selected writings* cit. *passim* ; Z. S. HARRIS, dans « Lg » XXVII 1951 288-333 ; S. S. NEWMAN, dans « IJAL » XVII 1951 180-85 ; F. MIKUS, dans « CFS » XI 1953 11-30 ; M. M. GUHMAN, dans « Vja » 1954 fasc. 1 110-27.

10. La langue « is not merely something that spread out in space, as it were- a series of reflections in individual minds of one and the same timeless picture. Language moves down time in a current of its own making. It as a drift » (*Language* cit. 50) ; et ce « drift » a une direction (*ibid.* 155). Quant à l'aspect phonétique, le « drift » ne va pas vers des sons isolés, mais vers des « particular types of articulations » (*ibid.* 181). A noter l'importance de l'intuition présentée à la page 182. « A single sound change, even if there is no phonetic levelling, generally threatens to upset the old phonetic pattern because it brings about a disharmony in the grouping of sound » : alors pour rétablir « the old pattern » il faut que « the other sounds in the series shift in an analogous fashion » ; et « this sort of shifting about without loss of pattern, or with a minimum loss of it, is probably the most important tendency in the history of speech-sounds ». Cf. Z. S. HARRIS, dans « Lg » XXVII 1951 306 et suite.

11. Cf. E. BENVENISTE, *La classification des langues*, « CILP » XI 1952-53 33-50, en particulier, 44 et suite ; Z. S. HARRIS, dans « Lg » XXVII 1951 293-94.

12. Cf. aussi E. SAPIR, *Grading. A study in semantics*, « Philosophy of

science » XI 1944 93-116 (= *Selected writings* cit. 122-49) ; ID., *Totality*, Baltimore 1930 (« Lg » Monograph VI) ; et avec M. SWADESH, *The expression of the ending-point relation in English, French and German*, Baltimore 1932 (« Lg » Monograph X).

13. E. SAPIR, *Sounds patterns in language*, « Lg » I 1925 37-51 (= *Selected writings* cit. 33-45) ; cf. Z. S. HARRIS, dans « Lg » XXVII 1951 291 et suite.

14. E. SAPIR, *La réalité psychologique des phonèmes*, « JPsych » XXX 1933 247-65 (= *The psychological reality of phonemes*, in *Selected writings* cit. 46-60).

15. M. JOOS, *Readings* cit. 25 qui traite du manque du caractère scientifique, de la « essential irresponsability of what has been called Sapir's method » ; cf. les remarques plus pertinentes de Z. S. HARRIS, dans « Lg » XXVII, 1951, 296 et suite, 330 et suite.

16. E. SAPIR, *Language*, article de 1933 pour la *Encyclopedia of the Social Sciences*, New York IX 155-69 (= *Selected writings* cit. 7-32).

17. Cf. aussi SAPIR, « The status of linguistics as a science », « Lg » V 1929 2076-14 (= *Selected writings* cit. 160-66 ; en italien dans BOLELLI, *per una storia* cit. 507-17).

18. E. SAPIR, *The grammarian and his language*, « American Mercury » I 1924 149-55 (= *Selected writings* cit. 150-59).

19. L. BLOOMFIELD, *An introduction to the study of language*, New York 1914 ; cf. aussi G. S. LANE, *Changes of emphasis in linguistics, with particular reference to Paul and Bloomfield*, « SPh » XLII 1945 465-83 ; G. L. TRAGER, *ibid.* XLIII 1946 461-64 ; Sur Bloomfield cf. E. H. STURTEVANT dans « *Year Book of the American philosophical society* » 1949 302-5 ; G.L. TRAGER, dans « MPhon » III : 92 1949 24-26 ; R. A. HALL JR., dans « Lingua » II 1950 117-23 ; B. BLOCH, dans « Lg » XXV 1949 87-94 (avec une bibliographie aux pages 94-98) ; C. C. FRIES, dans *Trends* ... 1961 cit. 196-244.

20. Cf. par exemple L. BLOOMFIELD, *Tagalog texts*, « Univ. of Illinois studies in lang. et lit. » 111 1917 2-4 ; *The Menomini language*, dans *Proceedings of the 21st intern. congress of Americanists*, The Hague 1924 336-43 ; *Notes on the Fox Language*, « IJAL » III 1924 219-32 ; *On the sound system of Central Algonquian*, « Lg » I 1925 130-56 ; *Menomini texts*, New York 1928 (Publ. American ethnol. soc. XII) ; *A note on sound change*, « Lg » IV 1928 99-100 ; *The Plains Cree language*, dans *Proceedings of the 22nd intern. Congress of Americanists*, Rome 1928 427-31 ; *Plains Cree texts*, New York 1934 (Publ. American ethnol. soc. XIV) ; *Menomini morphophonemics*, « TCLP » VIII 1939 105-15 ; *Outline of Ilocano syntax*, « Lg » XVIII 1942 193-200 ; *Algonquian*, dans *Ling. struct. of native America*, édité par H. Hoijer, « Viking fund publ. in anthrop. » VI 1946 85-129.

21. Sur certaines prises de position de L. BLOOMFIELD, cf. *Why a linguistic society*, « Lg » I 1925 1-5 ; *A set of postulates for the science of language*, « Lg » II 1926 153-64 (en italien dans T. BOLELLI, *Per una storia*, cit. 486-505) ; *On recent works in general linguistics*, « MPh » XXV 1927 221-30 ; *Linguistics as a science*, « SPh » XXVII 1930 553-57 ; *Linguistic aspects of science*, « Philosophy of science » II 1935 499-517 ; *Language or ideas ?*, « Lg » XII 1936 89-95 ; *Linguistic aspects of science*, dans *Intern. Encycl. Unif. Science* I : 4 1939 (dans l'édition en volume Chicago 1955 215-77) ; *Ideas and idealists*, « Lg » XVII 1941 59 ; *Philosophical aspects of language*, dans *Studies... W. Gifford Leland*, Menasha Wisc. 1942 173-77 ; *Meaning*, « Monatshefte » XXXV 1943 101-6 ; *Secondary and tertiary responses to language*,

« Lg » XX 1944 45-55 ; *Twenty one years of the linguistic society*, « Lg » XXII
1946 1-3 ; A consulter aussi les articles sur Sapir « CW » XV 1922 142-43 ;
Jespersen « AJPh » XLIII 1922 370-73, et « JEGP » XXVI 1927 444-46 ;
Saussure « MLJ » VIII 1924 317-19 ; Kloeke « Lg » IV 1928 284-88 ; Ries
« Lg » VII 1931 204-9 ; Hermann «Lg» VIII 1932 220-33 ; Havers « Lg » X
1934 32-40 ; Bentley « Lg » XII 1936 137-41 ; Gray « MLF » XXIV 1939
198-99 ; Swadesh « Lg » XIX 1943 168-70 ; Bodmer « AS » XIX 1944 211-
213.

22. R. A. HALL JR., « ArchL » III 1951 110 ; B. BLOCH, dans « Lg » XXV
1949 88 le qualifie de « travail sans égal pour son exposé et sa synthèse de la
science linguistique ». En Italie, l'œuvre de Bloomfield est généralement
ignorée et condamnée de façon sommaire.

23. L'œuvre de Bloomfield est également importante dans le domaine de
la linguistique comparée, surtout pour les langues amerindiennes ; cf. sa « vérification » de la constance des lois phonétiques à propos de l'algonquin du
centre, dans « Lg » I 1925 130-56 ; « Lg » IV 1928 99-100 ; *Language* cit.
359-60 ; et sur ce sujet, E. SAPIR, *The concept of phonetic law as tested in
primitive languages by L. Bloomfield*, dans *Methods in social science. A case
book*, édité par S. A. Rice, Chicago 1931 297-306 (= *Selected writings* cit.
73-82) ; G. F. HOCKETT, *Implications of Bloomfield's Algonqian studies*,
« Lg » XXIV 1948 117-31 ; E. BENVENISTE, dans « CILP » XI 1954 35 ; cf.
aussi C. F. VOEGELIN, dans « Lg » XXXV 1959 109-25.

24. L. BLOOMFIELD, « Lg » XII 1936 93 note que « le non-linguiste oublie
toujours (à moins qu'il ne soit un physicien) que le locuteur produit un bruit,
il lui octroie au contraire des « idées » impalpables. Le linguiste doit démontrer de façon détaillée que le locuteur n'a pas « d'idées » et que le « bruit »
suffit pour que ses mots agissent comme une gachette sur le système nerveux
de l'entourage dans la communauté linguistique. »

25. Cf. J. B. WATSON, *Behaviorism*, Chicago 1924.

26. Cf. A. P. WEISS, *Linguistics and psychology*, « Lg » I 1 1925 52-57 ;
ID., *A theoretical basis of human behavior*, Colombus Ohio 1925 (et 1929 ²) ;
cf. « Lg » IV 1928 33-38.

27. Cf. L. BLOOMFIELD, dans « Lg » VII 1931 219-21 ; « Lg » XII 1936
89-95 ; pour les développements successifs cf. M. SCHLAUCH, *Early beha-
viorist psychology an contemporary linguistics*, « Word » II 1946 25-36 ; cf.
maintenant J. J. KATZ, *Mentalism in linguistics*, « Lg » XL 1964 124-37.
Cf. aussi P. K. ALKON, *Behaviourism and linguistics : an historical note*,
« L & S » II 1959 37-51.

28. L. BLOOMFIELD, *Linguistic aspects of science*, dans *Intern. Encycl.* cit.
231.

29. Cf. ID., *Language*, cit. 78, 128, 137-38, 161-62 ; ID., *Meaning* cit. ;
Bloomfield se plaignait dans une lettre du fait qu'on lui attribuait, à tort,
le propos « d'étudier la langue sans le signifié » ; cf. C. C. FRIES, dans « Lg »
XXX 1954 59 et ID., dans *Trends...* 1961 cit. 215.

30. L. BLOOMFIELD, *Language* cit. 264 et suite : « les traits significatifs
de signalisation linguistique » sont de deux types : les formes lexicales formés par les phonèmes, et les formes grammaticales formées par les taxèmes.
Leur parallélisme peut être figuré par un schéma :

		lexicale	grammaticale
unité minimale privée de si- gnifié :	fémème	phonème	taxème
unité minimale avec signifié :	glossème	morphème	tagmème
signifiés de telle unité :	noème	sémème	épisémème
unité avec signifié (unité minime ou complexe)	forme linguistique	forme lexicale	forme grammaticale

31. Cf. la description des phonèmes anglais dans *Language* cit. 129-38.

la fonction « fatique », dont avait parlé Malinowski, centrée
sur le canal de la communication (fonction représentée par
exemple par *oui*... ou par *hm*... dits au téléphone uniquement
pour faire comprendre que l'on écoute, que l'on est encore là,
que la communication n'est pas coupée), la fonction métalinguistique, centrée sur le code, et enfin, la fonction poétique,
centrée sur le message (c'est alors que l'étude de la poésie aura
recours à une critique « formelle », « stylistique », « linguistique »,
fondée sur l'examen de la structuration du message poétique).
Mais nous ne voulons nullement mettre l'accent ici sur l'activité de philologue et de critique littéraire de R. Jakobson, qui
s'est manifestée en des essais admirables sur des questions de
métrique, de critique textuelle, de stylistique, d'histoire littéraire [2] ; nous nous limiterons, au contraire, à quelques observations sur son activité plus proprement linguistique [3].

Né en 1896 à Moscou, il étudie à Moscou et à Prague, puis
enseigne à Moscou, à Brno, à Copenhague, à Oslo, à Uppsala,
à New York (à l'École Libre des Hautes Études et à la Colum-
bia University), à l'Université Harvard et au Massachusetts
Institute of Technology. Ces faits peuvent déjà constituer un
indice de l'ampleur de son activité et des influences diverses qu'il
exerça. Collègue de Troubetzkoy, plutôt que son héritier, il fut,
avec lui et Karcevsky, un des trois signataires des mémorables
thèses du Congrès de la Haye qui font de 1928 une des possibles
dates de naissance de la linguistique structurale en Europe
(une autre date pourrait être 1916, date de publication du *Cours*
de F. de Saussure). Le principal caractère de la personnalité
scientifique de Jakobson est l'originalité de l'intelligence (à
laquelle il joint ses très nombreux centres d'intérêt), qui lui a
permis de défricher de nombreux champs dans lesquels la
recherche se montrera, sur ses traces, particulièrement féconde ;
on est même allé jusqu'à lui reprocher un excès d'intelligence
grâce à laquelle il aurait mis son empreinte sur certaines directions de recherches, au moment de leur élaboration, en pré-
voyant et parfois en déterminant leur développement normal
par une prévision intuitive des conclusions qui, vu le manque

de données adéquates et de recherches systématiques et approfondies, ne pouvaient être entièrement satisfaisantes [4].

R. Jakobson fut le premier à affirmer de façon décisive l'importance de la phonologie diachronique. Alors que Troubetzkoy travaillait à l'élaboration de méthodes de description phonologique, Jakobson publiait déjà en 1929 ses *Observations* sur l'évolution phonologique en russe qu'il faisait précéder de notes générales sur la phonologie historique [5]. Schleicher, qui avait mis en valeur un sens interne fonctionnel dans le système linguistique, voyait dans l'évolution de la langue l'évolution du hasard aveugle [6] ; Saussure avait jugé nécessaire d'isoler nettement la synchronie de la diachronie, à cause du caractère asystématique et fortuit des changements linguistiques. Mais, déjà dans les *Thèses* de la Haye on avait affirmé que l'antinomie saussurienne devait être dépassée, et que l'histoire de la langue ne doit pas « se limiter à l'étude des changements isolés, mais doit tenter de les considérer en fonction du système qui les subit » [7]. Jakobson affirme maintenant avec encore plus de fermeté (en contradiction avec ce qui paraissait évident après Saussure : l'étude diachronique présuppose l'étude synchronique et la réciproque n'est pas vraie), que l'on ne peut pas avoir d'étude synchronique sans étude diachronique. Les changements entrent dans le système linguistique comme des tendances stylistiques (caractéristiques des jeunes et des vieux, par exemple, ou des modernistes et des conservateurs), en plus que comme un changement qui se présenterait dans le temps, dans la façon de parler d'un individu particulier [8]. Ces idées continuent à faire surface dans la pensée de Jakobson et sont petit à petit modifiées et affinées. La synchronie ne doit pas être conçue de façon statique mais de façon dynamique ; l'aspect synchronique d'un film, par exemple, n'est pas un photogramme, ou une série de photogrammes considérés séparément, mais la considération synchronique du film même, qui est par définition en mouvement, dynamique ; l'image imprimée sur une affiche est au contraire statique ; et si l'affiche reste exposée devant un cinéma pendant un an et subit des modifications

(elle pâlit, par exemple, ou se salit), rien n'empêche d'étudier
cette affiche d'une façon diachronique statique.

L'interprétation du changement ne doit pas être causale
mais téléologique : il faut chercher les causes finales des transformations [9]. On trouve une synthèse systématique de ces théories dans l'essai datant de 1931, *Prinzipien der Historischen
Phonologie*, dont une version française, remaniée par l'auteur,
se trouve en appendice de l'édition française des *Principes*
de Troubetzkoy [10]. Le changement phonique peut être non
chronologique, c'est-à-dire qu'il peut consister en un changement des variantes dans leur nombre et dans leurs rapports ;
le changement phonologique se produit, au contraire, par sauts,
il est réductible au rapport entre deux éléments A et B, il consiste en un passage du rapport A:B au rapport A1:B1. Il se
peut que *a*) un seul des deux rapports soit phonologique, *b*) qu'ils
le soient tous les deux ; nous aurons alors *a*1) déphonologisa-
tion, suppression d'une différence phonologique ; *a*2) phono-
logisation, formation d'une différence phonologique ; dans le
cas *b*) il s'agira de rephonologisation dans laquelle le changement pourra être *b*1) de corrélation à disjonction ; *b*2) de disjonction à corrélation ; *b*3) d'une corrélation à une autre. Un
autre genre de modification a trait non pas à l'inventaire des
phonèmes mais aux groupes de phonèmes.

Jakobson a consacré des études importantes à l'aphasie et
au langage infantile [11]. L'usage d'un signe linguistique a deux
aspects essentiels : celui de la COMBINAISON et celui de la SÉLEC-
TION, comparables aux deux aspects de la dichotomie saussurienne entre syntagmatique et paradigmatique. Mais Saussure,
en se basant sur le principe de la linéarité du signifiant, n'avait
pris en considération que l'ENCHAINEMENT, laissant de côté
l'autre variété de combinaison, la CONCURRENCE [12]. De façon
analogue, on peut interpréter le style en se basant sur deux
polarités essentielles, la polarité métaphorique (par ressemblance) et la polarité métonymique (par contiguïté) : la première est caractéristique de la poésie, du lyrisme, de la production de type romantique; la seconde est caractéristique de la

prose, de l'épopée, de la production de type réaliste. On peut
même grouper les troubles aphasiques en deux catégories fondamentales : celles de ressemblance (qui ont trait à la sélection
et à la substitution des termes, tandis que se maintient une
relative stabilité de combinaison, de cohérence contextuelle),
et celle de contiguïté (dans laquelle la sélection et la substitution sont relativement normales, tandis que la combinaison
est altérée). Pour Jakobson, il s'agit, dans tous ces cas, d'une
dichotomie fondamentale, caractéristique de chaque processus
symbolique. Du reste, le goût (également caractéristique de la
pensée saussurienne) pour les dichotomies, pour l'interprétation des phénomènes linguistiques en termes bipolaires, est un
trait fondamental de la pensée de Jakobson. Nous avons vu
qu'il polémique avec Saussure à propos du principe de la linéarité du signifiant ; il est clair pour lui que les éléments linguistiques peuvent être simultanés ; plus précisément, ce sont les
TRAITS DISTINCTIFS (qui en se présentant simultanément constituent le phonème) qui répondent à la définition saussurienne
« d'éléments différentiels », d'« entités oppositives ». Le point
caractéristique de la réflexion phonologique de Jakobson n'est
pas cependant l'analyse du phonème en traits distinctifs mais
plutôt le caractère BINAIRE de ceux-ci. Le phonème saussurien
n'est pas oppositif, il n'exige pas son opposé ; mais le trait dis-
tinctif oui : il est uniquement caractérisé par la présence ou par
l'absence d'une certaine qualité. On ne peut évidemment pas
négliger, en considérant l'élaboration de cette hypothèse, l'influence de la théorie de l'information [13], dans sa façon de mesurer l'information en choix binaires. Mais la formulation origi-
nelle de la théorie de Jakobson est autonome ; déjà au premier
Congrès des linguistes (proposition 22) on soulignait l'importance des corrélations en tant que séries d'oppositions binaires ;
et un progrès important vers la généralisation de l'hypothèse
binariste à toute la phonologie fut accompli en 1938 avec les
Observations sur le classement phonologique des consonnes [14].
Ainsi, de la même façon que les voyelles se classent sur la base
de l'opposition de termes contradictoires (présence/absence :

par exemple, voyelles longues et brèves) et contraires (maximum /minimum : par exemple voyelles graves et aiguës), les
consonnes peuvent également être différenciées par des oppositions binaires de ces deux types : les différences de lieu d'articulation (labiales, dentales, palatales, vélaires) peuvent se
réduire à deux oppositions de qualités phonologiques : antérieur /
postérieur et grave (avec un résonateur complet) /aigu (avec
un résonateur interrompu), comme on le voit sur le tableau
ci-dessous :

p	t	antérieures
k	č	postérieures
graves	aiguës	

On se dirige ainsi vers un type d'analyse unitaire dans laquelle
les voyelles et les consonnes sont classées selon les mêmes catégories. La formulation complète de la théorie est liée aux progrès techniques dans la reproduction oscillographique, à l'interprétation de ce que, avec un terme datant de Bell, on appelle
« visible speech » [15]. Grâce à ces progrès on produit le célèbre
rapport de 1952 [16], dans lequel on exposait la théorie, par la
suite plusieurs fois modifiée [17], que nous résumons ici selon la
formulation des *Fundamentals* de 1956. Il s'agit d'une théorie
phonologique générale visant à une classification unitaire des
voyelles et des consonnes dans un schéma universel, valable
pour n'importe quelle langue et donc précieuse pour des considérations typologiques. Les éléments linguistiques peuvent
être DISTINCTIFS, CONFIGURATIFS et EXPRESSIFS ; laissons
pour l'instant de côté les éléments expressifs ; les éléments
configuratifs peuvent être CULMINATIFS et DÉMARCATIFS et
sont utilisés pour marquer la division de l'énoncé en une hiérarchie variée d'unités. Ceux qui nous intéressent le plus sont
les traits distinctifs qui, se présentent simultanément en faisceaux, constituent les phonèmes. De la même façon que les
traits distinctifs sont réunis en groupes d'éléments simultanés,
les phonèmes s'enchaînent en séquences dont l'unité élémen-

taire est la syllabe, qui se fonde sur le contraste de traits plus ou moins prééminents (traditionnellement voyelles et consonnes). Les traits distinctifs se divisent en PROSODIQUES et INHÉRENTS ; les traits prosodiques sont de trois types (ton, force et quantité) et à ce qu'il semble sont limités aux phonèmes qui forment le sommet d'une syllabe ; ils peuvent être intrasyllabiques (un point dans le sommet d'une syllabe est comparé à d'autres points du sommet ou de la PENTE de la même syllabe), ou intersyllabiques (un sommet est comparé à un autre sommet dans des syllabes différentes). Les traits prosodiques ont une caractéristique qui les distingue des traits inhérents : ils résultent des termes polaires, chacun d'eux peut se trouver dans la même position, dans la séquence, que celle dans laquelle se trouve son opposé (ils sont donc des termes du code, ils sont en opposition), mais la reconnaissance d'un des termes dépend de la présence de son opposé dans la même séquence (il s'agit donc aussi de termes du message, qui se trouve dans un rapport de contraste). Aucun contraste dans le contexte n'est au contraire requis pour les traits inhérents qui sont uniquement mis en évidence grâce à leur opposition à d'autres traits inhérents appartenant au code, mais pas nécessairement au message en question. Par exemple, en français, *fin* se distingue de *vin* parce que /f/ se distingue de /v/, sans qu'il doive pour cela y avoir dans le message où apparaît /f/ également un /v/. Au contraire, en italien, *fini* (*les buts*) se distingue de *finì* (*il finit*) d'une façon différente : la syllabe accentuée *fi-* de *fini* se distingue de la syllabe inaccentuée *fi-* de *finì* uniquement grâce à la confrontation avec une syllabe inaccentuée voisine : pour comprendre que le *fi-* de *fini* est accentué il faut l'entendre en conjonction avec le *-ni* successif inaccentué. Jusqu'ici, nous restons approximativement dans le cadre de la phonologie troubetzkoienne que nous avons déjà présentée. La principale nouveauté est que Jakobson réduit les traits distinctifs inhérents à douze oppositions binaires de validité universelle, parmi lesquelles chaque langue fait, pour ainsi dire, un choix en composant ses propres phonèmes des traits qu'elle tire d'un tel inventaire

général. Les 12 oppositions peuvent se diviser en deux groupes :
les neuf premiers traits sont des traits de sonorité, les trois
derniers sont des traits de tonalité ; pour chaque opposition on
peut fournir une description acoustique ou articulatoire, et
le choix de l'étiquette à donner à l'opposition est bien sûr arbitraire. Nous faisons suivre ici les différentes étiquettes de l'indication (nécessairement approximative) de chaque qualité
acoustique et articulatoire entrant en jeu, ou des termes traditionnels.

1) vocalique /non vocalique (présence /absence d'une
   unique source périodique qui n'a pas un début brusque
   – voyelles et liquides /consonnes et semi-consonnes).

2) consonantique /non consonantique (présence /absence
   de « zéros » à travers tout le spectre ; énergie d'ensemble
   majeure /mineure – consonnes et liquides /voyelles et
   semi-voyelles).

3) compact /diffus (présence /absence de la prédominance
   d'un formant dans une zone centrale du spectre ; avec
   ouverture à trompe /avec ouverture à résonateur de
   Helmholtz – voyelles ouvertes, consonnes vélaires et
   palatales /voyelles fermées, consonnes dentales et labiales).

4) tendu /lâche (diffusion de l'énergie dans le spectre et
   dans le temps majeure /mineure-tendue et forte /relâchée
   et douce).

5) voisé /non voisé (présence /absence de deux sources
   sonores, c'est-à-dire de la superposition d'une harmo-
   nique – sonore /sourde).

6) nasal /oral (réduction de certains formants, particulièrement le premier /introduction d'un formant nasal
   avec une énergie concentrée dans une zone restreinte
   – nasale /orale).

7) discontinu /continu (silence précédé ou suivi d'une
   diffusion d'énergie sur une large zone de fréquence /
   absence de transition nette entre le son et un tel silence – occlusive et affriquée /continue et constrictive).

8) strident /mat (irrégularité de la forme de l'onde sonore majeure /mineure − constructive labiodentale, sibilante, uvulaire et affriquée /constrictive bilabiale, interdentale, velaire et occlusive).

9) bloqué /non bloqué (finale plus /moins dure du son − glottalisée /non glottalisée).

10) grave /aigu (concentration de l'énergie dans les fréquences inférieures /supérieures du spectre − antérieure / postérieure).

11) bémolisé /non bémolisé (présence /absence d'une flexion vers le bas de certains (ou de tous les) formants − présence /absence de pharyngalisation, vélarisation, rétroflexion, labialisation, arrondissement).

12) diésé /non diésé (présence /absence d'un mouvement vers le haut du deuxième formant − présence /absence de palatalisation) [18].

Pour n'importe quelle langue l'inventaire et la définition des phonèmes résulteront d'un tableau avec la liste des douze oppositions et la liste des phonèmes, l'une en ordonnée et l'autre en abscisse : à chaque phonème correspond une colonne de 12 cases, une case pour chaque opposition ; et dans chaque case on mettra un + ou un — pour indiquer la présence ou l'absence des qualités en question, ou bien un zéro si l'opposition n'est pas pertinente [19]. On notera que cette classification est bien différente de celle purement « algébrique » de la glossématique : dans l'analyse binariste « nous nous occupons non seulement des problèmes de logique mais aussi de questions de faits » : les traits distinctifs binaires « sont intimement liés à la production physique des manifestations linguistiques [20] ». A la question : « Pourquoi n'y a-t-il que ces douze oppositions ? », les binaristes répondent qu'il s'agit d'une nécessité empirique : ces 12 oppositions sont nécessaires et suffisantes à la description phonologique de n'importe quelle langue connue par eux, et c'est aux contradicteurs qu'il revient de montrer qu'il y a des langues pour lesquelles cette liste n'est pas satisfaisante, ou bien qu'une

liste différente serait plus adéquate en termes de référence
valable pour n'importe quelle langue. Pourtant, pour Jakobson, la configuration phonologique pour laquelle on a une différenciation optima entre /p/ et /a/ est universelle, et en introduisant /t/ on obtient un triangle qui peut à son tour être subdivisé par l'introduction de /u/, /i/ et /k/, comme il apparaît
dans le schéma suivant :

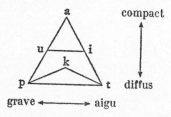

Ce sont les phonèmes qui sont acquis en premier durant l'en-
fance et qui sont perdus les derniers au cours des troubles aphasiques. On peut s'étonner de cette façon de parler des phonèmes
en général, sans que l'on sache à quelle langue de tels phonèmes
appartiennent, particulièrement si l'on se rappelle de l'affirmation de Martinet selon laquelle ce qui est intéressant dans une
langue, c'est ce qui la distingue des autres et non ce qui l'en
rapproche [21]. Halle, cherchant à défendre le binarisme contre les
critiques de Martinet, et s'efforçant de montrer comment la
liste que nous avons rapportée, avec ses 12 oppositions, représente une hypothèse de travail plus commode que celle de la
phonétique traditionnelle, déclare qu'une telle liste n'a pas été
proposée et acceptée d'une manière aprioriste, mais doit être
mise continuellement à l'épreuve des faits, dans la description
des langues particulières ; il s'agit fondamentalement d'un
« questionnaire » : en se basant sur la langue examinée on pourra
répondre « oui » ou « non » à certaines questions, mais le choix
de la question dépend de la nature du questionnaire et non de
la langue examinée. La théorie binariste n'est pas qu'un questionnaire particulier, un schéma de description, comparable

à différents autres (par exemple les notations de Jespersen, ou de Pike, ou de l'Association Phonétique Internationale) ; et, bien entendu, dans l'esprit des auteurs, il s'agit d'un schéma qui, comparé aux autres, se révèle plus satisfaisant [22]. Ceci ne suffit peut-être pas à tranquilliser le lecteur préoccupé par l'affirmation trop confiante selon laquelle l'hypothèse binariste permet de résoudre de façon positive les deux questions formulées par Y. R. Chao en 1934 et en 1954 : a) un système phonétique a une solution phonématique unique, celle qui se présente dans les termes de notre liste de douze oppositions binaires ; b) un tel système binaire n'est pas un principe analytique (une méthode de description), mais une caractéristique inhérente à la structure du langage [23]. Nous nous heurtons ici à un des plus grands problèmes repris de nos jours : la question des UNIVERSAUX, des caractères constants et valables pour n'importe quelle langue, n'a pas été abordée avec la rigueur qu'elle réclame. Mais ce n'est pas par hasard que se réclament de Jakobson, qui a enseigné aux États-Unis ces vingt dernières années, Chomsky, Halle et d'autres savants (particulièrement dans ce que les amateurs d'étiquettes appellent l'école du « MIT ») qui ont soulevé avec un renouveau d'intérêt la question (ancienne, certes, mais qui apparaît aujourd'hui sous un nouveau jour) de l'universalité des catégories linguistiques.

2. MARTINET.

Une autre figure importante dans le développement de la linguistique contemporaine est celle d'André Martinet. Germaniste de formation [24], il contribua à l'élaboration des théories du cercle de Prague et publia (pas uniquement dans les « Travaux ») des articles suggestifs sur des questions importantes comme celles de la neutralisation [25] et de la segmentation [26]. Il contribua à diffuser la connaissance de la phonologie par de lucides articles de synthèse critique [27] et par son enseignement à la première chaire de phonologie, créée en 1938 à l'École Pratique des Hautes-Études à Paris et à la chaire de linguis-

tique de la Sorbonne. Avant la Sorbonne, il enseigna à la Colum-
bia University, où il fut l'un des animateurs du Cercle de Linguistique de New York (une espèce de « filiale de New York de
l'École de Prague », comme l'écrit R. A. Hall Jr) [28] et l'un des
co-directeurs de son organe, « Word », auquel il donne dans les
premières années un caractère clairement identifiable. Il nous
faut aussi rappeler ici l'exposé critique qu'il consacra à la
glossématique [29], exposé qui représenta pendant de nombreuses
années la principale source de connaissance de cette théorie
pour beaucoup de linguistes non familiarisés avec le texte original de Hjelmslev.

Des centres d'intérêt de Martinet on peut extraire trois
filons essentiels qu'il a suivis de façon à ce qu'ils s'enrichissent
réciproquement : celui de la phonologie générale et descriptive,
celui de la phonologie diachronique et celui de la linguistique
générale. Dans ces trois domaines il a apporté un sens singulier
du concret, de l'adhérence aux données de l'expérience, de
respect pour la réalité linguistique plutôt que pour l'élégance
artificielle des théories qui voudraient la forcer à rentrer dans
des schémas préétablis. Dans ces trois domaines il a produit
des recherches importantes et originales, s'inspirant de la problématique de l'Ecole de Prague et appliquant ses méthodes
à des questions concrètes de grammaire historique et comparée [30].
Son œuvre peut aussi être considérée comme particulièrement
importante parce qu'elle se présente comme un élément de
suture et de raccord entre les différents secteurs sur lesquels
la linguistique s'est récemment heurtée : il peut s'adresser avec
autorité aux structuralistes comme aux tenants de la grammaire comparatiste traditionnelle ; une étude de Martinet a la
qualité, aujourd'hui de plus en plus rare, de pouvoir être assi-
milée avec profit par les premiers comme par les seconds.

En ce qui concerne les questions de phonologie générale,
le titre de deux conférences faites à Londres en 1946 est significatif : *Phonology as functional phonetics* [31]. La phonologie,
selon Martinet, doit interpréter les faits PHONÉTIQUES, qui constituent la réalité de base à laquelle doivent s'intéresser les

linguistes et non une des différentes réalisations possibles d'un système abstrait. L'étude phonologique doit cependant s'intéresser aux faits phonétiques d'un point de vue particulier, celui de la FONCTION LINGUISTIQUE des différences phoniques, de la façon dont elles sont utilisées dans le système linguistique et donc de leur RENDEMENT FONCTIONNEL. Il ne faut pas croire pour autant que la description phonologique [32] soit une description sommaire, partielle ou approximative : elle est au contraire parfaitement complète en ce qu'elle révèle tout ce qu'il est nécessaire de savoir du point de vue du linguiste. La linguistique fonctionnelle n'est pas une partie de la linguistique, elle est toute la linguistique.

Parmi les centres d'intérêt phonologiques de Martinet, la question de la diachronie [33] est très importante. Il cherche à dépasser la phase purement descriptive qui se limite à enregistrer phonologisations et déphonologisations, et veut fournir des EXPLICATIONS aux changements en se basant sur des principes généraux. L'antinomie qui peut être utilisée comme instrument essentiel d'interprétation est celle qui oppose les nécessités de la communication (exigence d'un nombre maximum d'unités qui soient les plus différentes possibles) à la tendance au moindre effort (exigence d'un nombre minimum d'unités les moins différentes possibles). On a alors une tendance à harmoniser ces deux exigences, interprétables pas tant au sens téléologique qu'au sens d'une tendance à l'ÉCONOMIE, à l'amélioration du rendement fonctionnel. Pourquoi toutes les langues n'arrivent-elles pas alors au même système phonologique parfait ? Parce que la tendance à l'économie ne peut jamais se réaliser parfaitement à cause de l'action « gênante » exercée, de façon différente dans les langues diverses, par un facteur spécifiquement phonétique : l'inertie et l'ASYMÉTRIE des organes phonatoires. Quant au choix entre l'économie syntagmatique (représenter des éléments unis comme des éléments uniques nouveaux) et l'économie paradigmatique (représenter un élément comme l'union — autrement inexistante — d'éléments déjà présents dans l'inventaire), le facteur déterminant en est la fréquence : le poids de l'économie syntagmatique par rapport à l'économie paradigmatique est d'autant plus important que l'élément est plus fréquent.

Ces critères d'interprétation, déjà énoncés avant 1940, reçoivent une systématisation d'ensemble dans l'ouvrage de 1955 qui s'intitule justement *Économie des changements phonétiques*[34]. Chaque unité de l'énoncé est soumise à deux pressions contraires : une pression dans la chaîne, exercée par les unités voisines et une pression dans le système, exercée par les unités qui auraient pu figurer à la même place syntagmatique. La première est une pression assimilatrice, la seconde est une pression dissimilatrice : /cou/ a un /k/ différent, à cause du /u/ qui le suit, du /k/ de /qui/. Mais, dans le système phonologique français, ces deux traitements du /k/ ne se distinguent pas, ils représentent une même unité. Naturellement, toutes les unités du système n'exercent pas leur pression sur un autre phonème, il ne s'agit que des phonèmes « voisins » d'un autre phonème, c'est-à-dire ceux qui entrent avec lui dans des rapports CORRÉLATIFS, dans ces faisceaux d'oppositions proportionnelles que nous appelons CORRÉLATIONS (cf. supra), formés par deux séries (présence et absence de la qualité corrélative) et par un certain numéro d'ORDRES. Si l'importance des pressions syntagmatiques avait été largement étudiée au cours du siècle passé, le poids des pressions paradigmatiques dans l'évolution phonologique n'a été revendiqué que par le structuralisme fonctionnel. De la même façon que sur le plan paradigmatique se présentent certaines oppositions, sur le plan syntagmatique également les contrastes les plus marqués sont favorisés (ceux du type occlusive + voyelle), de telle sorte que l'on puisse énoncer un principe de DIFFÉRENCIATION MAXIMUM par lequel un système évolue jusqu'à ce que s'institue l'ÉQUIDISTANCE entre ses phonèmes, c'est-à-dire jusqu'à ce que l'on ait l'utilisation la meilleure de l'espace phonétique dont on dispose. Si une langue n'a que trois voyelles, celles-ci tendront à être [i], [u], [a], plutôt que par exemple [e], [ɛ], [a], ou [i], [e], [a], etc... Les variations, accidentelles ou condition-

nées, sont repoussées si elles peuvent amener à confondre deux
phonèmes, mais elles sont acceptées si elles peuvent amener
une meilleure différenciation entre eux. Le RENDEMENT FONC-
TIONNEL a une influence sur l'évolution : une opposition qui a
été peu exploitée disparaîtra plus facilement qu'une opposition très utilisée.

D'autre part, nous savons que l'analyse des phonèmes en
traits pertinents nous révèle l'existence des corrélations et
qu'un phonème INTÉGRÉ dans un faisceau sera relativement
stable, tandis qu'un phonème non intégré sera plus instable.
Une CASE VIDE dans une corrélation tendra à se remplir.

L'intégration complète (nombre maximum de phonèmes
construit avec un nombre minimum de traits distinctifs, système parfait donc, et que nous n'aurions aucune raison de
changer) ne s'obtient jamais, comme nous l'avons vu, d'une
part à cause de l'exigence de mettre en contact dans la chaîne
des unités différentes (comme voyelles et consonnes), d'autre
part à cause de l'ASYMÉTRIE des organes phonatoires, qui rend
phonétiquement difficiles ou impossibles certaines combinaisons de traits pertinents qui seraient, du point de vue abstrait
de la régularité du tableau, parfaitement acceptables : la distinction entre antérieure et postérieure, ou entre arrondie et
non-arrondie, est facile pour les voyelles hautes [i], [u], mais
difficile pour les voyelles basses comme [a] ; et en effet les
langues qui distinguent entre [i] et [u] sont beaucoup plus
nombreuses que celles qui distinguent entre [a] et [ɑ]. Naturellement, Martinet nous invite à rechercher, en premier lieu, les
causes INTERNES, les causes à l'intérieur du système, pour
chaque changement ; mais il n'oublie pas que ces interprétations sont souvent tautologiques (descriptives plus qu'expli-
catives) et que surtout, elles n'illustrent pas de l'intérieur du
système, le rythme des changements ou, si l'on veut, la spécifi-
cité historique des changements particuliers : pourquoi est-ce
qu'une case restée vide durant des siècles se remplit à un moment déterminé ? Ici interviennent naturellement des explications externes (surtout des nouveautés introduites pour des

raisons expressives ou par emprunt : plusieurs linguistes, surtout en Italie, voudraient limiter l'étude exclusivement à ces deux
facteurs ; le premier devrait expliquer l'origine de chaque
changement, et le second devrait en expliquer la diffusion).
Mais de telles explications externes, justement parce qu'elles
sont externes, cessent d'être spécifiquement linguistiques, et
rentrent dans le domaine de la recherche historique générale.

Martinet s'occupe aussi du rapport entre la phonologie et
les autres aspects de la linguistique, et des questions propres à
la linguistique générale. Une de ses contributions les plus
brillantes en ce domaine est constituée par la notion de DOUBLE
ARTICULATION [35]. L'énoncé linguistique est soumis à une première articulation en monèmes et à une seconde articulation
en phonèmes. La première a lieu autant sur le plan de l'expression que sur le plan du contenu (c'est une articulation grâce
à laquelle un nombre indéfini d'énoncés est possible sur la base
d'un inventaire limité à quelques milliers de monèmes différents) ; la seconde articulation ne concerne que le plan de l'expression : les milliers de signifiants différents de monèmes sont
formés à l'aide d'un inventaire de quelques dizaines de phonèmes. Martinet ne considère pas qu'il soit nécessaire d'introduire une troisième articulation qui permettrait d'identifier
les phonèmes sur la base d'un inventaire très limité (environ
une dizaine) de traits pertinents. Par ailleurs, il ne refuse pas,
bien entendu, la notion de traits pertinents, qui a au contraire une place importante dans son analyse phonologique,
mais il refuse seulement l'interprétation binariste des traits
pertinents [36].

Durant ces dernières années, Martinet a aussi appliqué son
analyse fonctionnelle au champ de la syntaxe [37], et il a élaboré,
en d'heureuses synthèses, sa vision complète de la linguistique
générale dans les limpides *Éléments de Linguistique Générale* [38],
et dans *A Functional View of Language* [39]. Nous trouvons là,
soulignée avec clarté, la distinction entre monèmes FONCTION-
NELS (comme les prépositions ou les cas qui sont connectifs,
centrifuges : ils indiquent le rapport entre un élément et le

reste de l'énoncé) et les modificateurs ou MODALITÉ (comme
le nombre, l'article, qui sont centripètes : ils indiquent la valeur
de l'élément auquel ils se réfèrent, par exemple singulier ou
pluriel, défini ou indéfini) [40]. De la même façon que pour la
syntaxe, Martinet souligne ici le fait que le problème central
est celui de la FONCTION, en tant que distincte de la forme, et
il complète ainsi cette vision fonctionnelle des phénomènes
linguistiques que nous avons considérée comme une caractéristique de la tradition de Prague, en opposition à la conception
formaliste et structuraliste de la linguistique américaine [41].
On étudie la fonction de la langue (la communication, par essence), et les fonctions des éléments linguistiques, plutôt que
le fait qu'ils constituent une structure ; et on souligne ainsi
la différence entre la langue et les autres systèmes symboliques
artificiels, qui peuvent à l'occasion être structurés d'une manière analogue à la langue, mais ne peuvent en fait exercer
les mêmes fonctions que la langue. Ceci ne doit pas pour autant
laisser penser que les deux conceptions sont inconciliables :
pour Martinet, la vision structurale est le complément logique
de la vision fonctionnelle, et l'étiquette que nous avons utilisée
sert seulement à suggérer la primauté de certains intérêts sur
d'autres.

3. DIFFÉRENTES TENDANCES EUROPÉENNES.

Nous ne pouvons pas traiter ici de façon adéquate de toutes
les positions linguistiques qui, d'une façon ou d'une autre, se
réclament, en Europe, des conceptions structuralistes (pas
nécessairement fonctionnalistes et pas nécessairement en rapport direct avec la tradition de l'École de Prague). Il faudrait
prendre en considération les éléments implicitement structuralistes d'une grande partie de la linguistique traditionnelle [42],
et les positions de plusieurs linguistes qui, bien que ne se définissant pas comme structuralistes, ont de fécondes discussions
avec les courants structuralistes, ainsi que des auteurs explicitement structuralistes, qui pour des raisons diverses restent
en dehors de cet exposé [43].

L'influence exercée par Saussure est immense ; outre l'École
de Genève (avec la tentative d'élaborer une linguistique de la
parole, et une stylistique de la langue qui n'est pas assez éloi-
gnée de la stylistique idéaliste pour rendre le dialogue impossible), nous avons l'École française sur laquelle l'enseignement
parisien de Saussure (de 1880 à 1889 et en 1890-91) [44] n'a pas
cessé d'agir, chez Meillet [45], et à travers le grand Meillet chez
plusieurs linguistes français contemporains. Il suffit de rappeler l'œuvre géniale de Benveniste dans laquelle une lucide postulation systématique porte à voir (même dans les problèmes
compliqués de grammaire comparée indo-européenne dont il est
un maître incontesté) le simple derrière le complexe, l'ordre
derrière la confusion, la norme derrière l'irrégularité [46]. Et,
dans les études indo-européennes, il faut aussi rappeler le
Polonais J. Kurylowicz [47], qui occupe une position originale
et éclectique entre l'École de Prague et celle de Copenhague
et a approfondi sa conception du parallélisme entre structure
grammaticale et structure phonologique. D'une importance
notable sont aussi les écoles phonologiques russes, datant de
Fortunatov et de la féconde influence de Baudouin de Courtenay : celle de Leningrad, fondée par L. V. Ščerba [48], qui
insiste sur la notion de phonème comme classe de sons, et celle
de Moscou, avec Jakovlev, Reformatskij et d'autres [49], qui
insiste sur les alternances morphophonématiques (les deux
tendances sont donc comparables respectivement à celles de
Bloomfield et de Sapir aux États-Unis) ; la théorie élaborée
par Avanesov vise à une synthèse des deux tendances [50].

Bien que notablement éloignées de l'École de Prague, nous
pouvons rappeler les tendances structuralistes diverses comme
celles de G. Guillaume [51], dans lesquelles, parmi beaucoup
d'obscurités pseudo-philosophiques, on trouve des intuitions
de grand intérêt ; ou comme celles de la pensée linguistique
anglaise avec la phonologie de D. Jones [52], et avec l'École de
Firth qui enseigna dans la première chaire anglaise de linguistique générale à la School of Oriental and African Studies de
l'Université de Londres [53], et qui élabora une doctrine linguis-

tique originale, particulièrement en ce qui concerne le signifié
(avec la notion de contexte situationnel) et l'analye phonologique (avec la notion de prosodie et d'analyse polysystéma-
tique) [54].

4. HALLIDAY.

Parmi les différentes positions se réclamant de Firth, se
constitua un groupe qui fut appelé néofirthien et dont la position fut exposée récemment par Halliday [55], brillant sinologue
et linguiste distingué. Nous consacrerons un bref exposé à la
théorie de Halliday qui représente une des élaborations les
plus intéressantes de la linguistique structurale contemporaine [56]. La description linguistique consiste à lier les faits
linguistiques (le texte) aux catégories théoriques, à travers
différents rapports d'abstraction, et de la manière établie par
la théorie même. La description peut donc être considérée
comme un calcul au sens hjelmslevien du terme. D'un côté, les
généralisations et les hypothèses avec lesquelles on est arrivé
à la construction de la théorie, et de l'autre les processus par
lesquels on découvre comment les faits linguistiques particuliers sont décrits, sont des phénomènes intuitifs qui ne sont pas
sujets à formulations rigoureuses, et restent de toute façon en
dehors de la description proprement dite.

L'activité linguistique est considérée sous trois aspects,
selon trois types d'organisation : matérielle, structurale, contextuelle ; parallèlement, on distingue trois NIVEAUX : SUB-
STANCE (phonique et graphique) ; FORME (subdivisée à son
tour en deux niveaux : grammaire et lexique), qui consiste en
l'organisation de la substance en événements significatifs, dans
la structuration interne ; et CONTEXTE, qui est à proprement
parler un inter-niveau pour lequel la forme entre en rapport
avec des facteurs extratextuels, c'est-à-dire d'autres données
linguistiques qui ne sont pas celles que l'on examine au cours
de la description, ou des traits non linguistiques des situations
dans lesquelles la langue est utilisée.

Cette théorie linguistique est parfois considérée comme celle des « catégories » et des « échelles », parce qu'elle est caractérisée par l'utilisation de trois échelles d'abstraction : RANG, EXPOSANT et DÉLICATESSE, et au niveau de la grammaire, par quatre catégories théoriques fondamentales : UNITÉ, STRUCTURE, CLASSE et SYSTÈME. Naturellement, ces catégories ne sont pas définissables suivant la manière lexicographique habituelle : elles se présupposent l'une l'autre et chacune a un rapport de réciprocité présupposée avec la théorie complète. Ces catégories sont théoriques et non descriptives : c'est-à-dire qu'elles appartiennent à la théorie linguistique (qui est universelle) et pas à la description de langues particulières ; des catégories au contraire, comme la période, la phrase (unité), le verbe, le nom (classe), le sujet, le complément (élément de structure), etc... sont descriptives, elles appartiennent à la description de langues particulières, mais pas nécessairement à la description de chaque langue ou de n'importe quelle langue : ce sont des EXEMPLES de catégories théoriques.

Si quelqu'un lui demandait pourquoi il n'y a que ces quatre catégories et non pas trois ou cinq, Halliday répondrait qu'il en est ainsi parce que telle est la nature du langage : ces quatre catégories sont pour lui les catégories nécessaires à une théorie qui veut fournir l'échafaudage conceptuel nécessaire pour décrire de façon satisfaisante n'importe quelle langue. Les quatre catégories correspondent à quatre aspects différents d'organisation formelle. Aux différents morceaux de la chaîne linguistique qui sont porteurs de configuration correspond l'UNITÉ ; aux répétitions ordonnées d'événements semblables qui constituent la configuration correspond la STRUCTURE ; au groupement d'événements semblables suivant leur aspect dans certaines configurations correspond la CLASSE ; à la présentation d'un événement plutôt que d'un autre parmi un certain nombre d'événements possibles correspond le SYSTÈME.

L'unité est donc la catégorie qui rend compte du morceau de chaîne porteur de configurations grammaticales, des choix grammaticaux. Elle est constituée de façon comparable à celle des boîtes chinoises, mais unidimensionnellement : chaque unité est formée par une ou plusieurs unités immédiatement inférieures ; le rapport hiérarchique entre les différentes unités est un rapport de RANG, les unités sont posées le long d'une ÉCHELLE DE RANG. Pour la description de l'anglais, il faut au moins cinq unités, c'est-à-dire, en partant de la « plus haute » : période, proposition, groupe ou phrase, mot, morphème. Le long de l'échelle de rang on peut avoir un DÉPLACEMENT DE RANG quand une unité fonctionne non pas dans la structure immédiatement supérieure mais dans celle qui lui est propre ou qui lui est inférieure. Par exemple, dans *Where I live it always rains,* nous avons une période avec deux propositions ; mais dans *The house where I live is very damp* nous avons une période avec une seule proposition, et la « proposition » *where I live* est déplacée de rang et opère à l'intérieur de la structure du groupe *The house where I live.*

La STRUCTURE concerne l'organisation des éléments ordonnés en LIEUX déterminés, les différentes façons selon lesquelles une OCCURRENCE d'une unité peut être constituée par des occurrences d'unités inférieures ; seules, certaines combinaisons sont admises. La structure est toujours structure d'une certaine unité, et chaque LIEU structural est le lieu dans lequel opère un membre de l'unité inférieure ; les lieux sont uniquement caractérisés par l'ORDRE (notons que l'ordre est une dimension différente de la séquence, de la progression linéaire : la séquence n'est qu'une des différentes façons d'EXPOSER la structure). Les différentes valeurs de l'UNITÉ s'expliquent en termes d'éléments de structure : en anglais, par exemple, sujet et complément dans la structure de la proposition. L'unité la plus « petite » (ou mieux, puisqu'il ne s'agit pas de mesure de surface, « de rang minime ») par définition n'a pas de structure, n'est pas constituée par des éléments identifiables au niveau de la grammaire : ceci est valable en anglais pour le morphème. Il serait erroné de croire que l'analyse phonologique est une continuation de l'analyse grammaticale, à la recherche d'unités inférieures au morphème. En réalité, il s'agit d'abstractions

différentes ; les EXPOSANTS des unités phonologiques (qui sont
au nombre de quatre en anglais, ordonnées suivant une échelle
de rang : groupe tonal, pied, syllabe, phonème) ne sont pas
« plus petits » que ceux des unités grammaticales (ils peuvent
être « plus grands », comme l'on s'en rend compte en comparant
un groupe tonal et un morphème, ou mieux, leurs exposants),
mais d'un genre différent.

L'ÉLÉMENT DE STRUCTURE implique un choix, avec deux aspects : les choses entre lesquelles on peut choisir et celles entre
lesquelles on ne peut pas choisir ; par exemple, en anglais,
pour l'élément de structure « sujet » dans (la structure de la
« proposition »), nous pouvons choisir un groupe nominal singulier ou un groupe nominal pluriel, mais pas un groupe verbal.
Les choses parmi lesquelles on peut choisir constituent la
CLASSE, c'est-à-dire un ensemble de données (appartenant à la
même UNITÉ) dotées des mêmes possibilités d'opération dans la
structure de l'unité supérieure ; par exemple, la classe « nom »
(de l'unité « mot ») est la classe des mots qui opèrent comme
« chefs » dans un groupe nominal. Une classe est toujours une
classe (de membres) d'une unité donnée, elle est définie par
rapport à la structure de l'unité supérieure : la structure à son
tour est définie par rapport aux classes de l'unité inférieure.
"Classe" n'est donc jamais pris ici au sens de regroupement de
membres d'une certaine unité qui soient semblables dans leur
propre structure : de tels groupements, qui seraient traditionnellement une classe morphologique, sont appelés " paradigmes ".
Le terme " classe " est réservé aux classes syntaxiques. La structure, comme nous l'avons déjà vu, peut être exposée non pas
par la séquence mais par la classe (c'est-à-dire qu'elle peut
avoir la classe comme exposant) : ceci arrive par exemple dans
une langue où le sujet est identifié avec le groupe nominal qui
appartient à la classe « nominatif ». Mais il est fondamental
de bien faire la distinction entre CLASSE et STRUCTURE. Dans
I met him, *met* est un groupe (UNITÉ), qui appartient à la CLASSE
verbale. C'est un exemple de prédicat, exposant d'un ÉLÉMENT
DE STRUCTURE de la structure de la proposition. En d'autres

termes, la distinction traditionnelle entre forme et fonction dépend du point de vue : *met* comme groupe verbal appartient à une classe (définissable suivant la fonction du groupe), et comme prédicat c'est un élément de structure (définissable suivant la forme de la proposition).

Lorsqu'il y a choix entre quelques possibilités fixes, ces possibilités sont TERMES d'un SYSTÈME. De tels termes peuvent ne pas être des entités mais des classes (qui sont des ABSTRACTIONS issues d'entités formelles et non des listes d'entités formelles), dont les entités formelles sont les exposants. Le système est, par définition, fermé, c'est-à-dire agencé de façon telle que *a*) le nombre des termes est fini, *b*) chaque terme exclut tous les autres, *c*) l'adjonction d'un nouveau terme change la signification de tous les autres. Nous trouvons ici la distinction essentielle entre grammaire et lexique : la grammaire est le domaine des choix fermés, le lexique le domaine des choix ouverts. Les entités purement grammaticales fonctionnent seulement à l'intérieur d'un système fermé, et peuvent se définir de façon négative en plus de la définition positive : -*s* en anglais est « pluriel » ou aussi « non-singulier ». Les entités lexicales ne peuvent se définir de façon négative : *chaise* ne peut pas être définie comme « non-table », « non-divan »... ; mais dans la mesure où l'entité chaise est considérée comme un exemple, un exposant de la catégorie « nom », elle est un terme dans un système.

Entre grammaire et lexique, il n'y a pourtant pas une coupure nette, mais une différenciation graduelle : par exemple, en français, *de, à, par, pour, sur*..., ou bien *souvent, jamais, toujours, parfois*..., se trouvent en position intermédiaire.

Les entités lexicales (et nous ne dirons pas « mots », car le mot est une unité grammaticale et non pas lexicale) sont donc celles qui sont l'objet de choix DIFFÉRENTS des choix grammaticaux. Dans le lexique il n'existe pas une échelle de rang, ni une hiérarchie d'unités. Mais la CLASSE constitue le pont entre la grammaire et le lexique, vu que plusieurs classes grammaticales sont constituées par des entités qui ne peuvent être décrites

de façon exhaustive dans la grammaire et doivent être traitées
pour cela comme des entités lexicales. Les deux catégories
fondamentales pour le lexique sont : l'ENSEMBLE et l'EMPLACE-
MENT. Si, sur le plan du CHOIX (paradigmatique), au système
(fermé) grammatical correspond l'ENSEMBLE (ouvert) lexical,
sur le plan de la CHAÎNE (syntagmatique), à la structure grammaticale correspond l'EMPLACEMENT lexical. L'emplacement
peut être considéré comme une tendance à la co-occurrence, la
probabilité que, à une certaine distance d'une certaine entité
lexicale, se trouvent certaines autres entités lexicales. C'est
justement sur la base de cas caractéristiques d'emplacement
que les entités peuvent être réunies en ensembles ; c'est-à-dire
en groupements ouverts d'entités qui ont certains emplacements
en commun. L'étude du lexique doit rendre compte de la « probabilité » de *wingless green insects* par rapport à « l'improbabi-
lité » de *colourless green ideas* par exemple. Il s'agit de distinguer grammaire et lexique, et donc non-grammatical de non-
lexical, sans penser que ce qui n'est pas grammatical doive
nécessairement être non formel : *colourless green ideas sleep
furiously* n'est pas avant tout non-grammatical mais non-lexi-
cal ; et l'idée que la grammaire, à l'exclusion du lexique, soit
l'unique domaine de la linguistique formelle, écrit Halliday en
polémiquant avec Chomsky, auteur de cet exemple désormais
célèbre, « might be described as a colourless green idea that
sleeps furiously between the sheets of linguistic theory, pre-
venting the bed from being made » [57].

Les trois échelles d'abstraction doivent être tenues bien distinctes. Nous avons déjà mis l'accent sur le RANG en parlant
de l'UNITÉ ; l'EXPOSANT est l'échelle qui établit un rapport entre
catégories et données, en dernière analyse avec les entités formelles qui, à leur tour, sont exposées par la substance : un
événement général est « extrait » de beaucoup d'événements
particuliers semblables. Mais il est utile de distinguer les différents grades d'exposants : la réalisation (dans la forme) et la
manifestation (dans la substance). La DÉLICATESSE est une
échelle le long de laquelle on situe la richesse des détails, l'ap-

profondissement ; on a par exemple, en anglais, des structures primaires de propositions (sujet, prédicat, complément,
adjonction), et des structures secondaires (qui appartiennent
à la même unité, pas à l'unité inférieure) identifiables sur la
base de distinctions plus délicates, en restant au même rang.
Les structures primaires de groupe (chef, modificateur, quali-
ficateur) ont d'autre part la même délicatesse que les structures
primaires de propositions, mais se trouvent à un rang différent.

NOTES DU CHAPITRE VI

1. Pour l'école de Prague en une période plus récente, voir l'excellente
synthèse, avec une riche bibliographie, de P. L. GARVIN, *Czechoslovakia*,
dans *Soviet and East European Linguistics*, vol. I de *Currents trends*, cit.
499-522 ; et *Travaux linguistiques de l'école de Prague*, I : *L'école de Prague
aujourd'hui*, Prague, 1964 ; on pourra se faire une idée de la continuité de
l'école de Prague en Tchécoslovaquie, avec l'œuvre de linguistes tels que
V. Mathesius (mort en 1945), B. Havránek, K. Horálek, V. Skalička, B.
Trnka, J. Vachek, et plus récemment avec les contributions de J. Firbas,
E. Beneš, et beaucoup d'autres. Il faut rappeler ici les discussions autour de
la « aktuální členění větné », ou suivant l'expression en anglais du groupe
même de Mathesius, « functional sentence perspective » ; il ne faut pas oublier que c'est justement dans la tradition linguistique de Prague que l'on
trouve une insistance implicite sur la notion de FONCTION distincte du groupe
de structure. Nous ne pouvons nous étendre sur les autres tendances dans
lesquelles la notion de fonction a une place importance pourtant, de la tendance genevoise à celle de E. BUYSSENS, pour laquelle il est bon de consulter *La conception fonctionnelle des faits linguistiques* cit. ; *Les langages et le
discours. Essai de linguistique fonctionnelle dans le cadre de la sémiologie*,
Bruxelles 1943 ; *Linguistique historique*, Bruxelles-Paris 1965.

2. Il suffit ici de rappeler l'œuvre importante de R. JAKOBSON, *O češkom
stihe*, Berlin-Moskva 1923 ; pour les citations, les observations sur les fonctions cf. R. JAKOBSON, *Linguistics and poetics*, dans *Style in language*, édité
par T. A. Sebeok, New York-London 1960 350-77 ; un très large recueil de
Selected writings a été commencé par l'éditeur Mouton, La Haye ; le premier volume comprend (1962) *Phonological studies*, le quatrième (1966) *Sla-
vic epic studies* ; il existe un recueil d'essais en traduction française, édité
par N. RUWET, *Essais de linguistique générale*, Paris 1963.

3. Rappelons parmi les travaux que nous ne citerons pas dans les notes
suivantes, R. JAKOBSON, *Die Betonung und ihre Rolle in der Wort- und syn-
tagmaphonologie*, « TCLP » IV 1931 164-82 (= *Selected writings* cit. I 117-
36) ; *Ueber die Beschaffenheit der prosodidischen Gegensätze*, dans *Mélanges...*

van Ginneken, Paris 1937 25-34 (= *Selected Writings* cit. I 254-61) ; *On the correct presentation of phonemic problems*, « Symposium » V 1951 328-35 (= *Selected Writings* cit. I 435-42) ; *Typological studies and their contribution to historical comparative linguistics*, dans *Proceedings* cit. 17-25 du huitième Congrès de linguistique international (= *Selected Writings* cit. I 523-532) ; *Aspects of translation*, « Harvard studies in coparat. liter. » XXIII 1959 232-39 ; *Quest for the essence of language*, « Diogenes » 51 1965 21-37.

4. Cf. les critiques de A. Martinet sur la phonologie diachronique jakobsonienne (voir les indications bibliographiques au chap. VI, note 24 et suite) dans *Phon. synchr.* 53, *Économie* 45-46 ; *Manual* de Kaiser 273 ; les critiques sur les théories sur l'aphasie et sur le langage infantile dans *Économie* 150 ; les critiques sur l'hypothèse binariste dans « Lingua » I 1948 36 ; « BSL » 53 : I 1958 82-85 ; *Économie* 73-77 ; et récemment dans *Trubeckoj et le binarisme*, « WSlJb » XI 1964 37-41. A propos du binarisme il faut opposer les considérations de A. Martinet à celles de M. HALLE, *In defense of number two*, dans *Studies... Whatmough*, The Hague 1957 65-72.

5. R. JAKOBSON, « TCLP » II 1929 12 et suite (cf. *Selected writings* cit. I 7-117) ; cf. à ce sujet J. VAN GINNEKEN, *R. Jakobson pioneerr of diachronic phonology*, dans *For Roman Jakobson* cit. 573-581.

6. Cf. mes *Osservazioni sul termine di struttura* cit. 188-89.

7. R. JAKOBSON, dans *Actes*, cit. 84-86 du premier Congrès international de linguistique.

8. Sur ces observations générales (« TCLP » II 1929) R. Jakbobserv introduit une méthode de description linguistique en partant de l'(im)compatibilité et de l'(in)dissociabilité des éléments qui annonce le système de fonctions de la glossématique.

9. Cf. R. Jakobson, in N. S. TRUBECKOJ, *Principes* cit. 333 et suite ; et au sujet de la distinction à faire entre « synchronie » et « staticité » cf. « IJAL » Mem. VIII 1953 17-18.

10. R. JAKOBSON, dans « TCLP » IV 1931 247-67 ; et dans N. S. TRUBECKOJ, *Principes* cit. 315-36 (= *Selected writings* cit. I 202-20).

11. Cf. sur cet aspect W. LEOPOLD, *R. Jakobson and the study of child language*, dans *For Roman Jakobson* cit. 285-88 ; et maintenant G. FRANCESCATO, *Linguistica, psicologia e lo studio del linguaggio infantile*, « MALinc » XI 1965 327-405 ; cf. R. JAKOBSON, *Les lois phoniques du langage enfantin et leur place dans la phonologie générale*, dans les documents préparatoires pour le cinquième Congrès international de linguistique, *Résumés des comm.*, Bruxelles 1939 27 ; et en appendice à N. S. TRUBECKOJ, *Principes* cit. 367-79 (= *Selected writings* cit. I 317-27) ; et l'intéressant *Kindersprache, Aphasie, und allgemeine Lautgesetze*, Uppsala 1941 (= *Selected Writings* cit. I 328-401) ; *Two aspects of language and two types of aphasic disturbances*, dans R. JAKOBSON, M. HALLE, *Fundamentals of language*, 's-Gravenhage 1956 52-82.

12. Cf. R. JAKOBSON, *Fundamentals* cit. 8 et suite ; *Actes* cit. 5-18 du quatrième Congrès international de linguistique ; « TCLC » V 1949 205-213.

13. Cf. R. JAKOBSON « IJAL » Mem. 8 cit. 15 ; *Linguistics and communication theory*, dans *Structure of language and its mathematical aspects*, par Jakobson, « PSAM » XII 1961 245-52.

14. R. JAKOBSON, *Observations sur le classement phonologique des consonnes*, dans *Proceeding* cit. 34-41 du troisième Congrès international de phonétique (= *Selected Writings* cit. I 272-79) ; *On the identification of phonemic entities*, « TCLC » V 1949 205-13 (= *Selected writings* cit. I 418-25).

15. Cf. A. M. BELL, *Visible speech*, London 1867 ; Bell, professeur de
« diction » à Edimbourg et à Londres, s'installa par la suite en Amérique, où
il fonda l'école pour sourds-muets et fut professeur de physiologie de la voix
à Boston ; c'était le père de A. B. Bell, à qui l'on attribue l'invention du
téléphone. Bell, qui n'était pas linguiste, avait inventé et tenté en vain de
faire inaugurer par le gouvernement anglais (ce qu'il écrit à ce sujet est d'un
point de vue humain intéressant) un système de notation qui permettait de
reproduire avec une fidélité étonnante des énoncés dans n'importe quelle
langue, même d'une langue ignorée par le transcripteur. Ses rapports avec
J. A. Murray (qui fut rédacteur par la suite de NED), avec H. Sweet et l'école
phonétique anglaise, cf. J. R. FIRTH, *The English school of phonetics*, « TPhS »
1946 92-152 ; D. JONES, *The London school of phonetics*, « ZPhon » II 1948
127-135 ; E. DIETH, *Vademecum der Phonetik*, Bern 1950 5-18 ; K. W. AL-
BRIGHT, *The international phonetic alphabet and its backgrounds and development*, « IJAL » 24 : 1 part 3 1958 30-34. Il est intéressant que le « visible
speech » de Bell ait été une transcription strictement phonétique (et non phonématique), et que le « visible speech » moderne, issu des Bell Telephones
Laboratories, ait trahi les espoirs de ceux qui attendaient du spectrographe
la production d'une analyse phonématique. Cf. R. K. POTTER, G. A. KOPP,
H. C. GREEN, *Visible speech*, New York 1947 ; une présentation facile est
donnée par E. PULGRAM, *Introduction to the spectography of speech*, 's-Gravenhage 1964 ².

16. R. JAKOBSON, C. G. M. FANT, M. HALLE, *Preliminaries to speech analysis. The distinctive features and their correlates*, Cambridge Mass. 1964
(MIT Acoustics lab., Techn. Rep. N. 13 ; 1re édition 1952).

17. Cf. E. C. CHERRY, M. HALLE, R. JAKOBSON, *Toward the logical description of languages in their phonemic aspect*, « Lg » XXIX 1953 34-46 (= Se-
lected writings cit. I 449-63) ; M. HALLE, *The strategy of phonemics*, « Words »
X 1954 197-209 ; R. JAKOBSON, M. HALLE, *Phonology and phonetics*, dans
Fundamentals cit. 1-51 (ainsi que *Phonology in relation to phonetics*, dans
Manual of phonetics, édité par L. Kaiser, Amsterdam 1957 215-51) (= Se-
lected writings cit. I 464-504). Cf. aussi E. C. CHERRY, *R. J. 's' distinctive
features' as the normal co-ordinates of a language*, dans *For Roman Jakobson*
cit. 60-64 ; M. HALLE, *In defense* cit., Y. BAR-HILLEL, dans « *Words* » XIII
1957 323-35 ; G. UNGEHEUER, *Das logistiche Fundament binärer Phonem-
klassifikationen*, « SL » XIII 1959 69-97; P. Ivić, *Roman Jakobson and the
growth of phonology*, « Linguistics » 18 1965 35-78.

18. Les termes anglais sont 1) vocalic /non vocalic ; 2) consonantal /non
consonantal ; 3) compact /diffuse ; 4) tense /lax ; 5) voiced /voiceless ; 6)
nasal /oral ; 7) discontinuous /continuant ; 8) strident /mellow ; 9) unche-
cked ; 10) grave /acute ; flat /plain ; 12) sharp /plain. Quant aux caracté-
risations phonétiques traditionnelles que l'on peut faire correspondre, cf.
HALLE, *In defence* cit.

19. Cf. les tableaux pour le serbo-croate (*On the identification* cit.), pour
le français (*Notes on the French phonemic pattern*, « Word » V 1949 151-58 =
Selected writings cit. I 426-34), pour le russe (*Toward the logical description*
cit. ; et M. HALLE, *The sound pattern of Russian*, The Hague 1959). On trouvera un panorama large et bien informé dans Z. MULJAČIC, *Opca fonologija
suvremenog talijanskog jezika*, Zagreb 1964.

20. « Lg » XXIX 1953 37-38.

21. Cf. par exemple A. MARTINET, *A functional view* (cit. au chap. VI,
note 39), p. VIII, 23 etc.

22. Cf. M. HALLE, *In defence* cit., « Word » XVIII 1962 54-72.

23. Cf. *Fundamentals* cit. 47 ; Y. R. CHAO, *The non-uniqueness of phonemic solutions of phonetics systems*, « BIHP » IV : 4 1934 363-397 ; ID., dans « RomPh » VIII 1954-55 40-46.

24. Son agrégation est en anglais ; ses deux thèses de doctorat sont consacrées à *La gémination consonantique d'origine expressive dans les langues germaniques*, Copenhague-Paris 1937, et *La phonologie du mot en danois*, Paris 1937 (aussi « BSL » 1937 fasc. 113 169-266). Cf. aussi *L'initiation pratique à l'anglais*, Lyon 1947, et la partie dédiée à la prononciation chez I. DE STEMANN, *Manuel de langue danoise*, Paris, 1949 ².

25. A. MARTINET, *Neutralisation et archiphonème*, « TCLP » VI 1936 46-57.

26. ID., *Un ou deux phonèmes ?*, « AL » I 1939 94-103.

27. ID., *La phonologie* cit. ; *Où en est la phonologie* cit.

28. R. A. HALL JR., dans « ArchL » III 1951 115.

29. A. MARTINET, *Au sujet* cit.

30. Cf. par ex. ID., *Linguistique structurale et grammaire comparée*, « TIL » I 1956 7-21 ; ID., *Les laryngales i-e*, dans *Proceedings* cit. 36-53 du huitième Congrès international de linguistique ; et les différentes contributions dans la seconde partie de l'*Économie* cit. au chap. VI, noté 34.

31. A. MARTINET, *Phonology as a functional phonetics*, Oxford 1949.

32. Cf. ID., *La prononciation du français contemporain. Témoignages recueillis en 1941 dans un camp d'officiers prisonniers*, Paris 1945 ; ID., *La description phonologique avec application au parler franco-provençal d'Hauteville (Savoie)*, Genève-Paris 1956.

33. Cf. ID., *Équilibre et instabilité des systèmes phonologiques*, dans *Proceedings* cit. 30-34 du troisième Congrès international de phonétique ; ID., *La phonologie synchronique et diachronique* cit. ; ID., *Rôle de la corrélation dans la phonologie diachronique*, « TCLP » VIII 1939 273-88 ; ID., *Où en est la phonologie* cit.; ID., préface à HAUDRICOURT, JUILLAND, *Essai* cit. ; ID., *Function, structure and sound change*, « Word » VIII 1952 1-32 ; ID., *Concerning the preservation of useful sound-features*, « Word » IX 1953 1-11 ; ID., *Phonetics an linguistic evolution*, dans *Manual de Kaiser* cit. 252-73 ; à consulter aussi *Miscelanea homenaje a André Martinet*, édité par D. Catalán Menéndez Pidal, Tenerife-Canarias 1957, avec le titre significatif de *Estructuralismo e historia*. Pour les informations bibliographiques générales cf. A. G. JUILLAND, *A bibliography of diachronic phonemics*, « Word » IX 1953 198-208. Observations intéressantes sur le rapport entre facteurs externes et facteurs internss dans le changement linguistique (par rapport au vocalisme indo-européen) in O. SZEMERÉNYI, *Structuralism and substratum. Indo-europeans and Aryans in the ancient Near East*, « Lingua » XIII 1964 1-29 (et cf. aussi W. S. ALLEN, « Lingua » XIII 1965 111-24).

34. A. MARTINET, *Économie de changements phonétiques*, « TCLC » V 1949 30-37 ; ID., *Arbitraire linguistique et double articulation*, « CFS » 15 1957 105-16.

35. ID., *La double articulation linguistique*, « TCLC » V 1949 30-37 ; ID., *Arbitraire linguistique et double articulation*, « CFS » 15 1957 105-16.

36. Parmi les autres travaux intéressants la linguistique générale cf. par exemple A. MARTINET, *Structural linguistics*, dans *Anthropology today*, édité par A. L. Kroeber, Chicago 1953 574-86 ; ID., *The unity of linguistics*, « Word » X 1954 121-25 ; ID., *Substance phonique et traits distinctifs*, « BSL » 53 : I 1957-58 72-85 ; ID., *Structural variation in language*, dans *Proceedings* cit.

521-29 du neuvième Congrès international de linguistique. On a maintenant
un important recueil de travaux anciens et nouveaux dans Id., *La linguistique synchronique. Études et recherches*, Paris 1965.

37. A. MARTINET, *Quelques traits généraux de la syntaxe*, « Free Univ.
Quarterly » 1959 fasc. 2 1-15 ; Id., *Elements of a functional syntax*, « Word »
XVI 1960 1-10 ; et aussi Id., *De la variété des unités significatives*, « Lingua »
XI 1962 280-88 ; Id., *The foundation of a functionnal syntax*, « GUMSL »
XVII 1964 25-36.

38. Id., *Éléments de linguistique générale*, Paris 1960 (cf. en italien « SSL »
II 1962 123-37) ; le texte est déjà traduit en allemand, russe, anglais, portu-
gais, espagnol ; la traduction italienne est publiée chez Laterza : *Elementi
di linguistica generale*, Bari, 1966.

39. Id., *A functional view of language*, Oxford 1962 ; le texte italien est
paru dans la collection de textes et études des éditions del Mulino : *La con-
siderazione funzionale del linguaggio*, Bologna 1965.

40. La classification se fait en quatre groupes : monèmes prédicatifs ;
monèmes autonomes ; monèmes non autonomes (parmi lesquels on trouve
les monèmes modificateurs) ; monèmes fonctionnels.

41. Pour la distinction entre fonctionnel et structural cf. A. MARTINET,
Où en est la phonologie cit. 39-40 ; Martinet oppose ses propres conceptions
fonctionnalistes aux conceptions structuralistes.

42. Cf. mes *Osservazioni sul termine di struttura* cit.

43. Nous n'abordons pas dans cet exposé la question intéressante de l'attitude des linguistes italiens devant les courants structuralistes ; la linguistique italienne semble, dans son ensemble, s'être tenue à l'écart de tels courants. L'étude des causes d'une telle attitude (qui comporte des exceptions
importantes) et de la façon dont elle a lieu, nous mènerait trop loin.

44. Cf. A. MEILLET, *Ferdinand de Saussure*, dans *Linguistique historique*
cit. ; E. PICHON, *La linguistique in France*, « JPsych » XXXIV 1937 25-48.

45. A. MEILLET, *La linguistique*, Paris 1957 7-8, écrit que Saussure dans
son enseignement éclairait « le côté systématique du langage », parce que
« toute langue est un système rigoureusement articulé », il ne cherchait pas
de vagues abstractions mais « les principes particuliers à une langue donnée
et qui permettent d'en comprendre l'économie ».

46. Rappelons l'extraordinaire lucidité des travaux recueillis dans E. BEN-
VENISTE, *Origines de la formation des noms en i-e.*, Paris 1935, et dans Id.,
Noms d'agent et noms d'action en i-e., Paris 1948, ainsi que plusieurs articles
et volumes successifs ; plusieurs essais importants sont aujourd'hui réunis
en volume. Id., *Problèmes de linguistique générale*, Paris 1966. Pour des
raisons différentes les travaux de L. TESNIÈRE, parmi lesquels nous rappelons *Éléments de syntaxe structurale*, Paris 1959, sont près du structuralisme, et l'on pourrait aussi rappeler les contributions de J. Fourquet, de
Haudricourt, Juilland, de G. Gougenheim, de A. Mirambel, et de beaucoup d'autres. Parmi les œuvres en langue espagnole nous devons citer
celles de M. Sanchez, Ruipérez, de E. Alarcos Llorach, de Coseriu ; parmi
les œuvres en allemand celles de H. Lausberg, de H. Lüdtke, de H. Weinrich, de P. Hartmann, de H. J. Seiler ; parmi les œuvres en polonais,
celles de W. Doroszewski ; parmi les œuvres yougoslaves celles de F.
Mikus, P. Guberma, M. et P. Ivić, Z. Mujcačič, P. Tekavćić ; parmi les
œuvres hongroises celles de J. von Laziczius. Tous ces noms, bien sûr, sont
cités seulement à titre d'exemples et pas pour fournir une bibliographie
exhaustive. Nous trouverons d'autres précisions bibliographiques dans la
deuxième partie de mes *Aspetti teorici* cit. à la note 5, 46 et suite.

154

LA LINGUISTIQUE FONCTIONNELLE

47. Voir les essais théoriques recueillis dans J. KURYLOWICZ, *Esquisses linguistiques*, Wroclaw-Krakow 1960. Volume d'une grande importance méthodologique : ID., *Études indo-européennes*, ib. 1935 ; ID., *L'accentuation des langues indo-européennes*, ib. 1952 (et 2ᵉ édition en 1958) ; ID., *L'apophonie en in..lo-européen*, ib. 1956 ; ID., *L'apophonie en sémitique*, ib., 1961 ; ID., *The inflectional categories of indo-european*, Heidelberg 1964.

48. De L. V. Ščerba cf., édité par M. I. Matusevič, *Izbrannye raboty po russkomu jazyku* cit. ; et surtout *Izbrannye raboty po jazykoznaniju i fonetike* cit.

49. Par exemple, A. A. REFORMATSKIJ, *O sootnošenii fonetiki i grammatiki*, dans Voprosy gramm. stroja, Moskva 1955 99-112 ; ID., *Vvedenie v jazykoznanie*, Moskva 1960.

50. Par ex. R. I. AVANESOV, *O treh tipah naučno-lingvističeskih transkripcii*, « Slavia » XXV 1956 347-71. J'ai pris la division tripartite dont on parle dans le texte, dans l'essai pertinent de M. HALLE, *Phonemics*, dans *Current trends* cit. I 5-21 ; cf. aussi L. R. ZINDER, *Kistorii fonetiki v Rossii*, « UZLU » 237 1960 5-25. Des indications bibliographiques dans la seconde partie de mes *Aspetti teorici* cit. note 5, 68 ; il faut rappeler l'activité de savants comme O. S. Ahmanova, I. I. Revzin, S. K. Saumjan, V. A. Zvegincev, et tant d'autres ; on verra aussi le recueil bibliographique *Obščee jazykoznanie* (1918-1962), édité par B. A. Serebrennikov, Moskva 1965, et *Strukturnoe i prikladnoe jazy oznanie* (1918-1962), édité par A. A. Reformatskij, Moskva 1965.

51. G. GUILLAUME, *Le problème de l'article et sa solution dans la langue française*, Paris 1919 ; ID., *Temps et verbe*, Paris 1929 ; ID., *L'architectonique du temps dans les langues classiques*, Copenhague 1945 ; et les essais recueillis dans ID., *Langage et science du langage*, Paris-Québec 1964. Cf. R. VALIN, *Petite introduction à la psychomécanique du langage*, Québec 1952 ; ID., *La méthode comparative en linguistique historique et en psychomécanique du langage*, Québec 1964 ; voir aussi B. POTTIER, *Systématique des éléments de relation. Étude de morphosyntaxe structurale romane*, Paris 1962.

52. Par ex. D. JONES, *The phoneme* cit.

53. Cf. J. R. FIRTH, *Papers in linguistics 1934-1951*, London 1957 (on pourra étudier l'évolution de la pensée de Firth en ayant recours à ID., *Speech*, London 1930 ; ID., *The tongues of men*, London 1937 — aujourd'hui édités à nouveau par P. Strevens, London 1964). Au sujet de l'activité dans le domaine de la linguistique théorique en Grande-Bretagne, il faut nommer des personnalités diverses telles que L. R. Palmer (cf. *An introduction to modern linguistics*, London 1936 ; une nouvelle édition est en préparation) ; C. E. BAZELL (cf. *Linguistic form*, Istambul 1953) ; W. S. ALLEN (cf. *Relationship in comparative linguistics*, « TPhS » 1953 52-108) ; W. HAAS (cf. *Zero in linguistic analysis*, dans *Studies in linguistic analysis*, Oxford 1957 33-53) ; J. LYONS (cf. *Structural semantics*, Oxford 1963) ; F. R. PALMER (cf. *A linguistic study of the English verb*, London 1965) ; P. D. STREVENS (cf. *Papers in language and language teaching*, London 1965) ; A. MCINTOSH, S. ULLMANN et d'autres (dont quelques travaux sont cités dans d'autres notes). Il n'est pas facile d'isoler parmi des personnalités si différentes (toutes pourtant dans l'entourage de la forte influence exercée par Firth) un courant proprement et exclusivement « firthien » ; au sujet de ce que l'on appelle le « néo-firthianisme » cf. plus loin.

54. Cf. l'essai de R. H. ROBINS, *General linguistics in Britain 1930-1960*, dans *Trends...* 1963 cit. 11-37 ; aussi ID., *General linguistics. An introduc-*

tory survey, London 1964, avec une riche bibliographie et un exposé clair des différents aspects de la linguistique « firthienne » ; G. L. BURSILL-HALL, *Levels analysis. J. R. Firth's theories of linguistic analysis*, « JCLA » VI 1960-61 124-91. On retient un intéressant panorama des différentes contributions imprimées dans la déjà citée « Special publication of the Philological Society » : *Studies in linguistic analysis*, Oxford 1957. Cf. aussi E. S. KUBRJA-KOVA, *Iz istorii anglijskogo strukturalizma (Londonskaja lingvistíčeskaja škola)*, aux pages 307-53 du volume cité, édité par Guhman et Jarceva ; J. CYGAN, *Wspolczesna brytyjska teoria gramatyki*, « KNf » XI 1964 369-73.

55. Cf. M. A. K. HALLIDAY, *Grammatical categories in modern Chinese*, « TPhS » 1956 177-224 ; ID., *Some aspects of systematic description and comparison in grammatical analysis*, in *Studies in linguistic analysis* cit. 54-67 ; ID., *The language of the Chinese, « Secret history of the Mongols »*, Oxford 1959 ; ID., *Categories of the theories of grammar*, « Word » XVII 1961 241-92 ; ID., *Class in relation to the axes of chain and choice in language*, « Linguistics » 2 1963 5-15 ; ID., A. MCINTOSH, P. STREVENS, *The linguistic sciences and language teaching*, London 1964 ; cf. aussi R. M. W. DIXON, *Linguistic science and logic*, The Hague 1963 ; ID., *A logical statement of grammatical theory as contained in Halliday's « Categories of the theory of grammar »*, « Lg » XXXIX 1963 654-68 ; ID., *What is language ? A new approach to linguistic description*, London 1965 ; A. MCINTOSH, *Patterns and ranges*, « Lg » XXXVII 1961 325-337 ; J. ELLIS, « *Rules », probability and dedicacy*, « Linguistics » 6 1964 39-42 ; aujourd'hui plusieurs essais de A. McINTOSH et M. A. K. HALLIDAY sont réunis dans leur volume *Patterns of language*, London 1966.

56. L'exposé donné dans le texte s'inspire de M. A. K. HALLIDAY, *Categories* cit. et *The linguistic sciences* cit. L'élaboration théorique a avancé dernièrement de façon considérable, surtout dans le domaine de la sémantique et de la grammaire profonde ; cf. M. A. K. HALLIDAY, *Some notes on « deep » grammar*, « JL » II 1966 56-57; sur la notion de rang on verra aussi R. D. HUDLESTON, in « Lg » XLI 1965 574-86 et les critiques de P. H. MATTHEWS in « JL » II 1966 101-10 avec la réponse de HALLIDAY, ib. 110-18.

57. M. A. K. HALLIDAY, *Categories* cit. 275.

CHAPITRE VII

LA LINGUISTIQUE STRUCTURALE

1. Le structuralisme américain.

Nous ne répéterons pas ici les avertissements que nous avons déjà donnés plus haut. Par " linguistique structurale " nous désignons dans ce chapitre la linguistique américaine bloomfieldienne, sans vouloir nous imposer des limitations trop rigides idéales ou géographiques ; ainsi dans le chapitre précédent, nous avons considéré comme « fonctionnelle » la linguistique européenne de tendance structuraliste, même quand (comme il arrive pour les théories de Halliday) certains de ses aspects sont plus proches de la tradition bloomfieldienne que de celle de l'Ecole de Prague. Le terme "structural" est ici opposé au terme "fonctionnel" et utilisé en un sens plus étroit que celui généralement impliqué par l'expression de "linguistique générale". Nous considérons ici comme principal et unique objet d'étude la structure syntagmatique, l'occurrence dans la chaîne parlée d'éléments semblables dont les différences peuvent être attribuées uniquement au contexte (éléments donc en « distribution complémentaire ») ; de tels éléments peuvent être groupés en classes auxquelles on peut assigner une certaine distribution ; et l'on peut constituer des catégories paradigmatiques qui permettent le regroupement des différentes classes sur la base de leur distribution.

Le principe méthodologique que l'on peut considérer comme le plus typique de la linguistique bloomfieldienne est celui de

l'analyse en COMPOSANTS OU CONSTITUANTS IMMÉDIATS [1].
L'énoncé doit être subdivisé en deux parties (de préférence),
puis chacune des deux parties résultantes se subdivise à son
tour en deux parties, et ainsi de suite, jusqu'à ce que l'on arrive
à des éléments minima qui ne peuvent plus être subdivisés
selon les mêmes critères. Les deux segments de chaîne parlée
qui se trouvent à gauche et à droite d'une coupure sont les
constituants immédiats du segment principal qu'ils constituent
IMMÉDIATEMENT, tandis qu'ils entrent dans des segments plus
grands ou dans la période entière uniquement de façon médiate,
c'est-à-dire à travers de tels segments principaux. Comme critère de subdivision, on adopte généralement la confrontation
avec des segments analogues du point de vue de leur « capacité
externe », c'est-à-dire de leur utilisation à l'intérieur de segments
principaux, mais qui présentent la plus grande simplicité du
point de vue de la structure interne, c'est-à-dire de leur propre
composition. L'EXPANSION est le processus qui réunit ces éléments plus simples en des éléments plus complexes : *le fils
puîné de ton oncle lit un livre très intéressant*. Nous pouvons
faire une série de coupures successives en nous arrêtant aux
unités constituées par les mots graphiques (sans aller jusqu'aux
morphèmes), comme l'indiquent les parenthèses (les nombres
en exposant indiquent l'ordre de succession des coupures) :
$(((le)^3 ((fils)^4 (puîné)))^2 ((de)^3 ((ton)^4 (oncle))))^1 ((lit)^2 ((un)^3 ((livre)^4$
$((très)^5 (intéressant)))))$. La première coupure se fait donc entre
le fils puîné de ton oncle et *lit un livre très intéressant*, sur la
base de la comparaison avec *Charles court* ; puis nous faisons
deux coupures, une dans le segment de gauche et une dans le
segment de droite (comme l'indique la présence répétée du
chiffre 2 en exposant dans la phrase avec les parenthèses), et
ainsi de suite. Ces opérations peuvent être marquées d'une
façon plus évidente en un diagramme à cases comme *a*), en
un stemma à griffes, comme *b*), ou en une arborescence à ramifications comme *c*), ou encore avec un quelconque autre graphe
équivalent.

(*labelling*) sert justement à classer les différents constituants, suivant la fonction (par exemple *fils* est sujet, *lit* est prédicat), ou l'appartenance à une classe (*fils* est un nom par exemple, *lit* est un verbe), ou suivant le type de construction du constituant même (par exemple *fils puîné* est une construction endocentrique, c'est-à-dire telle que dans sa capacité de se combiner avec d'autres éléments, elle se comporte de la même manière que *fils* ; *de ton oncle* est une construction exocentrique, c'est-à-dire telle que dans sa capacité de se combiner avec d'autres éléments, elle se comporte différemment de *ton oncle*).

Benveniste [2] met en lumière une cause particulière de cette insistance sur les processus de segmentation et de classification, c'est-à-dire sur la structure plutôt que sur la fonction : l'attention prêtée à la description des langues indiennes d'Amérique inconnues ou peu connues, et en général aux processus d'analyse qui permettent de découvrir, en appliquant mécaniquement des règles précises, la structure de n'importe quelle langue inconnue que l'on veut décrire. Tandis que, lorsque l'on décrit une langue connue, on pense à sa structure suivant un sens abstrait et paradigmatique, comme à un système d'unités, et on ne concentre pas son attention sur les segments particuliers, qui sont pris simplement comme exemples des catégories linguistiques, lorsqu'on décrit une langue ignorée ou mal connue, on ne se base pas sur un système, qui n'existe pas « dans la tête » du chercheur et qui est inaccessible « dans la tête » de l'informateur, mais on cherche à identifier une structure dans les énoncés disponibles, en les segmentant et en essayant de classer les segments obtenus. On se concentre donc sur la structure syntagmatique et sur la distribution, et l'on attribue à la paradigmatique, au système linguistique le caractère d'hypothèse scientifique, de résultat de la recherche, créé par le linguiste dans le cours de la description, et non pas le caractère d'une réalité à fouiller et décrire.

Nous mettrons l'accent ensuite très brièvement sur trois questions importantes, dans la discussion desquelles plusieurs caractéristiques de la linguistique post-bloomfieldienne se sont manifestées de façon typique : la question du signifié, celle de la morphologie et celle de la phonologie. Nous ne parlerons pas de la syntaxe, parce qu'elle a été en partie négligée et en partie réabsorbée par les processus de l'analyse morphologique (et, comme nous le verrons au chapitre VIII, elle n'a refait surface de façon décisive que ces dernières années) [3]. Cette division en trois parties n'est bien sûr qu'une commodité de l'exposé.

2. SÉMANTIQUE.

L'étude du signifié apparaît, dans la linguistique, comme la moins réductible à un traitement rigoureux ; et ceci a probablement contribué à conférer aux questions sémantiques un état loin d'être satisfaisant, dans le domaine de la linguistique en général et de la linguistique américaine moderne en particulier. On a tenté d'éliminer la notion de "signifié" de la phonémique, de la morphémique et même de la sémantique, en réduisant ou en déplaçant de façon variable l'objet d'étude de cette dernière de sorte qu'il est souvent arrivé à ne pas coïncider avec la notion de signifié linguistique. Si Sapir n'avait pas d'hostilité préconçue contre l'usage de cette notion, Bloomfield, comme nous l'avons vu, renvoyait l'étude du signifié aux différentes sciences particulières, en réservant à la linguistique la seule définition rigoureuse des signifiés « grammaticaux ». Mais, en se basant sur les affirmations de Bloomfield qui dit, d'une part, que « la description du signifié est... le point faible de l'étude du langage » (*Language*, 140) et, d'autre part, qu' « une langue peut transmettre seulement les signifiés qui sont liés à quelques traits formels » (*Language*, 168), beaucoup de linguistes s'armant du rasoir d'Occam trouvèrent décent de se libérer de ce point faible gênant et de se limiter à parler de ces « traits formels » auxquels le signifié est attaché, favorisés aussi en cela par les positions néopositivistes analogues. La simplification n'est qu'apparente puisqu'il n'est guère facile de rendre compte des traits formels qui doivent rendre compte

du signifié. Une des issues le plus souvent utilisées a été celle
de la distribution (avec le corollaire que, pour que l'on puisse
dire que deux mots ont le même signifié, il faudrait démontrer
qu'ils ont la même distribution). En français, *chien* et *chat*
ont des signifiés différents ; mais leur distribution, en tant
qu'elle est facilement formulable, en termes de règles grammaticales, sera la même : il semble difficile de trouver des
énoncés dans lesquels si l'on peut utiliser *chien* l'on ne peut
utiliser aussi *chat* (tandis qu'à la place de *chien* on ne peut
utiliser *faiblement* ou *mangea*) ; bien entendu, une phrase a
une certaine signification si en elle apparaît le mot *chien*, et
une signification différente si, à la place de *chien* apparaît le
mot *chat* : mais ce que l'on est en train de faire ici consiste
à chercher des contextes « critiques », dans lesquels l'un et
non pas l'autre des mots puisse apparaître, et qui soient
donc tels que la différence de signification des deux mots
puisse être définie en termes de différence (formelle cette
fois et non pas de signifié), entre des groupes de contextes.

Il ne s'agit pas alors de distribution au sens où l'on pourrait
définir distributionnellement des catégories syntaxiques, mais
plutôt d'emplacement lexical : *chien* se trouvera avec *aboie* et
chat avec *miaule*, et ainsi de suite. Mais nous rencontrons ici
plusieurs difficultés d'ordres divers. En premier lieu, il est probable que des « contextes critiques » dans le sens indiqué ci-
dessus n'existent pas. On a récemment publié un roman qui a
pour titre *Un chat qui aboie*, et ce n'est pas, bien sûr, parce qu'il
est utilisé ici dans un contexte dans lequel apparaît généralement le mot *chien*, que le mot *chat* signifie plutôt « chien » que
« chat ». En outre, en termes d'emplacement lexical la distribution totale d'un mot est quelque chose qu'il ne paraît pas
possible de décrire : on ne peut faire une liste de tous les énoncés dans lesquels apparaissent les mots *chien* et *chat*, pour la
bonne raison que de tels énoncés sont infinis ; si on se limite
à un corpus fini, même s'il est énorme, il pourrait ne pas inclure
les contextes « critiques ». Le présupposé selon lequel deux
mots qui ont le même signifié doivent être substituables l'un

à l'autre dans n'importe quel contexte présente d'autres difficultés ; si, étant donné un contexte *x-y*, nous disons que *a* a
un signifié différent de celui de *b* si, en remplaçant *a* par *b*
dans le contexte *x-y*, le signifié de l'énoncé est différent, nous
nous trouvons obligé de contrôler si *xay* a un signifié différent
de celui de *xby* en ayant recours à un contexte plus large *w-z*
dans lequel nous ne puissions remplacer *xay* par *xby*, et ainsi
de suite jusqu'à l'infini. A moins que l'on ne cherche une issue
dans le fait de placer, à un certain point, les énoncés linguistiques en rapport avec la réalité extralinguistique ; nous nous
trouverions alors devant les difficultés dont parlait justement
Bloomfield, et que les théoriciens du « signifié comme ensemble
de contextes » avaient cherché à cerner. Une autre difficulté
est entraînée par la synonymie ; si deux termes *a* et *b* sont
synonymes, il y a toujours le contexte *a signifie b* (basé justement sur le fait que *a* et *b* sont synonymes) avec lequel on explique à quelqu'un qui connaîtrait *b* et non pas *a* le signifié de
a ; il est évident que dans un tel contexte il n'est pas possible
de remplacer *b* par *a* ; *étalon signifie cheval* est bien différent
de *étalon signifie étalon* (il est inutile de discuter ici si *étalon*
et cheval sont ou ne sont pas synonymes ; le point est qu'il y a
un sens du terme "synonymie" dans lequel ils sont synonymes,
et c'est sur un tel sens que se base l'énoncé *étalon signifie cheval*, dans lequel justement les deux synonymes ne sont pas inter-
changeables).

D'utiles discussions de travaux récents sur le signifié (qui ne
se limitent pas à la linguistique américaine) se trouvent dans
les œuvres de S. Ullmann[4], dans lesquelles on distingue entre
autres les différentes conceptions suivant lesquelles le signifié
serait « la chose » qui correspond au « mot », ou le « concept »
qui correspond au mot, ou la « contrepartie » sur le plan du
contenu de certaines unités que l'on a sur le plan de l'expression
ou le « rapport » entre deux ou plusieurs éléments, parmi lesquels il en est un qui est l'expression linguistique, ou, comme
nous l'avons vu, « l'ensemble des contextes » d'un mot, ou la
« règle » suivant laquelle on utilise un mot, ou directement

l'« usage » (quel que soit le sens d'un terme aussi vague et aussi
général) d'un mot, ou enfin des combinaisons variées de ces
éléments ou d'autres encore.

Quelle que soit la position théorique que l'on assume, il
reste dans la linguistique le problème concret du traitement du
signifié et, en particulier, de son traitement structural. Nous
savons déjà que selon la glossématique, les unités de contenu
correspondant aux morphèmes sont analysables en unités
mineures, figures du contenu, complètement indépendantes
des phonèmes mais leur correspondant, qui devraient, pré-
sume-t-on, être en nombre très limité, et dont les combinaisons
devraient constituer les différents contenus des morphèmes
tout comme les diverses combinaisons des phonèmes constituent les expressions des morphèmes. De telles conceptions
ont été élaborées aussi aux États-Unis, avec des résultats peu
encourageants. Outre les différentes propositions qui ont trait
aux techniques avec lesquelles on peut décrire le signifié [5], on
a vu récemment une tentative visant à fournir une « mensuration rigoureuse du signifié [6], qui, bien que d'un grand intérêt,
semble porter à la mensuration d'une chose que, avec la
meilleure volonté du monde, on ne peut identifier avec le
signifié : c'est-à-dire la réaction psychologique émotive du
locuteur devant des mots déterminés. Il ne faut naturellement
pas négliger la contribution de la sémantique plus proprement
philosophique [7] à ces discussions ; de même, l'on ne peut
passer sous silence la conception sémantique liée à ladite
« hypothèse de Sapir et Whorf » [8], suivant laquelle chaque
langue contient une métaphysique cachée, une vision propre
du monde et ne sert pas tant à exprimer les idées qu'à les condi-
tionner et à les former. Cette conception a, comme nous le
savons, des prédécesseurs illustres, parmi lesquels se trouve le
grand Wilhelm von Humboldt. Le fait que, dans chaque langue,
l'expérience humaine apparaisse organisée selon des catégories
différentes impliquerait que les locuteurs de langues différentes aient différentes façons de considérer le monde. En français, chaque fois que l'on utilise un nom, il faut l'utiliser au

singulier ou au pluriel ; dans une langue où il n'existe pas de
catégorie de nombre, ou qui a plus de deux partitions (duel,
triel, etc.), un nom sera spécifié différemment. Cette catégorie
a certains rapports avec des traits de la réalité (rapports qui
ne sont pas simples, étant donné que *groupe*, singulier, peut s'u-
tiliser pour désigner différentes personnes ou que *lunettes*, au
pluriel, peut s'utiliser pour indiquer un seul objet, et ainsi de
suite) ; il est évident que si, en français, je veux dire que j'ai
vu un ou plusieurs hommes, sans faire comprendre à mon auditeur combien j'en ai vu, je dois renoncer aux énoncés logiques
du genre *j'ai vu un homme* ou *j'ai vu des hommes*, et avoir recours
à des énoncés plus ou moins encombrants ; mais quel rapport
entre cela et des faits analogues (dont la littérature ou l'anec-
dote linguistique offrent une riche gamme d'exemples) et la
« vision du monde » (quel que soit le sens de cette expression) ?
il me semble difficile de le préciser. Un tel rapport est au centre
des recherches dans la « sémantique générale » de Korzybski [9] ;
ici, la sémantique cesse d'être une discipline linguistique et
devient un instrument thérapeutique, social et individuel. Si
la fortune exceptionnelle dont a bénéficié la « sémantique générale » aux États-Unis doit être étudiée plutôt dans le contexte
de l'histoire générale de la culture américaine que dans une
discussion de travaux linguistiques, il ne faut pourtant pas
oublier qu'en elle on trouve malgré tout des points de départ
intéressants et suggestifs, et que l'on touche à des problèmes
trop souvent négligés par la linguistique proprement dite.

La sémantique a aussi une place importante dans l'histoire
des études morphologiques et phonologiques. On soutenait de
façon traditionnelle que les phonèmes sont des unités minima
privées de signification, et les morphèmes des unités minima
avec une signification ; il s'agit d'une position qui, au moins
dans cette formulation naïve, est aujourd'hui abandonnée.
R. Jakobson [10] a contribué à la diffusion d'une conception
selon laquelle le signifié doit être utilisé dans la phonologie
comme dans la morphologie, mais de façon différente ; de façon
purement négative et différentielle dans la phonologie (les

deux termes d'une « paire minima » — d'une paire de mots
dont l'expression diffère seulement par un phonème — doivent
avoir des signifiés différents), de façon positive dans la morphologie (le morphème est une unité minima caractérisée par un
certain signifié). Comme nous le verrons, cette conception a
été récemment vigoureusement critiquée.

3. Morphémique.

Sapir et Bloomfield ont prêté une grande attention à la
morphémique. Nous parlons ici, évidemment, des morphèmes
au sens américain du terme, comme les unités minima dans
l'analyse morphémique, qui comprennent donc à la fois les
sémantèmes et les lexèmes de la terminologie traditionnelle,
et correspondent aux monèmes de Martinet. Il ne s'agit pas du
reste d'une simple différence terminologique, mais d'une intéressante différence de prospective : la description morphologique de type américain comprend aussi des problèmes de sémantique et de vocabulaire, et dans cette description l'état du
système grammatical au sens étroit du terme est souvent peu
clair (système grammatical au sens du domaine des morphèmes
au sens traditionnel, distingués des lexèmes). D'autre part,
l'analyse morphémique a souvent été considérée en termes de
constituants immédiats et a embrassé plusieurs aspects qui,
traditionnellement, entrent dans la syntaxe. On a visé à l'élaboration d'une série de processus qui auraient permis l'identification des morphèmes grâce à des opérations de segmentation
des énoncés (en réduisant souvent l'attention que l'on prêtait
à des unités intermédiaires comme les « mots »), et qui auraient
permis la classification des morphèmes que l'on avait obtenus
de cette façon. Nous avons vu que Sapir se sert d'un modèle que
l'on peut appeler, avec la terminologie diffusée par Hockett [11],
à « entités et procès », modèle déjà utilisé par Boas, et fréquent
pour les langues indiennes d'Amérique, qui consiste en la description de la différence entre deux formes partiellement semblables comme un « procès » qui change une forme ou une autre :

comme lorsque l'on dit qu'en italien le singulier *cane* « donne »
au pluriel *cani*, c'est-à-dire que le *-e* « devient » *-i* ; mais, outre
le modèle traditionnel pour les langues classiques, à « mots et
paradigme », on a un modèle à « entités et dispositions », préféré
par la linguistique post-bloomfieldienne, qui consiste à se limiter à ne parler que d'entités linguistiques et des dispositions
dans lesquelles elles se présentent l'une par rapport à l'autre :
cane et *cani* seraient alors deux dispositions différentes des
trois morphèmes, pris deux à deux, *can-*, *-e*, *-i*. La différence
entre « entités et dispositions » et « entités et procès » peut être
mise en correspondance avec celle entre une conception statique
et une conception dynamique du système morphémique [12] ;
évidemment, les « procès » sont des procès dans les configurations synchroniques, d'un point à l'autre du système grammatical, et ne sont pas des procès temporels ou historiques ;
mais la terminologie utilisée pour ces deux types de procès est
analogue, d'une façon suggestive et dangereuse : en italien,
amico a un pluriel *amici*, dans lequel la vélaire « devient »
palatale, et l'affirmation est valable autant pour le procès synchronique de la formation du pluriel que pour le procès diachronique de la palatalisation devant *-i*; il n'est pas exclu que,
comme le suggère Hockett, le malaise provoqué par cette
analogie historique introduite dans la description synchronique,
ait contribué à la diffusion, dans la linguistique post-bloomfieldienne, du modèle à entités et dispositions au détriment de
celui à entités et procès. Bloomfield utilisa les deux modèles,
mais c'est celui à entités et dispositions (plus implicite que
clairement formulé dans son œuvre) qui est considéré comme
typiquement sien, et qui a joui d'un immense prestige chez
ses successeurs [13]. Les procédés d'analyse morphémique constituent du reste une partie très complexe, et loin d'être explicite, dans *Language* de Bloomfield ; et il se passa presque
dix années, consacrées à des discussions surtout phonémiques,
avant que la morphémique ne refasse surface dans la linguistique structurale américaine. En 1942, l'*Outline* de Bloch et
Trager traitait aussi de morphologie ; et dans la même année,

il y eut un article de Harris qui donna le coup d'envoi au développement de nouvelles recherches morphémiques [14]. Il s'agit
d'une tentative, à partir de certaines difficultés implicites
chez Bloomfield, de formuler rigoureusement les processus
d'analyse en trois stades : a) identifier dans les énoncés trans-
crits phonémiquement les parties minima que l'on retrouve dans
des énoncés différents avec la même signification : il s'agit d'alternants morphémiques ; b) grouper en un morphème unique
les morphèmes alternants qui I) ont le même signifié, II) sont
en distribution complémentaire, III) n'ont pas une distribution plus grande d'autres alternants particuliers (par exemple
les deux alternants /amík/ et /amíc/ peuvent être réunis
en un morphème unique parce que I) ils ont le même signifié,
II) ils sont en distribution complémentaire : on ne trouve pas
/amíki/ ni /amíco/, III) ils n'ont pas une distribution totale,
devant -o + -i, plus grande que celle de pal- devant -o + -i) ;
c) formuler des affirmations générales pour tous les morphèmes
qui présentent les mêmes différences entre leurs alternants.

Ce fut à partir de ce postulat que se développèrent de nombreuses discussions dont la substance est en partie recueillie
dans un manuel que Nida a consacré à la morphologie [15], et qui
révèle des incertitudes qui sont, sur ce point, caractéristiques
de la linguistique post-bloomfieldienne. Ce qui n'était encore
que « processus morphologiques » dans l'édition de 1946 du
manuel de Nida, devient « type de morphèmes » dans l'édition
de 1949, dans laquelle on cherche à limiter le discours à la
considération des morphèmes et des allomorphes, en éliminant
toutes transformations (mais l'opération ne réussit pas complètement, et il y a des termes auxquels on ne sait pas renoncer,
comme « assimilation » et « dissimilation », dont on dit qu'ils
indiquent des « rapports entre les sons » et pas des procès). La
postulation de l'analyse morphologique selon ces critères a
porté à des discussions infinies sur des problèmes qui ne peuvent
pas ne pas sembler artificiels : par exemple, dans feet, pluriel de
foot, comment distribuera-t-on les allomorphes entre les trois
morphèmes (qui signifient « pied », « singulier » et « pluriel »)

généralement reconnus ? Nous devrons avoir un morphème
f-t, puis un morphème « singulier » *-oo-* et un morphème « pluriel » *-ee-* ; ou bien le morphème « pluriel » aura comme allomorphe la substitution » de *-ee-* à *-oo-*, ou bien aura comme
allomorphe zéro, tandis qu'au contact d'un tel allomorphe
zéro du pluriel le morphème « pied » (qui au singulier apparaît

substance	forme	
allophone	phonème	phonémique
allomorphe	morphème	morphémique

a)

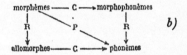

b)

comme *foot*) se présente avec l'allomorphe *feet*, et ainsi de suite
avec des solutions différentes tout aussi insatisfaisantes. Partant du fait que ces fausses difficultés s'imposent comme nécessaires dans cette conception, différentes critiques ont récemment été avancées contre la base même de la morphémique
post-bloomfieldienne.

On a aussi rediscuté récemment le rapport entre le couple
phonème-allophone et le couple morphème-allomorphe, et on
a souligné combien est peu satisfaisante une vision qui établit
un parfait parallélisme entre les deux couples, suivant le schéma
a) ; il ne semble pas possible de concevoir les morphèmes
comme composés de phonèmes, et les allomorphes comme
composés d'allophones ; il peut apparaître préférable de concevoir les morphèmes aussi bien que les allomorphes comme composés de phonèmes et puis les phonèmes comme manifestés
par des allophones ; dans le préfixe *allo-* nous pouvons identifier deux valeurs : celle de la VARIANTE (qui est valable autant pour la phonématique que pour la morphématique) et celle

de la *manifestation* ou représentation (qui est seulement valable
pour la phonématique). En d'autres termes, les allomorphes
ne sont pas des manifestations (réalisations substantielles) des
morphèmes ; la manifestation apparaît seulement au niveau
de la phonématique, dans les langues naturelles (mais, bien
entendu, une langue dans laquelle manque le niveau phonématique et dans laquelle la manifestation se produise au niveau
morphématique reste concevable). Hockett discute une conception différente, représentée par le schéma *b*) dans lequel nous
pouvons arriver des morphèmes aux phonèmes à travers les
allomorphes (les morphèmes sont représentés -R- par les allomorphes, et les allomorphes sont composées -C- de phonèmes),
ou bien à travers les morphophonèmes (les morphèmes sont
composés -C- de morphophonèmes, et les morphophonèmes
sont représentés -R- par les phonèmes). Le rapport CR ou RC
qu'il y a entre morphèmes et phonèmes, peut être conçu comme
un rapport de PROGRAMMATION ou de PROJECTION (P), et il
est bien différent de R ou de C: les morphèmes ne sont pas représentés par des phonèmes ou composés de phonèmes, mais PRO
GRAMMÉS en phonèmes [16].

On s'est aussi demandé quelle était la place du signifié dans
la notion de morphème. Par exemple, *chien* a des significations
différentes dans les expressions *le chien aboie, fils de chien, le
chien du fusil* ; s'agira-t-il du même morphème ? Jusqu'à
quel point le signifié devra-t-il être différent pour que l'on
soit induit à reconnaître l'existence de morphèmes différents ?
Et du point de vue opposé, on admet habituellement que deux
allomorphes aient aussi des aspects complètement différents
(par exemple les pluriels italiens *-i, -e, ini* dans *uomini, -à,*
zero, etc...) ; jusqu'à quel point cela sera-t-il valable ? On
pourra arriver à dire que *pilier* et *colonne* sont deux allomorphes
(en variation libre ou conditionnée sémantiquement par le
contexte) d'un même morphème, si l'on retient que leur signifié
est assez voisin ? Dans un accusatif latin, dans *-am*, où nous
voulons voir au moins les deux morphèmes « singulier » et
« accusatif », comment pourrons-nous distinguer les allomorphes

des deux morphèmes ? Et encore, est-il vrai que tous les morphèmes ont un signifié, qu'ils doivent être définis comme unités
minima dotées de signification ? Est-ce que le fait de mettre
ensemble dans une seule catégorie *chev-*, *-aux*, *vertu*, *Garibaldi*,
le, *pour*, et de la caractériser comme la catégorie des unités
minima avec signification aura un sens ? A cette question, les
réponses négatives n'ont pas manqué ; en particulier, il faut
rappeler la réponse selon laquelle la morphème est une unité
de caractère distributionnel [17].

4. Phonémique.

Le « principe phonématique » est certainement la conquête
la plus typique de la linguistique structurale, et celle qui a
inspiré plus que toute autre la pensée structuraliste, avec des
conséquences pas toujours positives. La plus grande partie
de l'activité des recherches dans le champ structuraliste a
été consacrée à la notion de phonème et à l'analyse phonématique, plus particulièrement dans la décennie suivant la publication de *Language* de Bloomfield.

M. Swadesh, dans un important travail sur le principe phonémique [18], tient compte, autant que de Bloomfield et Sapir, des
travaux européens publiés dans les premiers volumes des « Travaux » du Cercle de Prague ; Swadesh est un élève de Sapir
et on note à plusieurs traits sa dépendance à l'égard du maître,
de la considération des « processus morphologiques » dans le
dernier paragraphe de l'article, à l'intérêt pour l'aspect psychologique des phonèmes. Il affirme que sa compréhension
du « principe phonémique » dépend de Sapir ; de Bloomfield,
il tire l'exigence de « compréhensivité théorique, cohérence de
procédé et brièveté ». Pour l'identification des phonèmes, il
propose six critères : *a*) cohérence des mots, pour lesquels différentes répliques du même mot ont la même constitution
phonémique ; *b*) identité partielle : les types de sons élémentaires signifiants sont relevés par une confrontation systématique de tous les groupes de mots qui ont une ressemblance

phonétique ; c) constance d'associations : éléments phonétiques qui apparaissent toujours ensemble et constituent un complexe phonémiquement unitaire ; d) distribution complémentaire : deux types de sons en distribution complémentaire peuvent être considérés comme sous-types d'un unique phonème ; si un type est en distribution complémentaire avec plusieurs types, il doit être réuni à celui avec lequel il a une plus grande ressemblance phonétique ; e) cohérence d'organisation : les formulations particulières doivent s'accorder à la configuration ou à l'organisation phonétique de la langue décrite ; f) essai de substitution : en modifiant l'un après l'autre les phonèmes d'un mot, on peut contrôler par la réaction d'un informateur s'il s'agit de déviation normale, de distorsion ou de substitution phonémique. Après que l'on ait fait l'inventaire des phonèmes, ceux-ci doivent être définis individuellement en termes a) de norme et de contexte de déviation pour chaque position particulière, b) de distribution. Pour identifier les différentes classes de phonèmes, il faut étudier le système phonémique dans sa totalité. Nous avons résumé cette étude parce qu'y sont cernés les méthodes et les problèmes qui resteront au centre de la linguistique américaine.

La monographie de Twaddell sur la définition du phonème [19], dans laquelle se réalise une critique rigoureuse des conceptions psychologiques du phonème (alors diffuses dans le Cercle de Prague) et de la conception du phonème comme réalité physique (Bloomfield et D. Jones), date de 1935. On soutient au contraire que le phonème est une « unité factice abstraite » (à la grande satisfaction des traditionnalistes qui voyaient, tout à fait à tort, en ces termes une critique négative au lieu de l'indication d'un certain niveau d'abstraction, caractéristique de plusieurs notions dans une quelconque science). Il s'agit ici, en un certain sens, de la distinction entre une position « réaliste » et une position « nominaliste », que l'on retrouvera souvent dans les discussions méthodologiques [20] ; en pratique aussi, du reste, il n'est pas dit que l'analyse ne prenne des voies différentes suivant que l'analyste retient que ses opérations introduisent de l'ordre, sur la base de critères de simplicité et de cohérence (ou d'« élégance ») arbitrairement adoptés, dans un ensemble confus de phénomènes, ou qu'il retienne au contraire que ces opérations mettent en lumière des données de faits inhérentes à la réalité de la langue.

Les recherches procédèrent rapidement, surtout dans les pages de la revue « Language », avec la contribution de Andrade [21], Hill [22], Swadesh et Voegelin [23], Haugen et Twaddell [24], Hockett [25], jusqu'à la nouvelle synthèse de B. Bloch [26], qui constitue la systématisation la plus rigoureuse des méthodes d'analyse phonémique post-bloomfieldienne. Voici à peine un peu plus de dix ans, parut le *Manuel* de Hockett [27], que l'on peut considérer comme le correspondant américain des *Principes* de Troubetzkoy et qui offre une synthèse utile des discussions méthodologiques et une très vaste documentation sur des langues disparates. Le type d'analyse phonémique le plus largement accepté comme caractéristique de la méthode post-bloomfieldienne reste celui de Bloch, Trager et Smith, qui eut un grand succès à travers le chapitre phonologique de l'*Outline* de Bloch et Trager [28], et à travers l'application à l'anglais dans l'ébauche de Trager et Smith [29].

Une des caractéristiques de cette position a été désignée récemment par le terme de « bi-univocité » : il s'agit de l'exigence d'une correspondance bi-univoque entre un énoncé et sa représentation phonématique, pour lequel à deux symboles phonématiques différents, doivent correspondre deux sons différents et vice versa, de manière uniforme. On accepte généralement l'exigence selon laquelle de n'importe quelle représentation phonématique on peut dériver de façon univoque (sans avoir recours à des informations qui ne soient pas contenues dans la représentation même) une certaine réalisation phonique ; mais l'exigence contraire selon laquelle de n'importe quel énoncé doit pouvoir être extraite de façon univoque (sans avoir recours à des informations qui ne soient pas contenues dans l'énoncé même) une certaine représentation phonématique, est repoussée par quelques courants à cause

des graves complications qu'elle introduit dans la description
phonématique. En particulier, la théorie transformationnelle
a souligné l'impossibilité de principe d'une application satisfaisante du postulat de la bi-univocité, en insistant sur les aspects
qui, dans le milieu traditionnel, seraient plutôt appelés morphophonématiques que phonématiques, et en introduisant un point
de vue qui a éliminé beaucoup de postulats restrictifs caractéristiques de la phonématique traditionnelle post-bloomfieldienne. Mais cet argument mérite d'être traité à part et se
trouve de ce fait renvoyé à une autre occasion [30].

Plusieurs discussions ont eu lieu au sujet de l'usage des critères sémantiques dans l'analyse phonémique. La présence de
paires minima (c'est-à-dire, comme nous l'avons vu, de paires
de mots dans lesquels les deux termes sont identiques dans
tous les phonèmes sauf un) est utile comme contre-preuve de
l'opposition de deux phonèmes, mais tout le monde n'est pas
d'accord sur l'opportunité d'introduire ce critère dans la définition même du phonème. Il y a aussi la question préliminaire
de la définition d'une « paire minima » : la notion de « signifié »
entre-t-elle en jeu [31] ? Récemment encore, on a affirmé que
le phonème doit être entendu comme élément différenciateur
de SIGNIFIANTS et non de SIGNIFIÉS, et que pour cela le signifié
ne doit pas du tout être pris en considération dans l'analyse
phonologique [32]. Le raisonnement paraît être sophiste ; si l'on
veut dire que le phonème est une unité de l'expression, et appartient en signifiant et non au signifié, l'observation est banale.
Si je dis [ba] et [b'a] (avec un [b'] aspiré dans le second cas),
il s'agit de deux manifestations de même signifiant ; si je dis
[ba] et [pa] il s'agit de deux manifestations de signifiants
différents : [b] et [b'] sont des variantes d'un phonème /b/
en français ; [b] et [p] sont des manifestations de deux phonèmes différents, respectivement /b/ et /p/. Mais la base
permettant d'affirmer ceci n'est-elle pas que [ba] et [b'a]
ont le même signifié (et en laissant de côté les différences stylistiques éventuelles, on dira pour cela qu'ils sont manifestations d'un même signifiant), tandis que /ba/ et /pa/ ont des

signifiés (et donc des signifiants) différents ? Le problème
est plus complexe que ne le laisse penser cette formulation
simpliste, comme on le constate dans l'attaque dirigée par
Chomsky contre l'usage du signifié dans la phonologie [33]. Le
point essentiel, selon Chomsky, n'est pas que l'on doive renoncer à l'usage des notions sémantiques parce qu'elles sont obscures et confuses, mais parce qu'elles ne sont pas pertinentes
pour la description d'une structure formelle. En particulier,
pour la constitution d'un système phonémique, il s'agit de
savoir quelles répliques d'énoncés sont des manifestations,
exemples d'un même énoncé. Deux répliques sont toujours
physiquement différentes, le problème est d'établir en quel
sens il s'agit de synonymie. Deux répliques E1 et E2 étant
données, on peut dire que « E1 est phonémiquement distinct
de E2 uniquement si E1 a un signifié différent de celui de E2 » ;
cette affirmation est pour Chomsky erronée dans les deux directions, celle de gauche et de celle droite ; de gauche : E1 = *il a
écrit une lettre* (signifié : « lettre de l'alphabet ») ; E2 = *il a
écrit une lettre* (signifié : « missive ») ; le signifié est différent,
mais les deux énoncés sont phonémiquement identiques ; de
droite : E1 = *il n'aime que la soupe* ; E2 = *il aime seulement
la soupe* ; le signifié est identique mais les deux énoncés sont
phonémiquement différents. Si l'on demande à un informateur
de rassembler des énoncés sur la base du signifié plutôt que
sur celle de la forme, on trouvera rassemblés *étalon* et *cheval*,
et on trouvera séparés *porte* (le nom) et *porte* (le verbe) : c'est-
à-dire que l'on retrouvera groupés et séparés d'une façon absolument inutilisable pour l'analyse phonémique. Chomsky critique les équivoques inhérents à la traditionnelle « preuve de la
commutation » ; on peut ajouter que la preuve de la commutation dans sa forme élémentaire (« essayons de mettre *a* à la
place de *o* dans *porte*, et nous obtenons un nouveau mot »), est
le résultat d'une analyse phonologique intuitive plus qu'elle
en est le départ. En toute rigueur, il est impossible de mettre *a*
à la place de *o* sans modifier profondément les phonèmes voisins, et nous ne savons pas précisément dans quelle mesure ;

les preuves mécaniques révèlent que la substitution d'un phonème dans un mot sur une bande magnétique par un phonème
différent pris dans un autre mot donne un résultat considérablement factive. Chomsky soutient que la « preuve de la commutation » peut être avantageusement remplacée par une
« preuve de la paire » plus précise, « une technique opératoire
absolument non sémantique » (p. 147) : faire entendre à l'informateur de façon répétée et sans ordre fixe deux énoncés
qui sont enregistrés sur deux morceaux de bandes différents
et que nous appellerons E1 et E2, et voir si l'informateur identifie toujours correctement E1 comme E1 et E2 comme E2 ;
si cela arrive, les énoncés seront phonémiquement distincts ;
si, au contraire, l'informateur les confond, et croit avoir entendu
E1 alors qu'il a entendu E2 et vice versa, les énoncés seront
phonémiquement identiques.

Les objections de Chomsky sont importantes ; mais il ne
semble pas que même sa « preuve de la paire », d'inspiration
harrisienne (*Methods*, p. 32 et sv), ne puisse y échapper. On
trébuche ici sur la difficulté principale pour tant d'aspects
de la grammaire transformationnelle, constituée par l'usage
que l'on fait de l'informateur. Contrecarrant délibérément
les règles formulées avec tant de sévérité par la linguistique
post-bloomfieldienne, et selon lesquelles l'informateur doit
seulement fournir des énoncés et ne jamais dire ce qu'il pense
des énoncés qu'il a fournis, Chomsky base toute son analyse
sur les réponses que l'informateur donne aux réponses qui ont
justement trait à la langue qu'il emploie ; il se base donc sur
les intuitions que l'informateur a par rapport à sa langue.
Dans ce cas particulier il me semble que le danger sera la suivant : si l'on demande à quelqu'un si deux répliques sont les
répliques d'un même énoncé ou bien des répliques d'énoncés
différents, on s'expose au risque d'obtenir des informations
non pas sur le système phonématique de la langue en question
mais plutôt sur le degré de sophistication culturelle, sur l'intelligence philosophique, sur l'habileté phonétique, etc... de
l'informateur ; celui-ci pourra répondre que toutes les répliques

qu'il entend sont différentes, sans chercher d'autres raisons
que leur apparition en des points différents du temps (il les
écoute l'une après l'autre) et ainsi de suite ; et même si l'informateur est philosophiquement « naïf », il pourra toujours
être en mesure de percevoir les différences non phonémiques,
comme celles qu'il y a entre [in] et [*in*] en italien, ou entre [ba]
et [b'a] en français (prononciations différentes de *in* et *bas*).
En un tel cas, Chomsky se résigne à dire que « l'informateur
a cueilli la différence subphonémique entre E1 et E2, qui n'est
pas sentie habituellement par les locuteurs du pays » ; et s'il
le saisit régulièrement, on sera « obligé d'affirmer qu'il s'agit
d'une distinction phonémique » (p. 152-53). Mais c'est justement ce qu'on ne veut pas faire ; et si les conséquences sont
telles, il est préférable, en avançant les critiques mêmes de
Chomsky, de chercher une méthode différente sur laquelle
baser l'analyse phonématique, ou bien de montrer qu'une telle
méthode ne peut exister.

5. Quelques personnalités.

L'on ne peut conclure, sans faire allusion à quelques personnalités d'une importance majeure, une présentation de la
linguistique structurale américaine, si brève soit-elle. Il suffira,
dans les limites que nous nous imposons, de rappeler B. Bloch
et G. L. Trager, porteurs et héritiers directs de la tradition
bloomfieldienne [34], et avec des positions assez proches des leurs,
R. A. Hall jr, plus particulièrement romaniste et italianiste
outre que spécialiste de linguistique générale, dont la production se remarque par sa rigueur et sa clarté (qui n'échappe pas
quelquefois au simplisme [35]), et A. A. Hill, auteur d'intéressants
travaux sur l'application des méthodes linguistes à la critique
littéraire et d'un volume qui constitue probablement la tentative la plus complète d'analyse structurale de l'anglais selon
une postulation bloomfieldienne cohérente [36]. Les conceptions
de Hockett, sinologue, théoricien éclectique et équilibré,
auteur de deux manuels qui eurent de l'influence [37], sont d'un

intérêt notable, ainsi que celles que R. S. Wells [38], de J. H. Greenberg, de P. L. Garvin, et de différents autres sur lesquels nous ne pouvons nous arrêter [39].

Pike occupe une position originale, c'est un élève de Sapir qui, même dans la période où la linguistique post-bloomfieldienne défendait de la façon la plus restrictive ses critères d'analyse, n'a jamais oublié (au nom de la rigueur et de l'élégance des solutions) les exigences de l'analyse concrète. Il insiste (en ayant toujours présentes les exigences des « field procedures », de l'activité du linguiste qui décrit une langue qui n'est pas la sienne et dont il ne connaît pas de descriptions précédentes) sur la nécessité de l'étude de la sémantique et du recours à des critères « culturels », extra-linguistiques, dans le déroulement de la description ; en particulier, il insiste sur l'interpénétration des niveaux linguistiques (phonématique, morphématique et syntaxique) en opposant à la solution post-bloomfieldienne de la COMPARTIMENTATION, et à celle firthienne de l'ABSTRACTION, son propre concept d'INTÉGRATION [40]. Phonologue de grande finesse [41], et pionnier de l'étude des phénomènes suprasegmentaux [42], Pike a produit avec les trois volumes de l'édition préliminaire de *Language* [43] une œuvre de grande envergure dans laquelle il cherche à fournir les instruments pour une interprétation globale des faits linguistiques insérés dans leur contexte culturel. Il insiste du reste sur l'importance de la distinction des éléments ÉMIQUES et ÉTIQUES (adjectifs issus des désinences de "phonétique" et "phonémique") dans l'analyse du comportement humain en général ; la méthode de la linguistique peut offrir d'utiles suggestions pour la distinction des données « objectives » (étiques) des aspects significatifs ou pertinents (émiques) de ces données, qui est présumée nécessaire à n'importe quelle description scientifique.

Selon une image qu'il a souvent répétée, le langage peut être considéré de trois points de vue : en termes de parcelles, d'ondes et de champ. En termes de parcelles (phonèmes, morphèmes, etc...), nous avons une vision statique à base distributionnelle avec les différentes unités disposées comme les briques d'un

édifice, et nous sommes typiquement dans la tradition bloomfieldienne ; en termes d'ondes, nous avons une vision dynamique
(plus proche des conceptions sapiriennes, ou de l'analyse proso-
dique de Firth) qui rend compte du fait que nous avons dans
la langue un continum de mouvements qui se fondent en systèmes complexes et superposés ; on ne pense pas tant à des
ondes qui se dissolvent l'une dans l'autre qu'à des ondes qui
se chevauchent : les phonèmes et les morphèmes dans un mot
(ceci vaut pour les autres unités, en d'autres milieux) ne sont
pas successifs comme des grains de chapelet, ou simplement
fusionnés à leurs extrémités, mais superposés de façon variable.
En termes de champ, nous avons une vision fonctionnelle, en
profondeur, qui tient compte en même temps du texte et du
réservoir de la mémoire en fonction de laquelle le texte est interprété, de la langue « comme un système avec des parties et des
classes de parties connectées entre elles de façon telle qu'aucune de ces parties ne se présente indépendamment de sa fonction dans l'ensemble, ensemble qui, à son tour, se présente seulement comme produit des parties en rapport fonctionnel avec
un contexte social significatif » [44].

Sur le plan plus spécifique de l'analyse linguistique, Pike
a élaboré une théorie appelée GRAM(M)ÉMIQUE, et plus tard
TAGMÉMIQUE [45], basée sur le fait que les énoncés sont analysables simultanément suivant trois hiérarchies : l'une lexicale
(dans laquelle l'unité minima est le morphème), l'autre phonologique (dont l'unité minima est le phonème ou le trait distinc-
tif) et la troisième grammaticale (dont l'unité minima est le
gram(m)ème ou tagmème) ; et, en particulier, dans l'étude
de la hiérarchie grammaticale, Pike a élaboré un système qui
permet, en utilisant la théorie des matrices, de présenter graphiquement l'enchevêtrement complexe des rapports qui entrent
en jeu, les dimensions des constructions grammaticales [46].

Si Pike est une des personnalités les plus riches et les plus
vivantes de la linguistique américaine contemporaine, Z. S.
Harris [47] en est sans aucun doute un des théoriciens les plus rigoureux ; il a synthétisé son œuvre jusqu'en 1950 en un manuel

dense et complexe [48] dans lequel il s'efforce, avec une rigueur
héroïque, d'appliquer un des idéaux de la linguistique bloomfieldienne : le renoncement à tout ce qui n'est pas différence
formelle ou distributionnelle des éléments linguistiques. Dans
l'œuvre de Harris, on trouve la tentative la plus importante
de systématisation des méthodes d'analyse linguistique basées
sur des procédés de segmentation de la chaîne parlée et de classification des unités linguistiques sur la base de leur capacité
à se présenter entre deux points de segmentation, c'est-à-dire
capacité de fonctionner comme des jetons qui peuvent être
glissés dans des fentes («slot» est le terme que Pike utilise pour
cette notion) constituées sur les différents lieux syntagmatiques. On a maintenant l'habitude d'appeler cette analyse :
analyse taxonomique. Et, en développant les méthodes avec
la plus grande cohérence, Harris est arrivé le premier à en identifier les limites et à proposer les innovations qui ont porté au
développement de la théorie transformationnelle qu'il a élaborée dans les dernières années, suivant les procédés appelés
d'« analyse des expressions » (*strings*) [49].

NOTES DU CHAPITRE VII

1. Sur l'analyse en constituants immédiats, cf. K. L. PIKE, *Taxemes and
immediate constituents*, « Lg » XIX 1943 65-82 ; R. S. WELLS, Immediate
constituents, « Lg » XXIII 1947 81-117 ; R. S. PITTMAN, *Nuclear structures
in linguistics*, « Lg » XXIV 1948 287-92 ; E. A. NIDA, *The analysis of grammatical constituents*, « Lg » XXIV 1948 168-77 ; S. CHATMAN, *Immediate
constituents and expansion analysis*, « Word » XI 1955 377-85.

2. E. BENVENISTE, *Tendances*, cit.

3. Il ne s'agit pas de diminuer l'importance de travaux comme ceux de
B. BLOCH, *Studies in colloquial Japanese*, II. *Syntax*, « Lg » XXII 1946 200-
48 ; E. A. NIDA, *Outline of descriptive syntax*, Glendale, Calif. 1951 ; ID., *A
synopsis of english syntax*, édité par B. Elson, Norman Oklah. 1960 (The
Hague 1966, 2e éd.) ; ou ceux (hors de la tradition bloomfieldienne) de O.
JESPERSEN, *Analitic syntax*, Copenhagen 1937 ; A. W. DE GROOT, *Structurele
syntaxis*, Leiden 1950 ; M. REGULA, *Grundlegung und Grundprobleme der
Syntax*, Heidelberg 1951 ; L. TESNIÈRE, *Éléments* cit. ; cf. pour des infor-

mations bibliographiques ; G. L. BURSILL-HALL, *Theories of syntactic analysis (Bibliography)*, « SIL : XVI 1962 100-12. Nous parlerons de la récente reprise des études syntaxiques au chapitre IX.

4. S. ULLMANN, *The principles of semantics*, Oxford 1951 (1957) ; ID., *Semantics. An introduction to the science of meaning*, Oxford 1962 ; ID., *Language and style Collected papers*, Oxford 1964. Sur les discussions portant sur l'« élimination » du signifié cf. par ex. W. F. TWADDELL, *Meaning, habit and rules*, « LL » II 1949 4-11 ; C. F. VOEGELIN, T. A. SEBOEK, *Linguistics without meaning*, « IJAL » Mem. 8 1953 56-61 ; C. C. FRIES, *Meaning and linguistic analysis*, « Lg » XXX 1954 57-68 ; D. GERHARDT, *Mit oder ohne Inhalt ?*, « ZPhon » VIII 1954 1-32.

5. Cf. par ex. E. A. NIDA, *A system for the description of semantic elements*, « Word » VII 1951 1-14 ; K. L. PIKE, *Meaning and hypostasis*, « GUMSL » VIII 1955 134-41 ; F. G. LOUNSBURY, *The varieties of meaning*, « GUMSL » VIII 1955 158-64 ; P. L. GARVIN, *A descriptive technique for the treatment of meaning*, « Lg » XXXIV 1958 1-32 ; M. Joos, *Semology. A linguistic theory of meaning*, « SIL » XIII 1958 53-70 ; P. ZIFF, *Semantic and analysis*, Ithaca (New York), 1960 ; R. B. LEES, *The grammatical basis of some semantic notions*, « GUMSL » XIII 1962 5-20 ; M. Joos, *Structure in meaning*, ib. 41-48 ; J. J. KATZ, J. A. FODOR, *The structure of a semantic theory*, « Lg » XXXIX 196 170-210 (et les discussions dans « Linguistics » I 1963 30-57 ; 3 1964 19-29 ; 4 1964 14-18) ; S. M. LAMB, *The semenic approach to structural semantics*, « AmA » LXVI : 3 partie 2 1964 57-58. De nombreux problèmes sont abordés dans G. C. LEPSCHY, *Problems of semantics*, « Linguistics » 15 1965 40-65.

6. Cf. C. E. OSGOOD, *The nature and mesurement of meaning*, « Psychol. Bull. » XLIX 1952 197-237 ; C. E. OSGOOD, G. J. SUCI, P. H. TANNENBAUM, *The measurement of meanings*, Urbana Ill. 1957 ; R. S. WELLS, *A mathematical approach to meanings*, « CFS » XV 1957 117-36 ; ID., dans *Proceedings*, cit. 654-66, du huitième Congrès international de linguistique.

7. Cf. par ex. les essais recueillis dans A. TARSKI, *Logic, semantics, metamathematics*, Oxford 1956 ; H. REICHENBACH, Elements of symbolic logic, New York 1947 (1956 [5]) ; R. CARNAP, *Introduction to semantics*, Cambridge, Mass. 1942 (1948 [2]) ; ID., *Meaning and necessity. A study in semantics and modal logic*, Chicago 1947 (1956 [2]) ; W. VAN O. QUINE, *From a logical point of view*, Cambridge, Mass. 1953 ; ID., *Word and object*, New York-London 1950 ; J. L. AUSTIN, *Philosophical papers*, édité par J. O. URMSON et G. J. WARNOCK, Oxford 1961. Cf. aussi l'anthologie préparée par L. LINSKY, *Semantics and the philosophy of language*, Urbana 1952 ; et pour les développements plus récents Y. BAR-HILLEL, R. CARNAP, *An outline of a theory of semantic information*, dans Y. BAR-HILLEL, *Language and information. Selected essays in their theory and application*, Reading Mass.-Jerusalem 1964 221-274 ; Y. BAR-HILLEL, *Semantic information and its measures*, ibid. 298-310 ; et aussi J. G. KEMENY, *A logical measure function*, « JSL » XVIII 1953 289-308 ; R. S. WELLS, *A measure of subjective information*, « PSAM » XII 1961 237-244.

8. Cf. B. L. WHORF, *Four articles on metalinguistics*, Washington 1949 ; ID., *Language, thought and reality. Selected writings*, édité par J. B. CAROLL, New York-London, 1956.

9. Cf. A. KORZYBSKI, *Science and sanity*, Lakeville Conn. 1933 (1958 [4]) ; S. CHASE, *The tyranny of words*, New York 1938 ; S. I. HAYAKAWA, *Language in thought and action*, London 1952 ; et l'anthologie des premiers dix ans de « ETC » (1943-53), éditée par S. I. Hayakawa, *Language, meaning and maturity*, New York 1954.

10. Cf. R. JAKOBSON, dans *Actes* cit. 8-9 du sixième Congrès international de linguistique ; ID., dans « IJAL » Mem. VIII cit. 19-20.

11. C. F. HOCKETT, *Two models of grammatical description*, « Word » X 1954 210-34.

12. Cf. R. S. WELLS, *Automatic alternation*, « Lg » XXV 1949 99-116.

13. Sur la morphologie de Bloomfield cf. K. L. PIKE, dans « Lg » XIX 1943 35 et suite ; D. L. BOLINGER, dans « Word » IV 1948 18 et suite ; ainsi que HARRIS Z. S., *Yokuts structure and newman's grammar*, « IJAL » X 1954 196-211 ; B. BLOCH et G. L. TRAGER, *Outline* cit. 55-62 soulignent le caractère descriptif et non pas historique du processus de dérivation morphologique.

14. Z. S. HARRIS, *Morpheme alternants in linguistics analysis*, « Lg » XVIII 1942 169-80.

15. E. A. NIDA, *Morphology*, Ann Arbor 1944 (éd. préliminaire 1946[1]; 1949[2]) ; cf. ID., *The analysis of grammatical constituents*, « Lg » XXIV 1948 168-77 ; ID., *The identification of morphemes*, « Lg » XXIV 1948 414-41. Dans la tradition bloomfieldienne on n'a pas toujours distingué avec la clarté nécessaire, d'un côté les critères de validité descriptive et ceux d'efficacité pédagogique, de l'autre côté les critères théoriques pour la validité d'une description et les critères de processus suivant lesquels devrait s'effectuer la description. Le manque de clarté de ces deux points ne peut pas ne pas être lié à une mauvaise compréhension des principes de « vérificabilité opératoire ».

16. Cf. C. F. HOCKETT, *Linguistic elements and their relations*, « Lg » XXXVII 1961 29-53, d'où provient une des simplifications le schéma *b*) ; des discussions générales dans A. KOUTSOUDAS, *The morpheme reconsidered*, « IJAL » XXIX 1963 160-70 (et cf. *ibid.* 171-74) ; R. FOWLER, *Meaning and the theory of the morpheme*, « Lingua » XII 1963 165-76 ; W. WINTER, *Form and meaning in morphological analysis*, « Linguistics » 3 1964 5-18 ; F. R. PALMER, *Grammatical categories and their phonetic exponents*, dans *Proceedings* cit. 338-44 du neuvième Congrès international de linguistique.

17. Cf. les considérations de C. E. BAZELL, *On morpheme and paradigm*, Istambul 1948 ; ID., *On the problem of the morpheme*, « ArchL » I 1949 1-15 ; ID., *The sememe*, « Litera » I 1954 136-45 ; ID., *Meaning and the morpheme*, « Word » XVIII 1962 132-42. Cf. aussi D. L. BOLINGER, *On defining the morpheme*, « Word » IV 1948 18-23 ; S. SAPORTA, *Morph, morpheme, archimorpheme*, « Word » XII 1956 9-14 ; P. L. GARVIN, *On the relative tractability of morphological data*, « Word » XIII 1957 12-23. Contributions importantes de P. H. MATTHEWD, in « JL » I 1965 139-71 et in « FL » I 1965 268-89.

18. W. F. SWADESH, *The phonemic principle*, « Lg » X 1934 117-29.

19. W. F. TWADELL, *On defining the phoneme*, Baltimore 1935 (« Lg » Monog. 16 ; cf. « Lg » XI 1935 244-50 ; « Lg » XII 1936 53-59).

20. Cf. F. W. HOUSEHOLDER, article sur Z. S. HARRIS, *Methods*, « IJAL » XVIII 1952 260-68. Pour les problèmes méthodologiques cf. l'important travail de Y. R. CHAO, *The non-uniqueness* cit.

21. M. J. ANDRADE, *Some questions of fact and policy concerning phonemes*, « Lg » XII 1936 1-14 (cf. « Lg » XII 1936 294-97).

22. A. A. HILL, *Phonetic and phonemic change*, « Lg » XII 1936 15-22.

23. M. SWADESH, C. F. VOEGELIN, *A problem in phonological alternation*, « Lg » XV 1939 1-10.

24. E. HAUGEN, W. F. TWADELL, *Facts and phonemics*, « Lg » XVIII 1942 228-37.

25. Cf. Hockett, *A system of descriptive phonology*, « Lg » XVIII 1942 3-21.

26. B. Bloch, *A set of postulates for phonemic analysis*, « Lg » XXIV 1948 3-46.

27. C. F. Hockett, *A manual of phonology*, Baltimore 1955 (« IJAL » XXI : 4 part II = Mem. 11).

28. B. Bloch, G. L. Trager, *Outline* cit.

29. G. L. Trager, H. L. Smith Jr., *An outline of English structure*, Washington 1951 (« SIL » Occasional papers 3).

30. Cf. note 8 du chap. VIII.

31. Cf. par ex. C. Ebeling, *Phonemics and functional semantics*, « Lingua » III 1953 309-21 ; B. Bloch, *Contrast*, « Lg » XXIX 1953 59-61 ; W. Haas, *Relevance in phonetic analysis*, « Word » XV 1959 1-18.

32. Cf. par ex. A. Castellani, *Fonotipi e fonemi in italiano*, « SFI » XIV 1956 438 (435-53).

33. N. Chomsky, *Semantic considerations in grammar*, « GUMSL » VIII 1955 141-50 et discuss. 150-58.

34. Nous avons déjà cité plusieurs contributions, en particulier, sur la pensée de Trager, voir les numéros de « SIL ».

35. Cf. R. A. Hall Jr., *Leave your language alone*, Ithaca-New York 1950 (2ᵉ édition amplifiée sous le titre de *Linguistics and your language*, New York 1960) ; Id., *Introductory linguistics*, Philadelphia 1964.

36. A. A. Hill, *Introduction* cit. ; Id., *A postulate for linguistics in the sixties*, « Lg » XXXVIII 1962 345-51.

37. C. F. Hockett, *A manuel of phonology*, cit. ; Id., *A course* cit. ; et cf. aussi, outre les contributions déjà citées dans d'autres notes : Id., *Problems of morphemics analysis*, « Lg » XXIII 1947 321-43 ; Id., *Biophysics, linguistics and the unity of science*, « American scientist » XXXVII 1948 558-72 ; Id., *A note on structure*, « IJAL » XIV 1948 269-71 ; Id., *Two fundamental problems in phonemics*, « SIL » VII 1949 29-51 ; Id., *Which approach in linguistics is « scientific » ?*, « SIL » VIII 1950 5-11 ; Id., *A Formal statement of morphemic analysis*, « SIL » X 1952 27-39 ; Id., *Two models of grammatical description*, « Word » X, 1954 210-34 ; Id., *The terminology of historical linguistics*, « SIL » XII 1957 57-73 ; Id., *Animal « languages » and human language*, « Human biology » XXXI 1959 409-20 ; Id., *The origin of speech*, « Scientific American » CCIII : 3 1960 89-96 ; Id., *Grammar for the hearer*, « PSAM » XII 1961 220-36 ; Id., *The problem of universals in language*, in *Universals of language* édité par J. H. Greenberg, cit. 1963 1-22 ; Id., *Sound change*, « Lg » XLI 1965 185-204.

38. Beaucoup de ses travaux ont déjà été cités.

39. Cf. par ex. J. H. Greenberg, *Essays in linguistics*, Chicago 1957 ; P. L. Garvin, *On linguistic method. Selected papers*, The Hague 1964.

40. K. L. Pike, *Grammatical prerequisites to phonemic analysis*, « Word » III 1947 155-172 ; Id., *More on grammatical prerequisites*, « Word » III 1952 106-21 ; Id., *Interpenetration of phonology, morphology and syntax*, dans *Proceed.* cit. 363-71 du huitième Congrès international de linguistique.

41. Cf. K. L. Pike, *Phonetics. A critical analysis of phonetic theory and a technique for the pratical description of sounds*, Ann Arbor 1943 (et de nombreuses rééditions successives) ; Id., *Phonemics. A technique for reducing languages to writing*, ibid., 1947 (et rééditions successives).

42. Cf. les deux courageux volumes de K. L. PIKE, *The intonation of American English*, Ann Arbor 1946 ; ID., *Tone languages, ibid.* 1948.

43. K. L. PIKE, *Language in relation to a unified theory of human behavior*, Glendale Calif. 1954 et suite.

44. Cf. K. L. PIKE, *Language as particle, wave and field*, « The Texas quarterly » II : 2 1959 37-54 ; Id., dans « Lg » XXXVII 1962 242-44.

45. Pour la terminologie cf. K. L. PIKE, *On tagmemes née grademes*, « IJAL » XXIV 1958 273-78.

46. Cf. K. L. PIKE, *Dimensions of grammatical constructions*, « Lg » XXXVII 1962 221-44 ; ID., *A syntactic paradigm*, « Lg » XXXIX 1963 216-30 ; consulter aussi sur le même sujet, ayant une position différente, B. ELSON, V. B. PICKETT, *Beginning morphology-syntax*, Santa Ana Calif. 1960 ; R. LONGACRE, *String constituent analysis*, « Lg » XXXVI 1960 63-88 ; ID., *Grammar discovery procedures. A field manual*, The Hague 1964 ; ID., *Some fundamental insights in tagmemics*, « Lg » XVI 1965 65-76 ; S. BELASCO, *The role of transformational grammar in linguistic analysis*, « Linguistics » 10 1964 5-15. Voir K. L. PIKE, *A guide to publication related to tagmemic theory*, in *Current trends* cit. 3 1966, 365-94.

47. Cf. par ex. Z. S. HARRIS, compte rendu de GRAY, *Foundations*, dans « Lg » XVI 1940 216-31 ; ID., de N. S. TRUBECKOJ, *Grundzüge*, dans « Lg » XVII 1941 345-49 ; ID., des *Essays... Sapir*, dans « Lg » XVIII 1942 238-45 ; ID., *Morpheme alternants in linguistic analysis*, « Lg » XVIII 1942 169-80 ; ID., *Discontinuous morphemes*, « Lg » XXI 1945 121-27 ; ID., *From morpheme to utterance*, « Lg » XXII 1946 161-83 ; ID., de Sapir, *Selected Writings*, dans « Lg » XXVII 1951 288-333 ; ID., *Discourse analysis*, « Lg » XXVIII 1952 1-30 et 474-94 ; ID., *Distributional structure*, « Word » X 1954 145-62 ; ID., *Transfer grammar*, « IJAL » XX 1954 259-70 ; ID., *From phoneme to morpheme*, « Lg » XXXI 1955 190-222 ; ID., *Co-occurence and transformation in linguistic structure*, « Lg » XXXIII 1957 283-240.

48. Z. S. HARRIS, *Methods*, cit.

49. ID., *String analysis of sentence structure*, The Hague, 1962 ; ID., *Discours analysis reprints*, ibid., 1963 ; ID., *Transformational theory*, « Lg » XLI 1965 363-401.

l'étude (par l'intermédiaire de l'exécution) de la compétence.
De ce point de vue, la théorie behavioriste de la langue comme
« système d'habitudes » apprises par la répétition semble inac-
ceptable ; Chomsky préfère parler d'« idées innées », ou, comme
nous pourrions le traduire en termes naturalistes, de prédisposi-
tions héréditaires : il souligne au moins l'existence d'un problème ouvert au lieu de mettre de côté ce problème sous la cou-
verture d'une terminologie scientifique superficielle qui, en
réalité, n'explique rien. Plus préoccupant que cet aspect « idéaliste », est le recours (toujours plus fréquent chez les logiciens
et récemment aussi chez les linguistes) à l'exigence de l'universalité de la grammaire. Il s'agit d'une question qui a été
mise de côté tant dans l'élaboration de la linguistique historique que dans le développement de la linguistique structurale,
qui insistait souvent sur le caractère de système autonome et
fermé de chaque langue. Mais la question n'a pas été résolue
et elle apparaît aujourd'hui importante non seulement pour
les recherches typologiques mais aussi pour toute la méthodologie linguistique et pour les bases mêmes d'une théorie de la
langue. Le problème n'a pas été traité à ce jour de façon explicite et avec la rigueur qui serait nécessaire.

La linguistique de Chomsky comprend dans son étude même
l'utilisateur de la langue, qui, dans la linguistique post-bloomfieldienne, tendait à être exclu des considérations du linguiste,
concentrées sur ce qui succède à l'acte de la transmission du
message. L'idéal de scientificité de la linguistique post-bloomfieldienne semblait même consister dans l'aspiration (jamais
réalisable, et pour cause selon Chomsky) à mettre, à mi-che-
min entre le locuteur et l'auditeur, un spectrographe relié à
une calculatrice pour enregistrer chaque vibration de l'air, la
mesurer, l'analyser et la classer (en se basant sur les caractéristiques physiques et sur la distribution des vibrations à caractéristiques identiques), et à établir ainsi, sans intervention externe, par des procédés purement mécaniques, une analyse
complète, phonémique, morphémique et syntaxique des énoncés. La théorie linguistique générale se réduirait ici à donner

à la calculatrice les meilleures instructions, à chercher le programme idéal qui puisse analyser n'importe quelle langue.

Mais ceci paraît impossible sur le plan des principes ; le locuteur et l'auditeur font (avec leurs « intuitions ») partie intégrante du processus de la communication linguistique ; sans eux, un tel processus reste ininterprétable (même en termes uniquement phonématiques : l'interprétation phonématique est faite en fonction de l'interprétation grammaticale, le système phonématique servant à associer le système grammatical et la substance phonique). De cette façon, on fait sauter le système des compartiments étanches (ou mieux, des compartiments communiquant dans une seule direction) construit au nom de la « séparation des niveaux », par laquelle, au cours de l'analyse phonématique, on ne devra jamais se référer à des notions appartenant au niveau de la morphologie, etc... (mais non pas vice versa). Mais l'attention prêtée à l'utilisateur n'implique pas l'introduction d'éléments sémantiques dans l'analyse grammaticale, comme nous l'avons vu. Il faut cependant tenir compte des « intuitions » du locuteur par rapport à sa langue ; car les explications du linguiste doivent, en dernière analyse, expliquer et satisfaire précisément les intuitions des locuteurs ; et aussi parce que de telles intuitions sont, dans de nombreux cas, révélatrices de faits linguistiques qui n'apparaissent pas dans une analyse superficielle conduite uniquement en termes de différences formelles et distributionnelles.

C'est là un des points les plus difficilement conciliables avec les méthodes qui l'emportaient dans la linguistique post-bloomfieldienne, qui avait toujours insisté sur la nécessité de tenir uniquement compte de la façon dont parle l'informateur et non de la façon dont ce qu'il dit CONCERNE la langue. A ce propos, il serait important de montrer clairement jusqu'à quel point les intuitions linguistiques d'un utilisateur reflètent le système grammatical d'une langue (ou du moins la façon dont il en prend conscience et en un certain sens, psychologiquement, le crée), et jusqu'à quel point elles sont dues au milieu, imposées par une tradition scolastique qui est loin d'être satisfaisante.

Un des sujets essentiels dans lequel l'intuition de l'utilisateur entre en jeu est la GRAMMATICALITÉ des périodes (au sens descriptif, bien entendu, et non pas normatif). Il ne semble pas possible d'utiliser des critères statistiques, car il y a un nombre infini de périodes grammaticales jamais encore utilisées, c'est-à-dire qui ont la même fréquence zéro que le nombre infini de périodes non grammaticales. En face, par exemple, de : a) *Un vieux monsieur achète un œillet rouge*, b) *œillet monsieur un rouge vieux achète*, c) *un cercopithèque distingué épousa un continent assonancé*, d) *un lyrisme tubulaire mord la sphère hexagonale*, et e) *l'enfant cinquantenaire atteindra quatre-vingt-dix ans le mois dernier*, il s'agit au moins de voir : 1º si seule la phrase a) est grammaticale et toutes les autres sont également non grammaticales ; 2º si nous pouvons classer au-dessous de a) les périodes c), d), e), b), le long d'une échelle de grammaticalité décroissante ; 3º si seule la période b) est non grammaticale tandis que a), c), d), e) seraient toutes (également ou différemment ?) grammaticales, et ce qui apparaît non grammatical serait dû uniquement au choix lexical ; 4) si l'on doit distinguer, et comment, entre c), d) et e). Une période qui apparaît sous un quelconque aspect anormal ne devient pas normale parce qu'on peut imaginer un contexte convenable. Il est du reste toujours possible de trouver un contexte métalinguistique opportun, comme par exemple celui donné ci-dessus, qui est un contexte adapté aux cinq périodes citées. En général, pour des périodes de type c), d) et e), il est facile même d'imaginer un contexte normal, non métalinguistique : le fameux *colorless green ideas sleep furiously* de Chomsky a été contextualisé par Halliday dans le passage cité plus haut, et il a même été utilisé dans un poème. Il est clair que le recours à l'intuition de l'utilisateur de la langue est ici nécessaire, mais qu'il pose des problèmes très délicats.

Nous avons dit que l'intuition de l'utilisateur peut signaler certains phénomènes qui, autrement, ne se manifesteraient pas dans la « grammaire superficielle » ; par exemple, des distinctions comme celle que nous pourrions appeler de « génétif objectif » et de « génétif subjectif » en français, ne semblent avoir aucune manifestation perceptible superficiellement. Dans a) *la mort des otages atterre les assistants* et b) *l'exécution des otages atterre les assistants*, le sentiment intuitif du locuteur peut identifier une valeur différente pour *des otages* dans les deux cas ; et il ne s'agira pas d'une différence sémantique (dans les deux cas les otages meurent), mais d'une différence grammaticale des deux constructions, qui peuvent être ASSOCIÉES (et nous passons ici de l'intuition subjective à un procédé objectif) à deux énoncés différents : *les otages meurent pour* a), et *quelqu'un exécute les otages pour* b). Ainsi, dans c) *la présentation de l'ami* nous pourrons voir non pas une construction ayant deux signifiés mais deux constructions homographes, différentes, l'une ASSOCIÉE à *l'ami présente quelqu'un* et l'autre à *quelqu'un présente l'ami*.

Un des principaux aspects de la théorie de Chomsky consiste précisément dans l'étude rigoureuse de tels rapports d'ASSOCIATION que l'on appelle, d'un terme emprunté aux mathématiques, TRANSFORMATIONS [3], et qui peuvent être précisément formalisés. Ils servent à rendre compte (ce qu'on ne réussissait pas autrefois) de la capacité du locuteur à accomplir certaines opérations grammaticales, par exemple construire, sur la base de d) *Pierre aime Marie*, d'autres énoncés, tels *Pierre n'aime pas Marie, Marie est aimée par Pierre, que Pierre aime Marie...*, *si Pierre aimait Marie...*, etc. Si nous prenons pour exemple la transformation passive en anglais, nous verrons que l'analyse en termes de structure de phrase, accomplie séparément pour l'actif et pour le passif, porte à répéter plusieurs règles et limitations correspondantes dans les deux cas, et n'illustre pas le rapport que le locuteur institue entre la période active et la période passive, ne permet pas de passer de l'un à l'autre. Ces deux défauts sont éliminés dans le cas où l'on soustrait le passif à l'analyse en termes de structures de phrase, et il se retire de l'actif avec la transformation suivante : pour chaque période qui a la structure GN 1-AUs-V-GN 2 (par exemple *John-C-admire-sincerity*, où C représente la conjugaison : personne, temps,

etc...), on pourra avoir une période GN 2-Aus+be+en-V-by+
GN 1 (par exemple *sincerity*-C-*be* + *en-admire-by* + *John*,
qui donne avec l'application des règles appropriées, *sincerity is
admired by John*) [4].

A la base de la conception linguistique se trouve, comme nous
l'avons vu, l'idée que la grammaire (que doit représenter la
COMPÉTENCE du locuteur) consiste en un système de règles
que spécifient l'ensemble infini de périodes d'une langue, assi-
gnant à chacune une description structurale (ou plus d'une si
la période est ambiguë). Une grammaire de ce type peut être
appelée GÉNÉRATIVE. Il faut souligner que si aujourd'hui différentes conceptions linguistiques du passé peuvent apparaître
comme des préfigurations de la grammaire générative, ou complètement génératives elles-mêmes, ceci ne diminue en rien
l'originalité et l'importance de la théorie générative d'aujour-
d'hui qui, visant à engendrer avec ses règles les périodes d'une
langue, s'oppose aux théories structuralistes qui limitent leur
propre attention aux inventaires d'éléments et à l'examen des
variantes contextuelles. La grammaire doit, selon Chomsky,
avoir une composante SYNTAXIQUE, une composante PHONO-
LOGIQUE et une composante SÉMANTIQUE. Les structures abstraites produites par la composante syntaxique sont interpré-
tées concrètement par les deux autres composantes, converties
en représentations phonétiques et sémantiques respectivement.
La grammaire peut être considérée comme un moyen d'associer (au moyen du système de structures abstraites produites
par la composante syntaxique) des signaux phonétiques et des
interprétations sémantiques.

Chomsky distingue deux modèles de grammaire : la TAXONO-
MIQUE (correspondant aux descriptions structurales modernes
en termes de structure de phrases à constituants immédiats,
bien que ceci soit généralement postulé de manière statique
et non générative) et la TRANSFORMATIONNELLE (plus voisine,
par sa conception de base, des intuitions présentes dans la
grammaire traditionnelle préstructuraliste).

Le modèle taxonomique, comme nous l'avons vu, se fonde

sur des procédés de segmentation et de classification, et on peut le caractériser avec des règles de ce type : la catégorie A a un membre (variante, réalisation) X, dans le contexte Z-W de telles règles, qui sont soumises à des restrictions déterminées, établissent ce que sont les membres de certaines classes dans certains contextes. La description structurale consiste en parenthèses avec étiquettes, elle fournit pour chaque période « un stemma » dont les nœuds indiquent, pour chaque constituant, la catégorie à laquelle il appartient ; cette arborescence avec étiquette est appelée INDICATEUR DE PHRASE (phrase-marker). Pour clarifier par un exemple simplifié à l'extrême, nous pouvons analyser a) *l'oncle lit un livre*, en constituants immédiats et représenter notre analyse dans un graphe SANS étiquettes 1) ; un tel graphe ne donne pas toutes les informations que nous pourrions désirer, il ne suffit pas à caractériser la structure syntaxique de a) : il est en fait semblable au graphe 2) qui correspond à une période de structure différente, celle par exemple de b) *il fit une belle chute*.

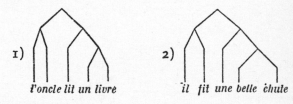

1) *l'oncle lit un livre*   2) *il fit une belle chute*

Si nous indiquons de quel type sont les différents constituants en utilisant un graphe à étiquettes (P = période, GN = groupe nominal, GV = groupe verbal, N = nom, V = verbe,

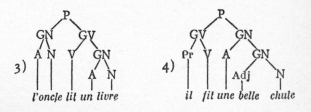

3) *l'oncle lit un livre*   4) *il fit une belle chute*

A = article, Adj = adjectif, Pr = pronom) nous obtenons les indicateurs de phrase 3) et 4), correspondant respectivement à (*a* et *b*) et qui manifestent la différence de constitution des périodes dont nous indiquons la structure.

Nous ne voulons pas insister ici sur les questions posées par la nécessité de symboles récursifs, pour les constructions RÉGRESSIVES et PROGRESSIVES, c'est-à-dire avec arborescences ramifiantes à gauche comme dans 5) (par exemple en anglais *John's mother's hat is awful*) [5], et avec des arborescences ramifiantes à droite comme dans 6) (par exemple *Pierre a dit que Paul est parti*) ; nous ne pouvons pas nous arrêter sur l'AUTO-INCLUSION (*selfembedding*), avec des arborescences ramifiantes comme en 7), ou sur des phénomènes comme la coordination, avec sa possibilité de produire des ramifications illimitées, qui ne trouvent pas dans la grammaire à structure de phrase une systématisation adéquate.

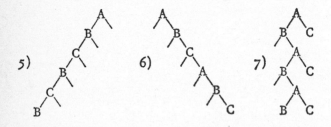

Des discussions vivantes sont aujourd'hui en cours sur les limites de la grammaire à structure de phrase et sur les rapports entre grammaire à structure de phrase (telle qu'elle est présentée par les théoriciens de la grammaire transformationnelle) et analyse en constituants immédiats (telle qu'elle a été conçue par les théoriciens du structuralisme, en particulier par ceux de tradition bloomfieldienne) [6]. La grande innovation de Chomsky, plus encore que l'introduction des transformations, consiste en la notion de GÉNÉRATION et en la discussion rigoureuse (basée sur cette notion) des buts de la théorie linguistique, des critères auxquels doit satisfaire une description pour être adéquate. Mais Chomsky reformule la traditionnelle analyse structuraliste en constituants immédiats, et il en fait, en termes génératifs, une grammaire à structure de phrase, dont il cherche à identifier et à préciser les limitations. On ne s'étonnera pas que beaucoup de structuralistes ne reconnaissent pas dans une telle grammaire à structure de phrase un fidèle miroir de leurs propres théories, formulées en termes non génératifs de constituants immédiats, et qu'ils tentent de recourir à des solutions particulières pour les difficultés particulières qui apparaissent peu à peu, dans leur recherche, et qui sont soulignées par ceux qui ont adopté le point de vue de la grammaire générative. Les discussions et les polémiques sont parfois peu fécondes car les interlocuteurs semblent ne pas se rendre compte de la diversité des termes en lesquels, des deux côtés, ils développent le discours. Une telle diversité est due à l'adoption, du côté des uns mais non du côté des autres, de la notion de règle générative rigoureusement formalisée.

Selon Chomsky, la limite principale de la linguistique « scientifique » (comprenant sous cette étiquette également les conceptions linguistiques générales caractéristiques d'une grande partie de la grammaire comparative depuis la seconde moitié du siècle passé) élaborée dans un climat positiviste, est d'avoir concentré son attention sur la STRUCTURE SUPERFICIELLE des énoncés au détriment de la STRUCTURE PROFONDE. Une telle limitation est devenue encore plus grave avec le structuralisme, surtout américain, élaboré dans un climat néopositiviste, avec sa façon d'insister sur la vérificabilité à travers des preuves opérationnelles. Insister sur la rigueur de la méthode en se basant sur de tels critères de vérificabilité, quoique cela soit idéalement louable, signifie, dans l'état actuel de nos connaissances, renoncer à une grande part de ce que nous savons, par intuition ou introspection, sur le langage. La structure profonde représente un système de rapports grammaticaux, sur lequel se fonde l'interprétation sémantique de l'énoncé ; tandis que l'interprétation phonétique se fonde sur la structure

superficielle. Chomsky oppose à une attitude (pseudo) empirique une attitude rationaliste (en réalité plus authentiquement
empirique en tant qu'elle n'exclut pas du domaine des FAITS
que l'on va expliquer ceux qui sont connus de façon subjective
ou introspective et qui constituent une grande partie de notre
expérience linguistique), qui s'occupe aussi de la structure profonde (tandis que l'attitude empirique se limite à accomplir
des opérations taxonomiques sur des données superficielles), et
en particulier la façon dont la structure profonde se PROJETTE
(*is mapped*) sur la structure superficielle. On arrive à ceci non
pas à travers la notion de structure en tant que configuration
de propriétés, mais à tavers l'étude des *règles* nécessaires à
engendrer, à produire les données, et en particulier à travers
l'étude de certaines règles spéciales : celles de transformations.

Le MODÈLE TRANSFORMATIONNEL est beaucoup plus complexe
que le modèle taxonomique dont nous avons parlé. La composante syntaxique consiste en deux sous-composantes, une à
structure constitutive, comparable à celle indiquée plus haut,
avec des règles à appliquer dans un certain ordre, qui produit
des EXPRESSIONS TERMINALES CONSTITUTIVES ; l'autre, proprement transformationnelle, qui consiste en TRANSFORMATIONS,
règles (certaines obligatoires, d'autres facultatives) qui, appliquées dans un certain ordre, projettent un indicateur de
phrase d'une ou de plusieurs expressions terminales sur un
nouvel INDICATEUR DE PHRASE DÉRIVÉ d'une EXPRESSION
TERMINALE TRANSFORMATIVE. La description structurale de
l'expression terminale transformative consistera alors en les éléments suivants : un groupe d'indicateurs de phrase que nous
pouvons appeler AU-DESSOUS, un indicateur de phrase DÉRIVÉ
de ceux au-dessous, et un INDICATEUR TRANSFORMATIONNEL
qui montre précisément COMMENT l'indicateur de phrase est
DÉRIVÉ des indicateurs de phrase au-dessous. L'indicateur
transformationnel nous donne l'HISTOIRE TRANSFORMATION-
NELLE de l'indicateur de phrase dérivé. L'indicateur transformationnel est nécessaire (nous ne savons pas encore exactement comment) pour l'interprétation, tant phonétique que
sémantique, des énoncés [7].

Prenons comme exemple l'analyse (simplifiée) des deux périodes anglaises [8] *a) John is easy to please* et *b) John is eager to please* (que nous pouvons traduire d'une façon approximative par *John est facile à contenter*, c'est-à-dire qu'*il est facile de plaire à John*, et par *John désire plaire, désire faire plaisir aux autres*). Pour les deux périodes nous aurons les indicateurs de phrase 1) et 2) que nous pouvons superposer en un graphe unique 3).

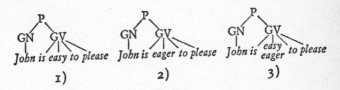

Mais l'intuition de l'utilisateur de la langue révèle, d'une façon ou d'une autre, que dans *a) John* est objet de *please*, tandis que dans *b) John* est sujet de *please*. Il s'agit d'une information grammaticale profonde (tandis qu'en superficie, dans les deux cas, *John* est sujet de *is*) qui, même si on rend l'analyse en terme de structure de phrase très complexe et élaborée, ne peut pas apparaître dans nos indicateurs de phrase, tant il est vrai que nous pouvons les réunir dans le même graphe 3).

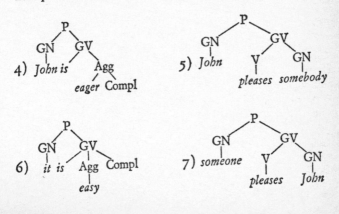

Mais dans une grammaire transformationnelle les « règles de réécriture » ne donneraient pas directement *a*) et *b*), mais produiraient des indicateurs de phrases comme 4), 5), 6) et 7) (où l'on ne note que ce qui est nécessaire).

La grammaire comprend aussi les TRANSFORMATIONS suivantes :

> T 1 : remplacer "Compl" par "for x to y", où "x" est un GN et "y" un GV dans la période déjà produite "yx".
>
> T 2 : effacer la seconde occurrence des deux GN identiques.
>
> T 3 : effacer l'objet direct de certains verbes.
>
> T 4 : effacer "for someone" dans certains contextes.
>
> T 5 : convertir une expression analysable comme "GN-is-Adj- (for-GN 1)-to-V-GN 2" en une expression correspondante de forme "GN 2-is-Adj-(for-GN 1)-to-V".

La description structurale de *a*) est alors donnée par deux indicateurs de phrase au-dessous 6) et 7), et par l'indicateur de phrase dérivé 1), avec l'histoire transformationnelle constituée par T1, T4 et T5. La description structurale de *b*) est donnée par deux indicateurs de phrase au-dessous 4) et 5), par l'indicateur de phrase dérivé 2) et par l'histoire transformationnelle T 1, T 2 et T 3. La description structurale comprend maintenant l'information qui, en termes de structure de phrase seulement, n'était pas formulable : que, dans *a*) *John* soit objet de *please* apparaît dans l'indicateur de phrase au-dessous 7), qui fait partie de la description de *a*); que dans *b*) *John* soit sujet de *please* apparaît dans l'indicateur de phrase au-dessous 5), qui fait partie de la description de *b*). Des exemples français analogues, que le lecteur pourra élaborer lui-même, seraient par exemple : *le veau est rapide à manger* (*mange rapidement* et *se mange rapidement*), etc...

Nous n'aborderons pas ici les questions, particulièrement intéressantes, qui concernent les composantes phonologiques [9] et les composantes sémantiques [10] ; nous ne nous arrêterons pas sur la discussion des différents buts que la description grammaticale peut se proposer (adéquation aux niveaux de l'observation, de la description, de l'interprétation), nous n'aborderons pas d'autres aspects, comme les aspects psychologiques [11], des théories transformationnelles, même si nous nous rendons compte du fait que, d'une telle façon, nous ne pouvons pas rendre pleinement justice à l'originalité et à l'intérêt de telles théories.

NOTES DU CHAPITRE VIII

1. Il s'agit du reste d'une créativité qui apparaissait à plusieurs théoriciens idéalistes, je le présume, non pas « créative » mais déterministe ; il s'agit d'une « créativité » que, par chance, on peut tenter d'éclaircir avec un modèle qui réponde à des règles précises.

2. Cf. le texte dont se réclame Chomsky (G. DE CORDEMOY), *Discours physique de la parole*, Paris 1668 : « Car encore que je conçoive bien qu'une pure Machine pourroit proférer quelques paroles, je connois en même temps que si les ressorts qui distribûroient le vent, ou qui feroient ouvrir les tuyaux, d'où ces voix sortiroient, avoient un certain ordre entr'eux, jamais ils ne le pourroient changer... au lieu que les Paroles que j'entens proférer à des Corps faits comme le mien, n'ont presque jamais la même suitte » (p. 8 et sv.); on ne peut pas dire que l'écho ou les perroquets parlent « car il me semble que parler n'est pas répéter les mêmes paroles dont on a eu l'oreille frappée, mais que c'est en proférer d'autres à propos de celles-là » (p. 19). (Je reproduis l'orthographe de l'édition citée).

3. N. Chomsky trouve des précédents à ces notions, par exemple dans la grammaire et la logique de Port-Royal : il n'y a pas de doute que le rapport entre « Pierre vit » et « Pierre est vivant », ou entre *a*) « Dieu invisible a créé le monde visible », *b*) « Dieu qui est invisible a créé le monde qui est visible », et *c*) « Dieu est invisible — il a créé le monde — le monde est visible », sont d'ordre transformationnel (cf. *Grammaire générale et raisonnée...*, Paris 1660 68-69, 91 et sv ; je conserve dans les citations l'orthographe de cette édition). L'idée dans la formulation moderne rigoureuse remonte à Z. S. HARRIS, *Discourse analysis*, cit. ; Id., *Co-occurrence* cit. ; pour le rapport entre

la notion de co-occurrence et celle de transformation, CHOMSKY, *Current issues cit.* après la page 62, renvoie, outre Harris, à C. E. BAZELL, *Linguistic form* cit. ; la notion a été élaborée originellement par N. A. CHOMSKY, dont cf. les deux volumes publiés dans la série « Janua Linguarum », n. 4, *Syntactic structures*, 's-Gravenhage 1957 (et réimprimé en 1962 avec une bibliographie complétée) et n. 38, *Current issues in linguistic theory*, The Hague 1964 (version revue de la communication présentée au neuvième Congrès international de linguistique, cf. les *Proceedings* cit. 914-78 et les discussions 978-1008). Après la rédaction de ce chapitre d'autres livres de CHOMSKY ont été publiés, *Aspects of the theory of syntax*, Cambridge Mass. 1965 ; *Cartesian linguistics*, New York 1966 ; *Topics in the theory of generative grammar*, The Hague 1966 (et in *Current trends* cit. 3 1966 1-60) ; importantes contributions au second volume du *Handbook of mathematical psychology*, édité par R. D. Luce, R. R. Bush, E. Galanter, New York-London 1963 : N. A. CHOMSKY, G. A. MILLER, *Introduction to the formal analysis of natural languages*, 269-321 ; G. A. MILLER, N. A. CHOMSKY, *Finitary models of language users*, 419-91. Également utiles les volumes de E. BACH, *An introduction to transformational grammars*, New York 1965 ; A. KOUTSOU-DAS, *Writing transformational grammars : an introduction*, New York 1966 ; différents essais sont aujourd'hui réunis dans J. A. FODOR, J. J. KATZ, *The structure of language. Reading in the philosophy of language*, Englewood Cliffs New Jersey 1964. La bibliographie est très vaste (et il est parfois difficile de s'y orienter car beaucoup d'essais sont diffusés en polycopiés, sous des versions différentes qui correspondent à des élaborations théoriques successives, avant la publication) ; pour une plus grande information, cf. G. C. LEPSCHY, *La grammatica trasformazionale* cit. (dans les notes de ce chapitre nous réduirons au minimum les renvois bibliographiques).

4. N. A. CHOMSKY, *Syntactic structures* cit. 43 ; cf. 32, 39.

5. Cf. ID., *On the notion "rule of grammar"*, in *The structure of language* cit. « PSAM » XII 1961 6-24 ; V. H. YNGVE, *The depth hypothesis*, ibid. 103-38. Les différentes langues varient dans leur préférence pour des structures récursives de droite ou de gauche ; N. A. CHOMSKY, « PSAM » XII 1961 10, renvoie à l'ouvrage cité sur la syntaxe du japonais de BLOCH (« Lg » XXII 1946 200-48) et en particulier à l'alinéa 24 du paragraphe 9, qui a une structure régressive avec des numéros en degrés.

6. Sur la reformulation de « l'analyse structurale en constituants immédiats » en termes de « grammaire à structure de phrase », et sur l'inadéquation de ce modèle pour la représentation des langues naturelles, outre les travaux de Chomsky, ceux de Gross cités par ailleurs (chap. IX note 35), et de Bar-Hillel (cités aux numéros 45, 47, 50 de ma *Grammatica trasformazionele* cit.), cf. P. POSTAL, *Constituent structure. A study of contemporary models of syntactic description*, The Hague 1964 ; ID., *Limitation of phrase structure grammar*, publié pour la première fois aux p. 137-51 de l'anthologie citée de Fodor et Katz.

7. Cf. N. A. CHOMSKY, *Current issues* cit. 13-15, 47, 64.

8. Cf. *ibid.* 60-65 ; ID., in *Handbook* cit. 476-83.

9. Cf. M. HALLE, *The sound pattern of Russian* cit. ; ID., *Phonology in a generative grammar*, « Word » XVIII 1962 54-72 ; N. A. CHOMSKY, *Current issues* cit. 65 et sv ; ID., in *Handbook* cit. 306 et sv. Parmi les nombreuses discussions récentes, nous rappellerons F. W. HOUSEHOLDER, *On some recent claims in phonological theory*, « JL » I 1965 13-34, avec la réponse de N. A. CHOMSKY et M. HALLE, *Some controversial questions in phonological theory*, « JL » I 1965 97-138.

10. Cf. la cinquième section, consacrée à la sémantique, dans l'anthologie citée de Fodor et Katz, où se trouve aussi J. J. Katz, J. A. Fodor, *The structure of a semantic theory*, « Lg » XXXIX 1963 170-210 ; on trouvera une formulation plus récente de cette théorie sémantique dans J. J. Katz, P. Postal, *An integrated theory of linguistic descriptions*, Cambridge Mass. 1964 ; J. J. Katz, *The philosophy of language*, New York 1966.

11. Cf. G. A. Miller, N. A. Chomsky, *Finitary models of language users* cit. ; N. A. Chomsky, *Current issues* cit. 111 et sv ; et cf. la sixième section de l'anthologie citée de Fodor et Katz.

que nous aborderons dans ce chapitre sont des recherches LIN-
GUISTIQUES par excellence, plus proprement linguistiques, sous
bien des aspects, que beaucoup de recherches qui se développent traditionnellement dans le cadre de la linguistique
sociologique et historique (dans lesquelles les faits linguistiques
sont traités non pas en termes de langue mais en termes d'histoire culturelle ou sociale, de tradition littéraire ou d'esthétique, et ainsi de suite). Nous mettons l'accent sur ces recherches
dans un appendice à cause de leur caractère de « linguistique
appliquée », mais leurs applications pratiques peuvent aussi
être intéressantes du point de vue théorique dans la mesure
où elles peuvent fournir certains moyens de vérification qui
manqueraient autrement. Les exigences « pratiques », comme
celle que les règles soient « programmables » dans une calculatrice, constituent un aiguillon pour la précision et la rigueur de
la formulation. Mais il devrait résulter de tout l'exposé qui
précède que ces recherches n'ont besoin d'aucune « justification » pratique. Il conviendrait que les linguistes traditionnels
abandonnent l'attitude de tolérance (« qu'ils les fassent donc
ces travaux, s'ils servent pour les machines ») ou d'intolérance
(« ce sont des travaux à refuser ») qu'ils adoptent parfois, et
méditent avec sérieux et modestie sur la signification du fait
que certaines recherches linguistiques PEUVENT avoir des applications pratiques et servir à des études, de psychologie moderne ou de théorie de la communication par exemple.

« Linguistique mathématique » est une étiquette qui a au
moins deux valeurs nettement distinctes. Celle de « linguistique quantitative », dans laquelle entrent des considérations
numériques et que nous pouvons appeler au sens large « statistique linguistique », et celle de linguistique pour ainsi dire
« algébrique » ou « algorythmique », dans laquelle au cours des
analyses on utilise des symboles et on accomplit des opérations
sur des symboles, qui sont parfois réunies sur la page en « formules mathématiques ». Dans ce second sens, le terme « mathématique » est utilisé comme dans l'expression « logique mathématique » ; il s'agit d'un sens complètement différent au sens

quantitatif ou statistique. La grammaire transformationnelle dont nous avons parlé au chapitre VIII est un exemple de linguistique « algébrique » dans ce sens non quantitatif. Dans cet appendice, nous mettrons l'accent sur la statistique linguistique, puis sur les recherches accomplies en vue de la traduction automatique, qui ont recours parfois aussi à la statistique linguistique, mais qui se développent pour la majeure partie en termes de linguistique algébrique.

2. La statistique linguistique.

Le dénombrement des éléments linguistiques a traditionnellement eu une place marginale dans la linguistique proprement dite, ce qui n'est pas en contradiction avec le traditionnel intérêt philologique pour les *hapax legomena* (pour lesquels la répertorisation est très simple : elle se limite à constater qu'ils ne se trouvent qu'une fois). Il y a, bien sûr, des recherches « appliquées », par exemple sur la fréquence des lettres pour les systèmes sténographiques ou les claviers de machine à écrire, ou des recherches de psychologues et de pédagogues sur la fréquence des mots. Il y a aussi des répertoires de différents genres faits à partir de textes « classiques », de la Bible à Dante ou à Shakespeare. Il s'agit cependant toujours de recherches qui demeurent hors de la linguistique proprement dite. Les recherches qui ont donné des résultats linguistiquement intéressants ont souvent été produites par des mathématiciens, comme l'on peut du reste s'y attendre étant donné la complexité de l'apparat statistique qu'il faut mettre en jeu.

Nous ne voulons pas aborder ici les problèmes posés par l'application des méthodes statistiques aux sciences sociales, et en particulier le fait que de nombreux phénomènes (pouvant être considérés soit comme mécaniquement déterminés, soit comme libres et imprévisibles) répondent, dans leur ensemble, à certaines lois statistiques. Ce qui est certain, c'est que les phénomènes linguistiques se prêtent d'une manière surprenante à un

tel traitement statistique[1]. Quand nous parlons, nous choisis-
sons nos mots et nos phrases selon ce que nous voulons dire,
mais ce que nous disons, récolté en un corpus suffisamment
large, présente des régularités statistiques déterminées. Ce
champ d'étude est évidemment difficile car il réclame, chez
celui qui s'y attache, une double spécialisation, linguistique
et mathématique. On a récemment publié des manuels qui
peuvent utilement servir d'introduction à ces recherches et dont
la comparaison est avantageuse pour le lecteur par la diversité
même des points de vue qui s'y révèlent : les auteurs en sont
un linguiste qui s'intéresse aux mathématiques, P. Guiraud[2], et
un mathématicien qui s'intéresse à la linguistique, G. Herdan[3].
Mais une œuvre de pionnier a été accomplie dans ce domaine
par un linguiste génial, G. K. Zipf, dont l'influence dans le
champ de la linguistique orthodoxe n'a pas été aussi large qu'on
aurait pu le souhaiter[4]. Dans la décennie précédant la seconde
guerre mondiale, même l'Ecole de Prague soulignait l'importance de la considération statistique des phénomènes linguistiques (il suffit de rappeler la notion de rendement fonctionnel qui devrait avoir une base statistique)[5]. En pratique, ce
fut cependant Zipf qui identifia différentes lois et tendances
qui paraissent avoir un grand intérêt (et qui furent ensuite
formulées de façon plus précise). Nous en rappelons quelques-
unes à titre d'exemple[6].

1° Si nous mettons les mots d'un texte par ordre (et que nous
appelons RANG (r) leur numéro d'ordre) selon leur FRÉQUENCE (f),
en partant de la plus grande fréquence, la relation entre la
fréquence et le rang est, bien entendu, inverse (nous donnons
les rangs les plus élevés aux mots de plus faible fréquence). Ce
qui est intéressant, c'est qu'il s'agit d'un rapport inversement
PROPORTIONNEL, c'est-à-dire tel que le produit de la fréquence
par le rang est approximativement constant. De la table des
mots de l'*Ulysse* de Joyce, placés par ordre de fréquence, nous
pouvons extraire quelques chiffres intéressants :

rang (r) (c'est-à-dire numéro d'ordre dans la liste des mots par ordre de fréquence décroissante)	fréquence (f)	le produit de la fréquence par le rang est approximativement constant : f.r = C
Le mot 10ᵉ est utilisé 2653 fois		26 530
100ᵉ	265	26 500
1000ᵉ	26	26 000
10000ᵉ	2	20 000
29000ᵉ	1	29 000

Ou bien, en se basant sur le *French Word Book* (élaboré d'après un ensemble de textes qui comprend 400.000 mots) de A. C. Henmon, on voit que :

Le mot 100ᵉ est utilisé 314 fois		31 400
200ᵉ	158	31 600
1000ᵉ	31	31 000

2º Il y a encore d'autres rapports statistiques intéressants entre les mots d'un texte, par exemple celui entre la fréquence (b) d'un mot donné et le nombre de mots (a) qui ont la même fréquence que celle du mot donné : le produit du nombre de tels mots par le carré de la fréquence est constant : $a.b^2 = C$. Toujours du compte provenant de l'*Ulyssse* de Joyce, retirons ces faits :

a	b	$a.b^2 = C$
16432 mots apparaissent 1 fois		16 432
4776	2	19 000
2194	3	19 600
1400	4	20 239
900	5	22 400
770	6	22 700
480	7	23 500
370	8	23 600
300	9	24 300
220	10	22 000

Les deux lois indiquées dépendent l'une de l'autre. Elles devraient être formulées de manière plus précise puisqu'en particulier, dans certaines zones lexicales (celles des mots de fréquence maxima et de fréquence minima), elles se révèlent inexactes[7]. S'il est important de chercher à corriger et à interpréter ces formules d'un point de vue statistique[8], il importe surtout pour le linguiste de chercher à les interpréter. Zipf avait proposé une explication élémentaire et séduisante sur la base de la loi du moindre effort : ces lois représenteraient le compromis entre la tendance au repos (utiliser dans un message toujours le même mot, avec le minimum d'effort et le minimum d'information) et la tendance à l'efficacité (utiliser dans un message le plus de mots spécifiques avec le maximum d'effort et le maximum d'information). Cette explication a été reprise de façon plus complexe par Mandelbrot, qui corrige les formules de Zipf, montrant qu'elles sont « "expliquées" par le fait que ce sont les "meilleures" propriétés qu'un texte puisse avoir », d'un point de vue purement pragmatique, « limité mais non négligeable » : c'est-à-dire qu'elles répondent d'une meilleure façon aux exigences de la communication. Martinet, au cours de ses recherches, est également arrivé à des considérations analogues, en termes purement linguistiques, sans cet apparat mathématique.

Zipf montre aussi en s'appuyant sur des faits statistiques qu'il y a un rapport inverse, pas nécessairement proportionnel, entre la longueur d'un mot et sa fréquence d'usage (et donc une tendance à abréger les mots dont la fréquence augmente)[9], entre le « degré de complexité des phonèmes » et leur fréquence : les phonèmes les plus complexes ou les plus difficiles à prononcer à certains endroits tendent, si leur fréquence augmente, à se simplifier. Et l'on peut chercher là une des causes des changements phonétiques, comme le montre encore une fois Martinet, de façon convaincante et sans recourir aux calculs numériques.

Dans le même ordre d'idées on peut citer d'autres tendances, d'une certaine manière évidentes, mais ne manquant pas pour autant d'intérêt. Il est possible de prendre dans le vocabulaire normal d'une langue (avec, mettons, 50.000 mots) une liste de mots, placés par ordre de fréquence décroissante, tels que les 15 premiers mots couvrent 25 % de n'importe quel texte (ou corpus de textes — tels qu'on n'y utilise pas de mots ne se trouvant pas dans ce vocabulaire), les premiers 100 mots couvrent 60 %, les premiers 1.000 couvrent 85 % et les premiers 4.000 les 97,5 % de n'importe quel texte. Mais pour les 2,5 % restant, il faudra les 46.000 autres mots du vocabulaire.

Nous pouvons même établir des corrélations intéressantes entre les données statistiques (la fréquence des mots) et certains aspects sémantiques du lexique, comme la distinction entre mots « vides » (qui servent d'instruments grammaticaux, sans dénoter des choses et des faits du monde extra-linguistique) et mots pleins et, dans ces derniers, la distinction entre mots « thèmes » (ceux les plus usités, de façon absolue, par un auteur) et mots « clefs » (ceux dont la fréquence relative, chez un auteur, s'écarte de la moyenne), ou comme le nombre de signifiés d'un mot : en se basant arbitrairement sur les subdivisions en « signifiés » entre les lemmes d'un dictionnaire donné, on voit que le nombre (n) de mots qui ont un certain nombre (s) de signifiés est inversement proportionnel au carré de ce nombre de signifiés : $n.s^2 = C$. Au total, il semble que l'on puisse conclure que, sur la base des listes de fréquence, les mots les plus fréquents sont 1º les plus brefs, 2º les plus anciens, 3º les plus simples sur le plan morphologique, 4º ceux qui ont la plus grande extension sémantique [10]. Il est évident que ces considérations devront être affinées d'un point de vue linguistique, et qu'il appartient aux linguistes d'en tirer tous les avantages possibles pour la compréhension du fonctionnement de la langue.

Il y a encore d'autres aspects de la recherche linguistique dans lesquels des considérations quantitatives se sont révélées intéressantes : par exemple ce qu'on appelle la stylo-statistique qui s'occupe de la recherche des constantes statistiques typiques, distinctives d'un texte ou d'un auteur (ou d'un auteur en une certaine période de sa vie, ou lorsqu'il écrit des œuvres d'un certain genre). Il s'agit du reste d'études qui, déjà utilisées dans des questions de datation et d'attribution, ont une histoire trop longue et trop connue pour qu'il soit question de la rappeler ici. Nous ne parlerons pas non plus ici de ce recours à des critères quantitatifs dans la linguistique historique, qui porte le nom de « glottochronologie [11] ».

D'un point de vue linguistique il n'est pas peut-être inutile de souligner certains points qui sont souvent curieusement ignorés dans les travaux statistiques : 1º la distinction (pour utiliser les termes qu'emploie aussi Guiraud) entre le VOCABULAIRE d'un texte, c'est-à-dire l'inventaire particulier des mots qu'il contient, et le LEXIQUE de la langue, c'est-à-dire l'inventaire général dont le vocabulaire d'un texte provient. Les calculs statistiques sont accomplis normalement sur le vocabulaire d'un texte, mais on a tendance à les rendre « plus intéressants » en les mettant en relation avec le lexique de la langue auquel le texte appartient (on peut, à ce propos, rappeler la distinction générale entre les grammaires « orientées vers un corpus » qui peuvent être d'autant plus rigoureuses que le corpus est réduit, arrivant cependant à des résultats banals, et les grammaires « orientées vers la langue » qui sont plus intéressantes mais dans lesquelles il est plus difficile de parvenir à un traitement approfondi et rigoureux). 2º La distinction entre HOMOGRAPHIE et POLYSÉMIE : il faudra décider comment se comporter en face de couples comme *calcul* (compte) et *calcul* (concrétion) (qui ont la même étymologie) et face à des paires comme *chant* (chanson) (en poésie) et *chant* (côté étroit d'un objet) (qui ont des étymologies différentes). Et au cas où l'on déciderait qu'il s'agit d'homophonie, il faudrait encore décider si le calcul s'occupe des mots ou des signifiés. 3º La précision de la notion de MOT : en particulier, il sera important de dire clairement si, dans le calcul statistique, les différentes formes flexionnelles d'un mot comptent comme un mot unique (par exemple l'unité *général*, mot-lemme, comprend aussi *généraux*, *générales*, *générales*), comme le fait généralement Guiraud, ou comptent comme des mots différents (on aura alors quatre unités distinctes, les mots *général*, *généraux*, *générales*, *générale*), comme le fait généralement Zipf. 4º Il ne faudra pas confondre la distinction entre mot-lemme et mot-fléchi avec une autre distinction fondamentale, celle entre OCCURRENCE, MODÈLE et RÉPLIQUE (que j'utilise ici en correspondance avec les termes anglais de *ocourrence*, *type* et *token*) : le compte se basera toujours sur les occurrences, mais il faut souligner que l'on peut concevoir, à mon avis, des occurrences de modèles, différentes des occurrences de répliques. On pourra, par exemple, désirer voir combien d'adjectifs différents se trouvent dans un certain texte (chacun considéré comme modèle, en faisant abstraction du nombre de répliques avec lesquelles il se présente), par rapport au nombre d'adjectifs différents dans un autre texte de la même longueur, ou par rapport au total du lexique de la langue. Ou bien, on pourra compter combien il y a d'occurrences de l'article défini masculin singulier, en se référant au «modèle» de l'article et en faisant abstraction du fait qu'il y a des répliques différentes : *l'*, *le*.

3. La théorie de l'information.

D'une façon non technique on peut dire que plus un élément linguistique est inattendu, plus sa quantité d'information est grande. Dans un terme comme *cinématographiquement*, le dernier son, la nasale *-ent*, ne donne aucune information car, *cinématographiquem-* étant donné, on ne peut attendre qu'un *-ent* final. Dans *traversant*, la finale *-ant* donne une certaine information car *travers-* étant donné nous ne savons pas si la finale sera -ons, -ait, etc... Et il est évident que plus grande est la possibilité de choix, plus grande est l'information apportée : avec *car-*, nous savons encore moins ce que l'on peut attendre : *carreau*, *carré*, *carat*, et peut-être *carb(one)*, *carc(asse)*, etc... On pourra alors dire que le *eau* de *carreau* apporte plus d'information que le *ent* de *cinématographiquement*. Le même type de considérations peut s'appliquer aux phonèmes, aux morphèmes, aux mots, à n'importe quelle unité linguistique. De ce qui vient d'être dit, il résulte que l'on peut éliminer certaines unités sans que la communication soit atteinte. D'autres peuvent être éliminées sans que la communication soit excessivement atteinte : par exempl, mêm sans les voyelles finales un phras français rest compréhensibl (rst cmprhnsbl mm sns voylls), mais elle ne reste pas compréhensible si nous enlevons les consonnes :

ê a e a e oe iae ue ae a aie ee oéeie. Il y a donc des éléments qui sont
redondants en conditions idéales de communications, mais fort
utiles là où les conditions de la communication sont difficiles.
Par exemple, dans un manuscrit difficile à déchiffrer, l'absence
de voyelles pourrait rendre le texte tout à fait incompréhensible.

Ces considérations non techniques (dans lesquelles semble
être résumée l'idée centrale de la théorie de l'information) nous
donnent quelque chose d'évident mais d'inexact en même temps,
du point de vue de la théorie de l'information shannonnienne.
Un des points les plus délicats pour le linguiste qui considère
la théorie de l'information ou de la communication (surtout
si l'on n'interprète pas une telle théorie de façon restrictive,
comme « théorie de la transmission des signaux », mais d'une
façon plus extensive qui la fasse coïncider avec la cybernétique[12])
est celui du rapport entre aspects purement techniques et
aspects plus généraux (ces derniers semblent intéresser plus
particulièrement les langues naturelles).

Le point fondamental de la théorie de Hartley et Shannon
est que l'on peut mesurer rigoureusement un aspect particulier
de la transmission des messages. Cet aspect est la fréquence
relative d'un symbole i ou d'une quantité qui dépend de cette
fréquence et que, pour des raisons sur lesquelles il ne faut pas
s'arrêter ici, il convient de définir comme la fonction logarith-
mique de l'inverse d'une telle fréquence relative.

Cette quantité $\text{Log} \dfrac{I}{\text{fr}\,(i)}$ constitue la notion centrale de la
théorie de l'information[13]. Généralement, on suppose que l'on
peut se référer à une source qui émet une infinité de symboles, et
l'on considère la valeur de la fréquence dans ce cas. Elle est appelée « probabilité » et indiquée par p(i). La quantité d'information
associée au symbole i est donc $\log \dfrac{I}{\text{p}\,(i)}$. La source, du point
de vue de l'information, est caractérisée par l'entropie (notion
provenant de la physique). L'entropie est maxima si les symboles émis sont indépendants et ont la même probabilité. Dans
les messages que l'on transmet dans les langues naturelles, les

symboles (qu'ils soient représentés par des lettres, des phonèmes, des morphèmes, des mots, etc.) ne sont pas indépendants et n'ont pas la même probabilité : **chaque symbole a sa
probabilité**, et dans une séquence la probabilité d'un élément
dépend de celle des autres éléments de la séquence. Ainsi, en
français z aura une fréquence plus faible que celle de r, et
après p une telle fréquence sera nulle. Si l'on considère les
messages dans les langues naturelles comme des processus
stochastiques ergodiques à caractères markovien [14], on pourra,
avec l'apparat mathématique nécessaire, procéder à l'analyse
de l'entropie de différents textes, étudier rigoureusement la
REDONDANCE et les caractéristiques statistiques de la RUMEUR.
Naturellement, ce que l'on appelle « redondance », en un sens
technique, peut, comme on l'a dit, n'être pas en fait une
caractéristique redondante ou superflue au sens commun du
mot, mais peut, au contraire, être une caractéristique nécessaire pour surmonter certaines causes d'erreur (que l'on désigne
par le terme technique de « rumeurs »), et donc indispensable
à la bonne tenue de la communication. La notion de quantité
d'information dont nous avons parlé, précisée par Nyquist
(1924), fut rigoureusement définie par Hartley (1928). Szilard
(1929) montra le rapport entre quantité d'information et entropie au sens où l'entend Boltzmann [15]. C'est cependant Shannon (1948) qui, avec Wiener et d'autres, peut être considéré
comme le fondateur de la théorie de l'information au sens
moderne du terme [16].

Un point délicat réside dans la substitution de la notion
« innocente » de FRÉQUENCE RELATIVE à celle, plus ambiguë, de
PROBABILITÉ. Nous ne reviendrons pas ici sur les problèmes
logiques relatifs au rapport entre la probabilité (attente, prévision pour le futur, ou encore — ce qui est différent — pour
l'inconnu) et la fréquence (constatation de certaines occurrences
pour le passé). Mais il semble évident que dans les notions de
probabilité, prévision, attente (plus que dans celle de fréquence) se trouve le germe de beaucoup d'extension plutôt
« suspecte » de la théorie, et il semble également évident que

la confusion provoquée par de telles extensions a été aggravée par les équivoques et par l'ambiguïté inhérentes au terme « information ». Shannon a insisté plusieurs fois sur l'affirmation que sa théorie permet de mesurer la QUANTITÉ d'information (fonction relative à la rareté de certains symboles) et non l'information au sens courant du terme. Mais d'autres ont été moins prudents et ont cherché à appliquer les calculs de Shannon à une notion toujours plus étendue et mal définie qui comprenait même le « signifié » linguistique (il suffit de penser aux considérations de Weaver et à celles, géniales mais pas moins confuses pour autant, de Wiener).

En général, les théoriciens de l'information, face aux objections touchant à l'aspect psychologique et subjectif de la probabilité comme attente (une femme s'attendra à être appelée *belle* et non *beau* et par conséquent pour elle le *-eau* final au lieu du *-elle*, si quelqu'un lui dit *beau*, sera beaucoup plus inattendu et donc plus riche d'information. Mais comment mesurer ce type d'attente ?), se replient immédiatement sur le fait que, pour eux, la probabilité est uniquement conçue en fonction de la fréquence. Mais il est alors clair qu'il ne s'agit plus d'attente. On ne voit pas clairement comment, en terme de fréquence, se justifierait la notion de CHOIX d'un élément parmi d'autres dans un certain inventaire, c'est-à-dire l'idée que le *-eau* de *carreau* aurait une information qui dépend de l'inventaire *-eau, -é, -at*, des éléments possibles en français après *car-* pour faire un mot de deux syllabes.

Quant au terme « d'information », il faudrait distinguer avec soin sa valeur commune de sa valeur technique, ou mieux de ses valeurs techniques. Dans la théorie de l'information il faut distinguer en fait une mesure de l'information « fisherienne » (quand le signal est continu) d'une mesure de l'information « sélective » ou séquentielle (appropriées pour les signes discrets), dont la notion a été précisée par Nyquist. Mais il paraît clair que le choix du terme « information » pour de tels signifiés est malheureux et qu'il devient très difficile d'utiliser le terme et d'éviter les équivoques [17]. L'information de la théorie de l'information, affirme Bar-Hillel, s'intéresse à la TRANSMISSION de symboles privés de signifié, est la mesure de leur fréquence relative, et n'est pas concevable sans l'acte de la transmission. L'information sémantique (qui correspond, du moins en partie, au signifié linguistique) est, toujours selon Bar-Hillel, un fait indépendant de la transmission de symboles, de la communication, et, au moins dans un état de langue, de la fréquence. Il semble essentiel de garder ces deux notions rigoureusement distinctes. Et, surtout parce qu'il existe certains rapports entre les deux notions et que leur étude semble intéressante, il est essentiel que de tels rapports soient étudiés en tant que rapports entre notions distinctes. On pourrait, au contraire, facilement citer plusieurs exemples, pris dans les travaux des théoriciens de l'information, des confusions abusives entre information et signifié, compliquées par des chutes dans les plus évidents « pièges sémantiques » traditionnels [18].

Un autre point intéressant, que nous avons déjà mentionné, et que nous ne pouvons pas discuter ici, est constitué par l'application des méthodes de la théorie de l'information à l'étude de l'évolution des langues considérées comme des systèmes tendant à réaliser la plus grande « économie » possible.

4. LA TRADUCTION AUTOMATIQUE.

Il n'est peut-être pas hors de propos de conclure cette présentation en mentionnant un champ de recherches « appliquées » dans lequel l'activité d'intérêt théorique a été, durant ces dernières quinze années, assez vivante : le champ de la traduction mécanique ou automatique [19].

Face à ce sujet plusieurs linguistes (particulièrement les traditionalistes) sont animés d'un pessimisme aprioriste et invincible. Aujourd'hui, alors que beaucoup d'illusions à propos de la traduction automatique disparaissent, il semble que les prévisions pessimistes de ces linguistes se confirment ; mais, en réalité, leurs prévisions justes reposaient sur des bases erronées, comme on le voit du fait que la linguistique moderne arrive à des résultats qui, à partir de ces mêmes bases, seraient aussi impossibles que la traduction automatique. Pour certains linguistes, influencés par le néo-idéalisme, la traduction, automatique ou non, n'existe pas : le problème est inexistant et il n'y a pas lieu d'en parler.

Il y a des linguistes qui partent d'une constatation de fait : les traductions existent et, pour de très nombreux textes dans de très nombreux domaines, elles peuvent être pleinement satisfaisantes. Il peut être vrai que les textes lyriques soient intraduisibles (et que les éléments lyriques du texte en prose, par exemple d'un article sur la physique du plasma, soient également intraduisibles), mais cela ne change rien au fait qu'un savant américain peut connaître d'une façon tout à fait satisfaisante les découvertes de ses collègues russes (et vice versa) à travers des textes anglais TRADUITS du russe (et vice versa). Il ne s'agit donc pas de faire des discussions théoriques sur la possibilité ou l'impossibilité des traductions, mais d'accepter l'usage courant du terme « traduction », employé chaque jour dans des milliers de cas en référence à des milliers de traductions qui servent d'une manière satisfaisante à communiquer des informations formulées dans une langue d'origine à partir de laquelle on traduit (langue-source) pour quelqu'un qui ignore cette langue-source et qui connaît au contraire la langue dans laquelle le texte sera traduit (langue-cible). En ce sens, les traductions non seulement existent mais encore se font depuis des siècles à l'aide de moyens mécaniques, les dictionnaires bilingues par exemple. Il ne sera pas surprenant qu'à une époque comme la nôtre on ait voulu étendre avec l'aide des « machines pensantes », des calculatrices, le domaine de l'aide mécanique, et réduire le domaine de l'activité de l'homme dans la traduction et qu'on ait tout de suite espéré étendre le premier domaine jusqu'à lui faire couvrir l'opération complète, en éliminant toute intervention de l'homme dans la traduction.

Il semble que l'on puisse faire remonter l'idée première d'une machine à traduire (si l'on néglige les inspirations des différentes combinaisons, des caractéristiques universelles, etc... [20])

à Pětr Petrovič Smirnov Trojansky, qui obtint un brevet en 1933[21]. Mais la phase moderne, basée sur l'utilisation des calculatrices électroniques, a eu comme initiateurs l'anglais Booth et l'Américain Weaver. L'idée fut, semble-t-il, suggérée par le désir de trouver de nouvelles tâches à confier aux calculatrices. L'intention première de Booth était d'employer la calculatrice pour des opérations comparables à celles, indubitablement mécaniques, accomplies par un traducteur humain qui consulte le dictionnaire pour y chercher un mot. Mais bien vite les recherches s'étendaient à la possibilité de faire également interpréter par la machine la structure syntaxique de la phrase. Les principales phases du développement des recherches, après les discussions de Booth et Weaver (1946), sont marquées par l'activité de Booth et Britten, à Princeton (1947), et de Booth et Richens (1948), principalement consacrée à la question du dictionnaire automatique ; puis, par le célèbre memorandum de Weaver (1949) [22], et par les recherches du sinologue E. Reifler (1950) [23], basées sur la présupposition de la collaboration homme-machine ; le pré-éditeur prépare le texte dans la langue-source avant de le soumettre à la machine et le post-éditeur réélabore le texte produit par la machine dans la langue-cible. Il faut deux personnes au lieu d'une seule (le traducteur habituel) : mais ce qui rend cette conception intéressante, c'est qu'il suffit que le pré-éditeur connaisse la langue-source et que le post-éditeur connaisse la langue-cible. C'est-à-dire que l'on confie à la machine l'activité qui suppose le bilinguisme, et qui est caractéristique du traducteur humain. En 1951, Oswald et Fletcher firent un travail intéressant sur l'analyse automatique de la syntaxe allemande [24]. En juin 1952, se tint au Massachusetts Institute of Technology, la première recontre consacrée à la traduction automatique, organisée par Bar-Hillel [25]. Après cela, les recherches s'étendirent avec une exceptionnelle rapidité. Dix-huit personnes avaient participé à la rencontre du MIT et le nombre de personnes qui s'intéressaient alors à ces recherches ne devait pas être de beaucoup supérieur ; aujourd'hui, il ne serait plus possible de les compter. Le 7 janvier 1954, il y eut une première démonstration publique de traduction automatique à New York : une expérience (organisée par Dostert et Garvin de la Georgetown University et par Sheridan de chez IBM sur une IBM 701) de traduction du russe en anglais, avec un vocabulaire de 250 mots russes et avec l'utilisation de six règles syntaxiques [26]. En 1955, eut lieu la première expérience russe, avec un vocabulaire de 952 mots, sur une calculatrice BESM (due à S. A. Lebedev, de l'Académie russe des Sciences) [27]. La traduction automatique était devenue un des champs de compétition entre les États-Unis et l'Union Soviétique, et ce fut indubitablement l'un des motifs pour lesquels on lui octroya de larges crédits ; ce fut probablement aussi un des motifs pour lesquels, cherchant à obtenir des résultats pratiques spectaculaires et immédiats, ces recherches ne furent pas toujours développées dans les directions les plus intéressantes. En 1956, à l'Université de Moscou, on organisa un séminaire de linguistique mathématique, qui eut pour résultat d'importantes études sur la traduction automatique [28] ; la même année, le MIT organisait la première réunion internationale consacrée à la traduction automatique [29] ; par la suite, les rencontres furent nombreuses en Union Soviétique [30], aux États-Unis [31], et ailleurs [32].

Mais, en même temps, commençaient à surgir des doutes salutaires. Après une première période, au cours de laquelle on avait surmonté beaucoup de difficultés mineures, les difficultés majeures persistaient, et l'on n'arrivait pas même à entrevoir le début d'une solution. Le signal d'alarme fut tiré par Bar-Hillel, un des premiers, et des plus perspicaces, à s'être occupé de traduction automatique. En différentes occasions, il exposa des arguments montrant l'impossibilité de principe d'une traduction d'un haut niveau qualitatif et qui soit entièrement automatique ; une synthèse limpide de ses arguments se trouve dans les quatre conférences qu'il fit à Venise en 1961 [33]. Les arguments de Bar-Hillel n'ont pas été contredits et apparaissent, en l'état actuel des recherches, comme irréfutables. Cela ne veut pas dire que dans l'avenir on ne puisse obtenir pour la traduction une aide automatique (et l'on pourra alors parler de « traduction semi-automatique »), ou même une traduction complètement automatique de travaux techniques écrits dans une langue-source délibérément simplifiée, avec un vocabulaire normalisé et un nombre limité de structures syntaxiques non ambiguës. Il se peut même que dans l'avenir ces traductions se révèlent plus économes que les traductions humaines. Mais si, pour avoir des traductions automatiques satisfaisantes, il faut renoncer à se servir spontanément de sa langue maternelle, on peut se demander s'il ne serait pas préférable de faire un pas de plus dans cette direction et d'apprendre une langue auxiliaire internationale qui rendrait tout à fait inutiles les traductions. De toutes façons, l'intérêt de ces opérations, du point de vue de la linguistique théorique, est relativement inexistant, tout comme les différentes expériences publiques à but semi-publicitaire qui ont eu lieu et qui auront probablement encore lieu dans un proche avenir. Il est clair que l'on peut préparer un programme pour une calculatrice de manière à obtenir une traduction satisfaisante d'une langue dans une autre, si le corpus des textes à traduire est suffisamment limité ; et il est également clair que ce programme est d'autant moins intéressant qu'il est moins utilisable pour la traduction d'autres textes écrits dans la même langue.

On a recherché l'aide de la psychologie, pensant qu'une description des processus qui se vérifient au cours de la traduction humaine pourrait être utile. Mais les connaissances dont nous disposons à ce propos sont très maigres [34]. D'un point de vue intuitif et subjectif, il semble pourtant que l'on puisse dire que le traducteur expert (à la différence de l'écolier qui traduit avec peine, mot à mot, le latin ou le grec, avec des résultats généralement bien maigres) traduit par unité de sens, « à travers le signifié » (c'est-à-dire à travers sa connaissance du dénoté, du monde réel, même si elle ne se manifeste pas dans l'activité linguistique), SANS instituer ces rapports formels entre les énoncés de la langue-source et ceux de la langue-cible, et entre leurs parties qui, d'après ce que l'on pense en général, sont nécessaires pour que la calculatrice puisse essayer de traduire.

Une voie plutôt primitive et simpliste (suivie en particulier par les « scientifiques » non linguistes) consiste à faire comme si la grammaire n'existait pas, et à espérer que tout se passera pour le mieux. Traduire mot à mot, en conservant dans la langue-cible l'ordre des mots et tous les mots de la langue-source, puis introduire peu à peu les règles particulières qui se révèlent nécessaires pour rafistoler les énoncés résultant en langue-cible, en les rendant ainsi acceptables comme énoncés et comme traductions. L'espérance utopique sur laquelle est basé ce type de travail est que, peu à peu, l'on arrivera à constituer une grammaire exhaustive, sans rien de superflu, étant donné que toutes les règles que l'on introduit sont dues à la nécessité de corriger des erreurs. Ce qui se passe en réalité, c'est que la grammaire n'est jamais complète, qu'elle se complique d'une façon exorbitante et qu'elle contient parfois des règles contradictoires.

Une autre voie consiste à abandonner provisoirement la traduction, en tant que but immédiat, et à concentrer les recherches sur la question, linguistiquement importante, de l'analyse automatique des périodes de la langue-source, ou de la synthèse automatique des périodes de la langue-cible. Le passage de langue-source à la langue-cible peut être direct ou bilatéral, ou bien avoir lieu à travers une troisième langue intermédiaire, la langue de la machine, qui peut servir d'intermédiaire général, pour des traductions d'une quelconque langue en une quelconque langue. L'étude de cette langue intermédiaire, particulièrement cultivée en Russie, présente un intérêt considérable, même en ce qui concerne le problème des « universaux ».

Les notions de synthèse et d'analyse automatique sont facilement perceptibles. On peut fournir à une calculatrice un vocabulaire limité aux mots suivants : *chattes, chiennes, tortues, feuilles, épines, os, les, mangent, dorment*. Les mots, et certains groupes de mots, peuvent être caractérisés sur la base de catégories syntaxiques déterminées (pour les symboles, cf. ci-dessus, chapitre VIII). Pour synthétiser des périodes satisfaisantes, il nous faudra donner à la machine les règles suivantes : P =

GN + GV ; GV = V + GN ; GN = A + N ; A = *les* ; N =
chattes, chiennes, tortues, feuilles, épines, os ; V = *mangent,
dorment*. La machine pourra alors produire des périodes comme
les tortues mangent les feuilles, ou les *chattes mangent les épines*,
ou *les chiennes dorment*, mais elle ne pourra pas produire les
périodes comme *tortues chattes mangent les*, ou *les dorment
feuilles*, et ainsi de suite ; mais la machine produira aussi des
périodes comme *les tortues mangent les chiennes, les épines dorment les chattes*, et ainsi de suite. Il est clair que, dans notre cas,
des modifications très simples des catégories et des règles suf-
fisent pour n'obtenir que des périodes satisfaisantes (si l'on a
pu d'abord se mettre d'accord sur la question de la grammaticalité : *les épines dorment*, pourquoi pas ?). Mais il est également
clair que pour une langue naturelle, le français par exemple,
une grammaire de ce type qui permettrait la production de
N'IMPORTE QUELLE période acceptable et ne permettrait la
production D'AUCUNE période non acceptable serait d'une complication prohibitive.

Aux règles de la synthèse correspondent celles de l'analyse
qui vise à identifier automatiquement la construction syntaxique de n'importe quelle période. L'idée centrale est celle
de FONCTION (ou de CATÉGORIE, comme l'on dit quelquefois
dans les études logiques) syntaxique. Le type d'analyse le
plus courant est, comme nous l'avons vu, l'analyse en constituants immédiats, ou comme l'on dit en termes plus techniques :
l'analyse de la structure de la phrase avec des règles indépendantes du contexte. Dans les recherches consacrées à la traduction automatique, ce type d'analyse se présente sous différentes formes, appelées par exemple analyse prédictive, *a push-
down store*, à dépendance, projective, etc... [35]... La notion de
fonction peut être comparée à celle chimique de valence. Un
mot (si nous nous limitons aux langues graphiques nous pouvons parler de mots sans introduire trop de problèmes) présente une sorte de valence, de disponibilité à « s'accrocher »
syntaxiquement à d'autres mots (notons que l'union ne se
fait pas nécessairement entre des mots qui se trouvent en con-

tact immédiat : la structure syntaxique est justement différente de la séquence ; l'ordre des mots, l'un après l'autre, est
une des données dont la machine dispose et sur la base desquelles elle devrait identifier la structure syntaxique de la
phrase). Nous dirons par exemple qu'en français l'article s'ac-
croche au substantif (ou à des mots pris comme substantifs) et
à aucune autre classe de mots (même si l'article peut être en
contact immédiat, dans la séquence, avec des adjectifs — *le cher
ami*, avec des adverbes — *le très cher ami* — etc...) ; le substantif présente une valence vis-à-vis de l'article, et une fois qu'ils
sont accrochés, leurs valences sont réciproquement saturées.
Mais le substantif a une autre valence, différente, vis-à-vis de
l'adjectif ; et l'union entre un substantif et un adjectif (*chiens
gris*) ne sature pas la valence du substantif vis-à-vis d'autres
adjectifs (*gros chiens gris*). Un verbe peut avoir plusieurs valences vis-à-vis du sujet (*Pierre mange*), vis-à-vis de l'objet
(*il mange la soupe*), vis-à-vis des adverbes (*il mange volontiers*),
etc... Après chaque union entre deux mots, le groupe qui en
résulte peut présenter de nouvelles valences qu'aucun des deux
composants ne présentait avant l'union (le GN *le chien* a une
valence vis-à-vis du V *court*, valence qui n'appartenait à aucun
des deux composants *le* et *chien*, comme on le voit par le caractère incorrect de *le court, chien court*).

Au cours de l'analyse automatique d'une période, c'est-à-dire
de l'identification automatique de sa structure, on peut résoudre
différentes ambiguïtés. Dans *a*) le *père lit un livre*, il est possible de faire choisir automatiquement à la calculatrice entre les
différentes valeurs de *le* (article et pronom complément), de *lit*
(nom et verbe), de *livre* (nom et verbe), les uniques valeurs qui
permettent d'identifier une structure possible, représentable
par le graphe 1) ; *a*) n'est pas syntaxiquement ambiguë : les
ambiguïtés concernent seulement les éléments composants ;
et n'importe quelles combinaisons de tels éléments, différentes
de celle indiquée en 1), ne permettraient pas de construire un
graphe indicateur d'une structure compatible avec la grammaire française : les ramifications de 1) bis ne peuvent constituer un graphe [36].

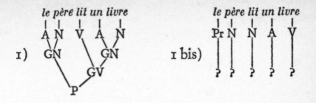

Mais, comme nous l'avons vu dans le chapitre précédent, pour de très nombreuses périodes (et à la rigueur pour un nombre infini de périodes), cette analyse en termes de structure de phrase apparaît inadaptée. Certains soutiennent qu'il s'agit d'une inadaptation de principe, et bien que les arguments proposés en faveur de ces thèses n'aient pas été réfutés, de nombreux théoriciens de la traduction automatique continuent à chercher, avec de maigres résultats, des solutions compliquées pour des difficultés particulières, sans que leurs solutions puissent ensuite servir pour les innombrables difficultés que l'on rencontre à chaque pas.

La solution des ambiguïtés infinies, syntaxiques et sémantiques, qui apparaissent dans les énoncés des langues naturelles et qui ne peuvent s'éliminer comme l'on a éliminé les ambiguïtés des composantes de *a*), est une difficulté évidente et que les partisans de la traduction automatique n'ont jamais affrontée sérieusement (même s'ils y font parfois allusion, comme pour l'exorciser). Considérons une période simple comme *b*) *une vieille garde la règle* [37]. Cette fois, les ambiguïtés des composants (*vieille* : substantif et adjectif ; *garde* : substantif et verbe ; *la* : article et pronom complément ; *règle* : substan-

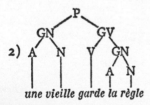

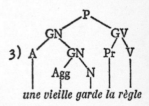

tif et verbe), permettent non pas une seule solution syntaxique, mais deux, représentées par les graphes 2) et 3).

On peut se dire : pourquoi demander à une calculatrice de choisir entre 2) et 3) si même le traducteur humain ne saurait le faire ? Mais le traducteur humain choisit, quand il traduit (avec ou sans incertitude), une solution (traduisant en anglais, par exemple, 2) par *an old woman keeps the rule* ou bien 3) par *an old keeper regulates it*), sur la base du contexte, d'une façon qui (malgré les suggestions irresponsablement optimistes avec lesquelles on a cherché à minimiser cette difficulté) reste inaccessible à la calculatrice. En outre, le traducteur humain se sert le plus souvent non seulement du contexte linguistique mais aussi du contexte extralinguistique, et il introduit dans son interprétation d'un quelconque énoncé son expérience globale, emmagasinée grâce à des organes qui sont le fruit de millénaires d'évolution et dans lesquels se résument donc aussi les expériences de l'espèce. Dans l'interprétation d'un énoncé entre en jeu, somme toute, l'intelligence et avec elle toute l'expérience, linguistique ou non, de notre espèce. Devant des problèmes si simples pour nous que nous ne nous rendons pas même compte de leur existence, ces machines pensantes, très diligentes mais stupides, que sont les calculatrices, restent complètement désarmées.

Pour traduire du français en anglais une période comme *le lit serpente sur le plat*, la calculatrice peut éliminer certaines ambiguïtés et refuser des interprétations comme *le lit = (somebody) reads it*, car elles ne correspondent à aucune des structures syntaxiques possibles dans la période française ; mais il y a d'autres ambiguïtés que la calculatrice ne sait pas résoudre, comme celles entre *lit = bed* et *lit* (de la rivière) = *channel*, ou entre *plat = dish* et *plat* (terrain plat) = *flat* (country). Le traducteur humain choisit suivant le contexte. Dans *il mange un plat au lit, le lit de la rivière est un terrain plat, il lit un livre*, le traducteur humain n'aura pas besoin de contexte pour traduire *plat = dish* et *lit = bed* dans le premier cas, *lit = channel* et *plat = flat* dans le deuxième cas, *lit = reads* dans le troisième

cas puisqu'il sait de quoi il s'agit. Il connaît les dénotés extra-
linguistiques. Pour la calculatrice, accomplir des choix motivés
de la même façon est, dans l'état actuel des connaissances, impossible. Mises à part toutes questions de programmabilité, nous
ne saurions même pas par où commencer si nous voulions
(comme il serait nécessaire pour la traduction automatique)
préparer une encyclopédie qui contienne, exposées de façon
minutieuse et individuelle, TOUTES nos connaissances, tout ce
que nous savons même si nous ne l'avons jamais pensé (y
compris le fait que, habituellement, on ne mange pas un terrain
plat = *flat*, même s'il ne s'agit pas d'une chose impossible ;
et y compris des millions de faits du même genre). Dans ces
conditions il devrait être clair que, pour avoir une bonne machine à traduire, il faut d'abord avoir une machine qui pense
bien et connaisse beaucoup de choses, comme l'a du reste
remarqué, parmi les partisans de la traduction automatique,
un perspicace théoricien italien, Silvio Ceccato [38]. Se demander
aujourd'hui s'il est possible de parler de machines pensantes en
ce sens, ou si on ne devrait pas poser le problème en termes différents, fait l'objet d'une autre discussion. « Si un être humain
peut le faire, une calculatrice avec un programme approprié
peut aussi le faire », répétait Bar-Hillel en 1952, au premier
Congrès sur la traduction automatique. Dix ans après, il commente sobrement : « Pour autant que cette déclaration soit indubitablement fondée, "sur le plan des principes", sa valeur consiste plutôt dans le fait qu'elle exprime la volonté de travailler
dans un certain but, que dans la manifestation d'une quelconque
intuition philosophique profonde. Son contenu pratique est
quasiment nul [39]. »

Les observations qui précèdent ne doivent pas laisser penser
que les calculatrices ne sont pas pour les linguistes un instrument précieux, ou que le bilan des recherches sur la traduction
automatique soit négatif. C'est le contraire qui est vrai. Du
point de vue de la linguistique les calculatrices, utilisées pour
faire ce qu'elles peuvent faire, sont des instruments irrempla-
çables ; et les recherches sur la traduction automatique, outre

qu'elles offrent des stimulations et des perspectives de grand intérêt (particulièrement dans le domaine syntaxique), ont servi à souligner, de façon dramatique, et, il faut l'espérer, féconde, combien nous sommes encore loin d'une connaissance satisfaisante du fonctionnement de la langue.

NOTES DU CHAPITRE IX

1. Pour des données bibliographiques cf. P. L. GUIRAUD, *Bibliographie critique de la statistique linguistique*, Utrecht-Anvers 1954.

2. ID., *Les caractères statistiques du vocabulaire*, Paris 1954 ; ID., *Problèmes et méthodes de la statistique linguistique*, Paris, 1960.

3. G. HERDAN, *Language as choice and chance*, Groningen 1956 ; ID., *Type-token mathematics. A textbook in mathematical linguistics*, 's-Gravenhage 1960 ; ID., *The calculus of linguistics observations*, 's-Gravenhage 1962 ; ID., *Quantitative linguistics*, London 1965. Cf. aussi en italien la synthèse de T. DE MAURO, S. V. « Statistica linguistica » dans le troisième appendice de l'*Enciclopedia italiana*, Rome 1961 820-21 et celles de L. HEILMAN, *Statistica linguistica e critica del testo* in *Studi e problemi di critica testuale*, Bologna 1961 173-82 ; ID., *Considerazioni statistico-matematiche e contenuto semantico*, « Quaderni Istituto glottol. Univ. bologna » VIII 962-3 35-45 ; ID., *Aspetti quantitativi e aspetti qualitativi dell'analisi del linguaggio, oggi*, « De homine » 15-6 1965 229-44 ; en outre l'importante contribution de C. F. HOCKETT, *Language, mathematics and linguistics*, The Hague 1967 (également in *Current trends* cit. 3 1956, 155-304). Sur l'usage des calculatrices dans les recherches linguistiques cf. S. M. LAMB, *The digital computer as an aid in linguistics*, « Lg » XXXVII 1961 382-412 ; P. L. GARVIN, *Computer participation in linguistic research*, « Lg » XXXVIII 1962 385-98 ; et le recueil de leçons qui ont eu lieu à l'Université de Californie en 1960-61, édité par le même Garvin, *Natural language and the computer*, New York 1963.

4. G. K. ZIPF, *Relative frequency as a determinant of phonetic change*, « HSPx » XL 1929 1-15 ; ID., *Selected studies of the principle of relative frequency in language*, Cambridge Mass. 1932 ; ID., *The psycho-biology of language. An introduction to dynamic philology*, Boston, 1935 (Cf. M. JOOS, dans « Lg » 1936 196-210 et G. K. ZIPF, dans « Lg » XIII 1937 60-70) ; ID. *Human behavior and the principle of least effort. An introduction to human ecology*, Cambridge Mass. 1949.

5. Cf. N. S. TRUBECKOJ, *Grundzüge* cit. sec. VII de la *Unterscheidungslehre* : *Zur phonologische Statistik* (éd. 1958 230-241 = *Principes* cit. éd. 1957 276-89).

6. J'emprunte les tableaux et les données numériques à Guiraud, dans les livres cités au chap. IX note 2.

7. G. U. Yule a démontré qu'il s'agit de problèmes d'urne dans laquelle

les mots correspondent aux distributions de Poisson : cf. G. U. YULE, *The statistical study of literary vocabulary*, Cambridge 1944 ; cf. les formules correctes chez P. GUIRAUD, *Problèmes*, cit. 86 et suite ; HERDAN, *Language* cit. 31 et suite.

8. Cf. B. MANDELBROT, *Structure formelle des textes et communication* ; *deux études*, « Word » X 1954 1-27 (et *ibid.* XI 1955 424) ; P. GUIRAUD, *Problèmes* 75 et suite.

9. P. GUIRAUD, *Caractères* cit. 3 mentionne qu'il est peut-être possible d'établir une loi précise : le nombre des phonèmes d'un mot divisé par le logarithme du rang du mot donnerait une constante.

10. Cf. P. GUIRAUD, *Problèmes* cit. 19.

11. La glottochronologie fut élaborée par M. Swadesh avec comme point de départ des thèmes sapiriens ; cf. M. SWADESH, *Lexico-statistic dating and prehistoric ethnic contacts, with special reference to North American Indians and Eskimos*, « PAPhiloss » XCVI 1952 452-63 ; ID., *Archaeological and linguistic chronology of Indo-European groups*, « AmA » LV 1953 349-52 ; ID., *Toward greater accuracy in lexicostatistic dating*, « IJAL » XXI 1955 121-37. Cf. un autre point de vue : A. L. KROEBER, C. D. CHRÉTIEN, *Quantitative classification of Indo-European languages*, « Lg » XIII 1937 83-103 ; C. D. CHRÉTIEN, *The quantitative method for determining linguistic relationship : interpretation of results and tests of significance*, « UCPL » 1 : 2 1943 ii-20 ; A. L. KROEBER, *Statistics, Indo-European, and taxonomy*, « Lg » XXXVI 1960 1-21. Parmi les nombreuses revues cf. A. DALL'IGNA RODRIGUEZ, *Eine neue Datierungsmethode der vergleichenden Sprachwissenschaft*, « Kratylos » II 1957 1-13 ; D. H. HYMES, *Lexicostatistics so far*, « CAnthr » I 1960 3-44.

12. Cf. Y. BAR-HILLEL, *Language and information* cit. 288 ; dans ce chapitre, je m'inspire très largement des essais de Y. BAR-HILLEL contenus dans le volume cité.

13. Si le log est à base 2 l'unité de mesure sera le bit (*binary digit* ; le terme est du statisticien J. W. Tukey, cf. J. B. CARROLL, *The study of language* cit. 198) ; il devra correspondre au nombre de coupures binaires qu'il faut effectuer pour identifier un élément donné dans un inventaire : par ex. un message pouvant être formé d'un seul symbole, choisi entre deux symboles équiprobables a et b, aura un bit d'information ; mais si le symbole peut être choisi parmi les 26 lettres de l'alphabet (équiprobables), le message aura environ 5 bits d'information. Il est inutile, à ce propos, de rappeler la conception jakobsonienne du fonctionnement de la langue en termes d'oppositions binaires.

14. « Stochastique » signifie « aléatoire » ; « ergodique » indique une catégorie particulière de processus stochastiques : en se référant à des problèmes d'urne, supposons un nombre indéfini d'urnes où l'on accomplit un nombre indéfini d'extractions ; nous pouvons considérer l'ensemble des extractions effectuées de toutes les urnes en un instant donné, ou bien celui des extractions effectuées dans une urne à des instants successifs : si les caractéristiques des statistiques sont les mêmes pour les deux ensembles, nous dirons que le processus est ergodique ; nous appelons « markoviens » les processus dont l'influence d'un état ne s'étend pas au delà de l'évolution successive : si nous pensons à la source émettrice comme à une machine qui change d'état à chaque émission, et qui occupe un état Si quand elle a émi i et un état Sj quand elle a émi j, nous dirons que dans le cas des processus markoviens p (i, j) est une description complète statistique de la transition (de la probabilité du passage d'un état Si à un état Sj). Cf. le texte désormais classique de A. A. MARKOV, *Primer statističeskago izsledovanija nad tekstom "Evgenija*

Onegina " *illustrirujuščij sviaz ispytanij v cep*, « Izv. Imp. Akad. Nauk » série
VI, tome VII 1913 153-62.

15. Cf. H. Nyquist, dans « Bell system technical journal » III 1924 324-
46 : R. V. L. Hartley, *ibid.*, VII 1918 355-63 ; L. Szilard, dans « Zeitschrift f. physik » LIII 1929 840-56.

16. Pour la bibliographie sur la théorie de l'information cf. F. L. Stum-
pers, *A bibliography of information theory-communication theory-cybernetics*,
Cambridge Mass. 1953 (et supplém. successifs). Le texte fondamental de
C. E. Shannon (imprimé dans « Bell system technical journal » XXVII
1948 379-423 et 623-56) et en livre (*The mathematical theory of communication*, Urbana Ill. 1949 1-91), avec un essai de W. Weaver (*Recent contributions to the mathematical theory of communication*, ibid. 93-117). De N. Wiener cf. *Cybernetics, or control and communication in the animal and the machine*, New York 1948 et Id., *The human use of human beings. Cybernetics
and society*, Boston 1950. Les manuels désormais ne se comptent plus. Des
informations historiques dans C. E. Cherry, *A history of the theory of information*, « Proceed. Inst. Electr. Engin. » XCVIII : 3 1951 383-93. Pour
l'intérêt linguistique de ces recherches cf. G. A. Miller, *Language and communication*, New York 1951 ; B. Mandelbrot, *An informational theory of
the statistical structure of language*, dans *Communication Theory symp.* 1952,
édité par W. Jackson, London 1953 486-502 ; J. B. Carroll, The study
of language, cit. 266-83 ; V. Belevitch, *Langage des machines et langage
humain*, Bruxelles 1956 ; I. M. Jaglom, R. L. Dobrušin, A. M. Jaglom,
Teorija informacii i lingvistika, « VJa » 1960 fasc. 1 100-10 ; R. Jakobson,
Linguistics and communication theory, in *Structure of language*, cit. « PSAM »,
XII 1961 245-52 ; M. Jurkowski, *Teoria informacjia a lingwistika*, « PJ »
226 1965 fasc. 1 1-16 et 227 1965 fasc. 2 45-58. Utile en général, C. Cherry,
On human communication, New York 1961 (1957).

17. Cf. Y. Bar-Hillel, *Language and information* cit. 286 et sv. Pour
le signifié sémantique et le signifié dans la théorie de l'information cf. Y.
Bar-Hillel, R. Carnap, *An outline* cit. ; Y. Bar-Hillel, *Semantic information* cit. ; et différents travaux de D. M. Mackay, parmi lesquels rappelons *The place of " meaning " in the theory of information*, in *Communication
theory. Third London Sympos.*, London 1956 215-25.

18. Cf. Y. Bar-Hillel, *Language and information* cit. 283-97.

19. Rappelons trois revues consacrées entièrement à la traduction automatique : « MT » édité par le MIT depuis 1954 ; « MT », édité par l'institut
de mécanique de précision de Moscou et qui a remplacé le précédent « Bjul-
leten ' ob-edinenija po problema mašinnogo perevoda », sorti en 1957 ;
« TA », bulletin trimestriel de l'Association pour l'étude et le développement
de la traduction automatique et de la linguistique appliquée (Atala), édité
à La Haye et à Paris depuis 1960. Il y a de bonnes bibliographies : E. et K.
Delavenay, *Bibliographie de la traduction automatique*, 's-Gravenhage
1960 ; *Mašinnyi perevod 1949-1960. Bibliografičeskij ukazatel' ITM i VT
ANSSSR*, Moskva 1962. De faciles introductions générales : E. Delavenay,
La machine à traduire, Paris 1959 (en anglais : *An introduction to machine
translation*, London 1960) ; D. Ju. Panov, *Avtomaticeskij perevod*, Moskva
1956 (deuxième édition, *ibid.* 1958 ; il y a aussi une traduction anglaise de
R. Kisch, éditée par A. J. Mitchell, London 1960) ; G. Mounin, *La machine
à traduire. Histoire des problèmes linguistiques*, The Hague 1964. Importants
volumes généraux : W. N. Locke, A. D. Booth, *Machine translation of
languages. Fourteen essays*, New York-London 1955 ; A. D. Booth, L. Brandwood, J. P. Cleave, *Mechanical resolution of linguistic problems*, London

1958 ; A. G. OETTINGER, *Automatic language translation*, Cambridge Mass. 1960 ; H. P. EDMUNDSON, *Proceedings of the national symposium of machine translation* (University of California 1960), New York-London 1961 ; et le Symp. n. 13 du National physical laboratory de Teddington, 1961, *International conference on machine translation of languages and applied linguistics*, 2 vol., London 1962.

20. Nous pouvons rappeler le récent volume allemand consacré au *Charakter* (1661) de J. J. BECHER (*Zur mechanischen Sprachübersetzung. J. J. Becher, Allgemeine Verschlüsselung der Sprachen. Ein Programmierrungsversuch aus dem Jahre* 1661, Stuttgart 1962), également commenté dans « De homine » 7-8 1963 117 et sv.

21. Le brevet est reproduit par D. JU. PANOV, *Avtomatičeskij perevod* cit. [2]; cf. aussi, ID., *perevodnaja mašina P. P. Trojanskogo*, Moskva 1959.

22. Cf. BOOTH, BRANDWOOD, CLEAVE, *Mechanical resolution* cit. 1 et sv. ; l'essai de W. WEAVER, *Translation*, New York 1949 (polycopié), peut être lu imprimé in LOCKE, BOOTH, *Machine translation* cit. 15-23 ; *ibid.* 24-55 la contribution de Booth et Richens.

23. E. REIFLER, *Studies in mechanical translation*, Washington 1950 (polycopié).

24. V. A. OSWALD, S. L. FLETCHER, *Proposals for the mechanical resolution of German syntax patterns*, « MLF » XXXVI 1951 fasc. 3-4 1-24.

25. Cf. Y. BAR-HILLEL, *Language and information* cit. 8-9 ; des comptes rendus dactylographiés sont accessibles en microfilms.

26. Cf. L. E. DOSTERT, *The Georgetown-IBM experiment*, in LOCKE, BOOTH, *Machine translation* cit. 124-35 ; voici un exemple de traduction de cette expérience : veličina ugla opredeljaetsja otnošeniem dliny dugi k radius = magnitude of angle is determined by the relation of lentgh of arc to radius (cité d'après l'édition anglaise de l'ouvrage de PANOV cit. 3-4).

27. Voici un exemple de traduction de cette expérience ; il s'agit de la première phrase de l'introduction du livre de W. E. MILNE, *Numerical solution of differential equations*, New York-London 1955 3 : When a practical problem in science or technology permits mathematical formulation, the chances are rather good that it leads to one or more differential equations = Esli praktičeskaja zadača v nauke ili tehnike dopuskaet matematičes kuju formulirovku, šancy dovol'no veliki čto èto privodit k odnomu ili bolee differencial' nym uravnenijam (cité d'après la seconde édition russe du volume de D. JU. PANOV cit. 41).

28. Cf. O. S. KULAGINA, I. A. MEL'ČUK, *Mašinnyji perevod s francuzkogo jazyka na russkij*, « VJa » 1956 fasc. 5 111-21 ; O. S. KULAGINA, *Ob odnom sposobe opredelenija grammatičeskih ponjatij na baze teorii množestv*, « PK I 1958 20'-14.

29. Cf. « MT » 1 : 3.

30. Cf. *Voprozy statistiki reči*, édité par L. R. Zinder, Leningrad 1958 ; *Tezisy konferencii po mašinnomu perevodu* (15-21 maja 1958), Moskva 1958 ; *Materialy po mašinnomu perevodu*, *Sbornik I*, Leningrad 1958 (1963[3]); *Sbornik statej po mašinnomu perevodu*, Moskva 1958 ; *Tezisy soveščanija po matematičeskoj lingvistike*, Leningrad 1959 ; *Doklady na konferencii po obrabotku informacii*, *mašinnomu perevodu i avtomatičeskomu čteniju teksta*, Moskva 1961 ; *Lingvističeskie issledovanija po mašinnomu perevodu*, Moskva 1961 ; O. S. AHMANOVA, I. A. MEČL'UK, E. V. PADUCEVA, R. M. FRUMKINA, *O točnyh metodah issledovanija jazyka (o tak nazyvaemoj " matematičeskoj lingvistike ")*, Moskva 1961 (et traduction américaine, par D. G. Hays et

D. V. Mohr, *Exact methods in linguistic research*, Berkeley 1963); F. Papp, *Mathematical linguistics in the soviet union*, The Hague 1966.

31. Par exemple en 1962 s'est constituée une nouvelle Association for MT and computational linguistics.

32. Nous pouvons par exemple rappeler la rencontre internationale de Teddington de 1961 (cf. chap. IX, 19), un cours international fait à Vienne en 1962, etc... Parmi les groupes actifs dans le champ de recherche pour la traduction automatique, nous pouvons rappeler (et ceux que nous omettons sont beaucoup plus nombreux que ceux que nous citons) en Amérique celui du MIT avec V. H. Yngve, celui de la Georgetown University avec L. Dostert et initialement avec P. L. Garvin, celui de Harvard avec A. G. Oettinger, celui de l'Université Washington à Seattle avec E. Reifler, celui de l'Université de Californie avec S. M. Lamb, celui de la IBM avec G. King, celui de la Rand Corporation avec D. G. Hays, celui du National Bureau of Standards avec I. Rhodes, celui de la Bunker Ramo avec P. L. Garvin ; en Europe ceux de Birkbeck College à Londres, initialement avec A. D. Booth, de la Cambridge Language Research Unit avec M. Masterman, de l'Euratom avec Y. Lecerf, du Centre de cybernétique de Milan avec S. Ceccato ; en Asie celui de l'Académie des Sciences de Pékin ; en Union Soviétique celui de l'Institut točnoj mehaniki i vycislitel'noj tehniki de l'Académie des Sciences de Moscou (d'abord avec D. Ju. Panov, puis avec I. S. Muhin et I. K. Bel'skaja), celui du Laboratorija elektromodelirovanija de l'Institut d'informations techniques et scientifiques de Moscou, celui de l'Institut mathématique Steklov de Moscou (avec A. A. Ljapunov, O. S. Kulagina, T. B. Mološnaja), celui du premier Institut pédagogique pour les langues étrangères de Moscou (avec I. I. Revzin), celui de l'Institut de linguistique de l'Académie des Sciences (avec A. A. Reformatskij, P. S. Kuznecov, I. A. Mel'čuk), celui de l'Université de Léningrad (avec N. D. Andreev, V. Ju. Rozencvej, etc.).

33. Cf. Bar-Hillel, *Language and information* cit. 185-218.

34. Cf. G. Mounin, *Les belles infidèles*, Paris 1955 ; E. Cary, *La traduction dans le monde moderne*, Genève 1956 ; A. V. Fedorov, *Vvedenie v teorija perevoda*, Moskva 1953 (1958²); R. A. Brower, *On translation*, Cambridge Mass. 1959 ; Y. R. Chao, *Translation without machine*, in *Proceedings* cit. 504-10 du neuvième Congrès international de linguistique ; N. D. Andreev, *Linguistic aspects of translation*, ibid. 625-34 ; I. I. Revzin, V. Ju. Rozencvejg, *Osnovy obščego i masinnogo perevoda*, Moskva 1964. Utiles discussions des problèmes de linguistique générale dans G. Mounin, *Les problèmes théoriques de la traduction*, Paris 1963.

35. Cf. M. Gross, *On the equivalence of models of language used in the fields of mechanical translation and information retrieval*, compte rendu (polycopié) présenté à la rencontre de Venise de 1962 (aujourd'hui in « Problems in information storage and retrieval » II 1964 43-57). Cf. aussi chap. VIII note 6.

36. Nous ne discutons pas ici l'analyse alternative (((le) père) lit ((un)livre). Les stemmes peuvent bien entendu être tracés sur ou sous la période à laquelle ils correspondent ; le stemme 1) et le stemme « manqué » 1)*bis* s'écrivent sous la période pour souligner que l'on part de la période et non du stemme : on part de la période et l'on cherche à en identifier la structure en attribuant ses composantes à certaines catégories, et sur leurs bases en associant de telles « componentes » en « composés ».

37. Étant donné l'homographie de *le, la* articles avec *le, la* pronoms, et

l'homographie de nombreux adjectifs avec la troisième personne du singulier du présent de l'indicatif, les ambiguïtés de ce genre sont nombreuses en français.

38. Pour les positions théoriques de S. Ceccato, cf. les années de la revue « Methodos » (1949 et sv) qu'il dirige ; et S. CECCATO, *Il linguaggio con la tabella di Ceccatieff*, Paris 1951 ; Id. et d'autres, *Linguistic analysis and programming for mechanical translation (mechanical translation and thought)*, « Methodos » XII 1960 fasc. 45-46-47. Ceccato a commencé la publication d'un ensemble de ses écrits en plusieurs volumes, sous le titre de *Un tecnico fra i filosofi* : le volume I s'intitule *Come filosofare*, Padova 1964. Cf. aussi le recueil de V. A. MATVEENKO, *Semantika v Milanskom centre kibernetiki lingvistiki*, « VJA » 1964 fasc. 4 120-29 et les critiques de G. MOUNIN, *Ceccato et l'école opérationnelle italienne*, « TA » III 1962 91-95.

39. Y. BAR-HILLEL, *Language and information* cit. 9.

BIBLIOGRAPHIE SOMMAIRE

Nous indiquons ici quelques textes (déjà cités, parmi beaucoup d'autres, en lieu opportun, dans les notes) particulièrement importants pour les différentes tendances que nous avons discutées.

CHAPITRE II : F. DE SAUSSURE, *Cours de linguistique Générale*, Genève-Paris 1916 (et éditions suivantes Payot, Paris). Important : R. GODEL, *Les sources manuscrites du Cours de Linguistique générale de F. de Saussure*, Genève-Paris 1957. L'édition critique du *Cours*, de R. Engler, est en préparation.

CHAPITRE III : N. S. TROUBETZKOY, *Grundzüge der Phonologie*, « TCLP » VII 1939, Göttingen 1958 (traduction française de J. Cantineau, *Principes de Phonologie*, Paris 1949). Une anthologie commode : J. VACHEK, *Prague School reader in Linguistics*, Bloomington 1964.

CHAPITRE IV : L. HJELMSLEV, *Prolegomena to a theory of language*, Madison 1961 [2] (traduction anglaise faite en 1953 de l'original danois de 1943 ; traduction française en préparation). Id., *Essais linguistiques*, « TCLC » XII 1959.

CHAPITRE V : E. SAPIR, *Language. An introduction to the study of speech*, New York 1921 (et éditions suivantes ; traduction française : *Le langage*, Payot, Paris 1953 ; 2ᵉ éd. 1967). Id., *Selected writings in language, culture and personality*, édité par D. G. Mandelbaum, Berkeley 1949 (1951 [2]). L. BLOOMFIELD, *Language*, New York 1933 (et éditions suivantes).

CHAPITRE VI : R. JAKOBSON, *Selected writings*, The Hague 1962 sv (cf. en français, *Essais de linguistique générale*, édités par N. Ruwet, Paris 1963). A. MARTINET, *Économie des changements phonétiques. Traité de phonologie. diachronique*, Berne 1955. Id., *Éléments de linguistique générale*, Paris 1960. Id., *La linguistique synchronique. Études et recherches*, Paris 1965. J. R. FIRTH, *Papers in linguistics 1934-1951*, London 1957. M. A. K. HALLIDAY, A. McINTOSH, P. STREVENS, *The linguistic sciences and language teaching*, London 1964.

CHAPITRE VII : Z. S. HARRIS : *Methods in structural linguistics*, Chicago 1951 (sous le titre de *Structural linguistics*, Chicago 1960). C. F. HOCKETT, *A course in modern linguistics*, New York 1958. A. A. HILL, *Introduction to linguistic structure*, New York 1958. K. L. PIKE, *Language in relation to a unified theory of the structure of human behavior*, Glendale Calif. 1954 sv (2ᵉ édition, The Hague 1967 [2]). Une utile présentation : H. A. GLEASON, *An introduction to descriptive linguistics*, New York 1955 (2ᵉ édition augmen-

tée 1961). Id., *Linguistics and english grammar*. New York 1965. Une anthologie commode : M. Joos, *Readings in linguistics. The development of descriptive linguistics in America since 1925*, New York 1958², suivi de *Readings in linguistics II*, édité par E. P. Hamp, F. W. Householder, R. Aus-
terliti, Chicago, London 1966.

CHAPITRE VIII : N. A. CHOMSKY, *Syntactic structures*, 's-Gravenhage
1957 (1962²). Id. *Current issues in linguistic theory*, The Hague 1964. Id.,
Aspects of the theory of syntax, Cambridge Mass. 1965. Introductions commodes : E. BACH, *An introduction to transformational grammars*, New York
1964 ; A. Koutzoudas, *Writing transformational grammars : An Introduction*, New York 1966. Anthologie utile : J. A. FODOR, J. J. KATZ, *The structure of language. Readings in the philosophy of language*, Englewood Cliffs
N. J. 1964.

CHAPITRE IX : De nombreuses informations dans G. A. MILLER, *Language and communication*, New York 1951. C. CHERRY, *On human communication*, Cambridge Mass.-New York 1957. Y. BAR-HILLEL, *Language and
information. Selected essays in their theory and application*, Reading Mass.,
Jérusalem 1964.

INDEX ANALYTIQUE

Nous n'introduisons que certains des termes propres à certains auteurs ; généralement, la page à laquelle on renvoie ne définit pas le terme, mais suggère le contexte dans lequel il apparaît. A l'usage du lecteur non linguiste, nous introduisons dans l'index quelques commentaires.

INDEX DES NOMS

Pour que l'index des noms puisse aussi être utilisé comme guide bibliographique, on indique *en italique* les pages où apparaissent pour la première fois les indications bibliographiques pour chaque œuvre citée de chaque auteur.

Si vous appréciez les volumes de cette collection et si vous désirez être tenu au courant des publications des Éditions **PAYOT, PARIS**, découpez ce bulletin et adressez-le à :

ÉDITIONS PAYOT, PARIS
106, Bd Saint-Germain
75006 Paris

NOM . . . .

PRÉNOM . . . .

PROFESSION . . . .

ADRESSE . . . .

. . . .

Je m'intéresse aux disciplines suivantes :

ACTUALITÉ, MONDE MODERNE ☐
ARTS ET LITTÉRATURE ☐
ETHNOGRAPHIE, CIVILISATIONS ☐
HISTOIRE ET GÉOGRAPHIE ☐
PHILOSOPHIE, RELIGION ☐
PSYCHOLOGIE, PSYCHANALYSE ☐
SCIENCES (Naturelles, Physiques) ☐
SOCIOLOGIE, DROIT, ÉCONOMIE ☐

(*Marquer d'une croix les carrés correspondant aux matières qui vous intéressent.*)

Suggestions :

. . . .

. . . .

. . . .

A découper ici

Imprimerie BUSSIÈRE à Saint-Amand (Cher), France. — 3-10-1976
Dépôt légal : 4ᵉ trim. 1976.   *Nº d'imp. : 1313*
IMPRIMÉ EN FRANCE